LA PRESENCIA DE MIGUEL DE UNAMUNO EN ANTONIO MACHADO

BIBLIOTECA ROMÁNICA HISPÁNICA

Dirigida por Dámaso Alonso

II. ESTUDIOS Y ENSAYOS

AURORA DE ALBORNOZ

LA PRESENCIA DE MIGUEL DE UNAMUNO EN ANTONIO MACHADO

BIBLIOTECA ROMÁNICA HISPÁNICA
EDITORIAL GREDOS, S. A.
MADRID

© AURORA DE ALBORNOZ, 1968.

EDITORIAL GREDOS, S. A.
Sánchez Pacheco, 83, Madrid. España.

Depósito Legal: M. 20545 - 1967.
Gráficas Cóndor, S. A., Sánchez Pacheco, 83. Madrid, 1968. — 2976.

NOTA PRELIMINAR

Este trabajo fue presentado como tesis doctoral en la Facultad de Filosofía y Letras de la Universidad de Salamanca en 1966. Al entregarlo al público, no he cambiado nada de lo fundamental; sólo he añadido alguna nota, modificado alguna expresión...

Deseo expresar mi profundo agradecimiento al maestro y amigo don Rafael Lapesa, cuyos consejos guiaron mi trabajo.

Deseo también dar las gracias a la Universidad de Puerto Rico, sin cuya ayuda no hubiera podido realizar este estudio.

Igualmente a todas aquellas personas que con sugerencias o con información me han ayudado, especialmente a doña Leonor Machado y a doña Luisa Torrego Illeras; a don Manuel Álvarez Sierra, a don Federico de Onís*, a don Mariano Quintanilla, a don Oreste Macrí, a don Luis Rosales, a don Ricardo Gullón, a don José Luis Cano y a don Carlos Blanco Aguinaga.

No puedo cerrar estas líneas sin dedicar un recuerdo emocionado a Manuel García Blanco, cuyos consejos fueron para mí una valiosa ayuda: el amigo muerto está presente en estas páginas.

Puerto Rico, otoño, 1966.

---

* Después de terminado este trabajo, y entregado ya a la editorial, aconteció la inesperada muerte de don Federico de Onís; en el momento en que escribo estas líneas le recuerdo con cariño sincero, y le admiro profundamente en su muerte, rúbrica de su vida.

INTRODUCCIÓN

Muchos antes que yo hablaron de las afinidades entre Miguel de Unamuno y Antonio Machado, y han sugerido la posibilidad de que don Miguel haya influido en la obra y en el pensamiento de don Antonio.

El estudio más extenso que conozco acerca de la relación Unamuno-Machado se lo debemos a Geoffrey Ribbans; fue publicado hace algunos años [1]. Cree este crítico que la influencia de don Miguel es importante en la formación de don Antonio. Más adelante comentaré detenidamente algunos puntos de dicho estudio.

En *Antonio Machado. Su mundo y su obra*, S. Serrano Poncela se refiere con mucha frecuencia a una influencia que él acepta, no sin antes hacer algunas aclaraciones previas: «La influencia de Unamuno en Antonio Machado —escribe— apenas ha sido sometida a observación, no obstante haber tantas marcas de ella en la vida y obra del poeta. Por supuesto, al hablar de influencias quiero referirme a coincidencias de pensamiento que aproximan y fecundan recíprocamente a hombres superiores. Por descontada queda la ausencia de imitaciones y plagios» [2].

En un artículo bastante extenso publicado hace pocos años, Julio César Chaves, aceptando la palabra de Machado, afirma que creía don Antonio «que toda poética debía tener una filosofía. La suya era la de Unamuno. En su obra percíbese siempre el eco unamuniano. Su posición frente a la vida y la muerte, el tiempo, la política y los políticos, el

---

[1] *Unamuno and Antonio Machado*. Bulletin of Hispanic Studies, Liverpool, XXXIV, 1957, págs. 10-15.
[2] Ed. Losada. Buenos Aires, 1954, pág. 58.

pueblo, el ayer, el hoy y el mañana, la paz y la guerra, es idéntica»[3]. A través de las páginas del presente estudio podrá el lector comprobar que mis puntos de vista difieren bastante de los de Chaves; estoy más cerca de Luis Felipe Vivanco, que opina que el pensamiento de Machado tiene algunas influencias de Unamuno, mas «no tantas como pudiera suponerse de la incondicional admiración que ha mostrado siempre don Antonio por don Miguel»[4].

No son éstos los únicos críticos que, con mayor o menor profundidad, han tocado el tema. Escritores ilustres —Ortega y Gasset acaso el primero[5]— han puesto juntos en alguna ocasión los nombres de don Miguel y don Antonio[6].

El trabajo que presento a continuación, a pesar de su extensión, no puede ser exhaustivo; es posible que muchas cosas importantes queden aún por decir; no descarto la posibilidad de decirlas yo misma en otra ocasión. Y me sentiría plenamente satisfecha de mi labor si estas páginas sugiriesen a otros otras ideas, otros puntos de vista.

Sé que este trabajo —como cualquiera donde las opiniones personales tengan que estar presentes en todo momento— puede ser controvertible. Y puede dar lugar a observaciones desde el título.

Es éste un estudio de investigación literaria. Por tanto, he tratado de mantenerme en un plano literario, sin meterme en otros campos, aun-

---

[3] *La admiración de Antonio Machado por Unamuno.* Cuadernos Hispanoamericanos, 155, Madrid, 1962.

[4] *Comentario a unos pocos poemas de Antonio Machado.* Cuadernos Hispanoamericanos, núms. 11-12, Madrid, 1949.

[5] *Los versos de Antonio Machado,* en *Personas, obras, cosas.* Madrid, Renacimiento, 1916, págs. 325-334.

[6] Recuérdense, entre otros títulos, MARÍA ZAMBRANO: *Antonio Machado y Unamuno, precursores de Heidegger. Sur,* Buenos Aires, 1938; JUAN REJANO: *Darío, Unamuno y Machado. Las Españas,* México, 1946; *Estudios sobre Unamuno y Machado,* de ANTONIO SÁNCHEZ-BARBUDO, obra a que me referiré con frecuencia.

Sobre aspectos parciales —concretamente sobre poética— han hecho interesantes observaciones Gerardo Diego y Carlos Clavería. De ello hablaré en el momento oportuno.

Me referiré también a algunos artículos de Ricardo Gullón y de Luis Felipe Vivanco; ambos han hecho valiosas aportaciones.

Luis Rosales ha reunido un interesantísimo fichero, de donde espero que algún día salga un ordenado estudio.

que con frecuencia los roce. Pero al hablar de Unamuno y Machado, el término «literario» cobra un sentido amplio. No puede tratarse de «literatura pura», concepto que los dos rechazaban con igual firmeza. La obra literaria de Unamuno y Machado está cargada de ideas o, si preferimos, de pensamientos y sentimientos. Sin renunciar al estudio de las aproximaciones formales —las he analizado cuando lo creí conveniente—, he puesto especial interés en el estudio del contenido.

No he querido tampoco limitarme a un número de obras, o, mejor dicho, no he podido. Tanto Unamuno como Machado nos entregan su ser completo no en dos o tres libros, sino a través de su obra toda: el primero, a través de los variados géneros que cultivó; el segundo, a través de su verso y de su prosa, «complementaria» del verso. Sólo he excluido, en el caso de Machado, el teatro, por tratarse de literatura escrita en colaboración con su hermano Manuel.

Cuando emprendí este trabajo, *La presencia de Unamuno en Antonio Machado* me parecía un buen título. «Presencia» me gustaba más que «influencia» —de *influere*, es decir: hacer irrupción, penetrar—, porque creía —y sigo creyendo— que Unamuno no penetra realmente en el pensamiento de Machado, aunque esté con frecuencia presente en él. Hoy tampoco estoy en total acuerdo con el título actual, que he mantenido, sin embargo, a falta de otro más apropiado.

Como se verá a través de las páginas de este estudio, si es cierto en parte que busco y hallo a veces —en diversas formas— la presencia de don Miguel en don Antonio, no es menos cierto que en otras ocasiones he hallado, inesperadamente, la presencia de don Antonio en don Miguel. He hallado, además, como el lector podrá comprobar más adelante, otras cosas no sospechadas al iniciar la investigación.

El punto central de mi tesis —es decir, la *tesis* misma— vendría a ser el siguiente: Miguel de Unamuno es para Antonio Machado un «excitador». Más que influir en su obra —y al decir su obra digo su pensamiento y su sentimiento—, le plantea problemas que Machado por su cuenta ha de intentar solucionar; las soluciones no siempre coinciden con las de Unamuno; por el contrario, podríamos decir que, en general, no coinciden.

Introducción

Esa misión, la de plantear problemas —la de «excitador»—, era la que Unamuno consideraba acaso su primordial función [7]. Así, al menos, lo expresa con frecuencia: «¿No ves que mi misión es obligaros a plantearte los problemas que tratas de soslayar?» *(sic) (O. C.*, XI, 427) [8].

Es indudable que Machado hubiera llegado a enfrentarse con una serie de problemas sin el aguijón de Unamuno. A muchos llegó, sin duda, por camino propio y, desde luego, nunca trató de soslayarlos. Pero una razón circunstancial, el entablar amistad con Unamuno en el momento de su formación espiritual, hace, sin duda, que sea éste quien le plantea algunos muy importantes.

Mas para llegar a esa tesis —que es el eje en torno al cual, una vez descubierto, ha girado mi trabajo— tuve que revisar cuidadosamente toda la obra de los dos escritores y elegir para mi investigación unos cuantos temas que considero fundamentales en ambos.

Por otra parte, como lo que pretendía buscar eran aproximaciones, no me he detenido en ciertos problemas si no consideré que Unamuno los hubiera suscitado en Antonio Machado. Así, el del tiempo, por ejemplo, tan machadiano. Tanto que, hasta donde he podido llegar, podríamos decir —y permítaseme la frase— que el tiempo en Machado no tiene tiempo. Es como si naciese con él. No parece problema que le plantease nadie; quiero decir ningún otro escritor de los que hayan podido tener algo que ver en su formación. Se le planteó él mismo: el tiempo mismo.

Uno de los problemas que aquí analizo con bastante detenimiento es el de la identidad personal. Podría decírseme que, en el estudio de

---

[7] «Excitator Hispaniae» le llamó a Unamuno E. Curtius. He aceptado este término, que traduzco al español: «excitador» —el que excita, el que mueve—, porque me parece que va bien con el espíritu unamuniano.

Ezequiel de Olaso sugiere otros posibles «nombres» —algunos, en mi opinión, muy acertados— aplicables a don Miguel: «Inquietador», «Suscitador», «Provocador»... (véase *Los nombres de Unamuno*).

[8] *O. C.*, abreviatura de Obras Completas de Miguel de Unamuno (prólogo, edición y notas de Manuel García Blanco), Ed. Vergara. El número romano indica el tomo, y el arábigo, la página. Utilizo siempre la misma edición.

En el caso de Machado utilizo: *Antonio Machado. Obras. Poesía y prosa* (edición reunida por Aurora de Albornoz y Guillermo de Torre), Ed. Losada, Buenos Aires, 1964. Abreviatura: *O. P. P.;* el número arábigo indica la página.

algunos de los aspectos que de él se derivan, más que trazar aproximaciones entre Unamuno y Machado, establezco una serie de paralelos; por tanto, acaso no estaría del todo justificado darle el relieve que en estas páginas le doy. Quizá sea cierto; la verdad, en este caso, es que dicho capítulo creció como un desarrollo normal de una de las manifestaciones del problema: la creación de personajes apócrifos. Es decir, que del tema particular de la posible presencia de los apócrifos de Unamuno en los de Machado, tras ver en ellos sólo una faceta de otro problema, vi la ineludible necesidad de analizar ese otro, si no en todos sus aspectos, al menos en algunos.

Es muy probable que otros temas de aproximación se hayan quedado voluntaria o involuntariamente fuera. Pienso ahora, por ejemplo, en un aspecto del tema del amor —que yo relacionaría, en parte, con el problema de la identidad personal— que podríamos llamar «La creación del objeto amado» o, simplemente, en términos más machadianos quizá, «La invención de la amada». Al llegar a este punto pensamos, claro, en los conocidos versos que Machado, en su madurez, dedicó a la mujer amada o, si se quiere, al amor:

> Todo amor es fantasía;
> él inventa el año, el día,
> la hora y la melodía;
> inventa el amante y, más,
> la amada. No prueba nada
> contra el amor que la amada
> no haya existido jamás.
>
> *(O. P. P.*, 399)

Pocas veces recordamos, sin embargo, que Unamuno creó una amada mucho antes. En *Niebla* asistimos —véanse capítulo I y II *(O. C.*, II, 804-814)— a la invención del objeto erótico par parte de un tímido solitario que necesita de tal invención.

No obstante, no estoy muy segura de que la presencia de Unamuno se manifieste en estos versos. Mejor dicho, creo que se trata de una coincidencia casual: Unamuno no es en los versos de Machado a Guiomar el «excitador» que plantea un problema. Es Guiomar —es decir, la presencia real del amor— quien lo plantea en este caso.

Introducción

Como se verá, divido mi estudio en cuatro partes. En la primera establezco las aproximaciones personales entre don Miguel y don Antonio. Ello me parece importante. En la segunda y tercera analizo los temas fundamentales en que he hallado relaciones; en la cuarta y última he tratado de destacar otros puntos de contacto: aproximaciones en la teoría poética y formas de decir en que don Antonio parece haber recogido algo del decir de don Miguel.

Las partes segunda y tercera quizá podrían reducirse a una, que sería exageradamente extensa. Pero no es la extensión la razón primordial de la separación que establezco. Las aproximaciones en los puntos de vista relacionados con España —que constituyen el tema de esa segunda parte— son realmente de tal importancia que no pueden constituir un capítulo más entre varios otros.

En verdad, es en el tema de España donde precisamente podemos hablar de «presencia» de Unamuno en Machado; acaso sea esa parte la que justifica el título de este estudio. No sucede así en los que analizo en la parte tercera, donde más que de «presencias» habría que hablar de «aproximaciones» o de «coincidencias».

En la segunda parte —y debido a las razones expuestas en el párrafo anterior— he puesto especial empeño en destacar el pensamiento de Unamuno, poniéndolo siempre en primer lugar, y viendo luego lo que de él queda en Machado.

En el estudio de los otros temas, por el contrario, he seguido casi siempre el procedimiento de estudiar el problema *desde* Machado, haciendo referencias a Unamuno. Así, en los tres capítulos que integran la tercera parte: «El Dios de Antonio Machado», «Cristo y el cristianismo de Antonio Machado» y «El problema de la identidad personal». En ellos he tratado de fijar la posible relación entre Unamuno y Machado —en algunos casos hay, incluso, una fijación temporal—, pero he querido dar importancia primordial a dichos temas interpretados por don Antonio, siguiendo a veces su evolución en los aspectos en que se separa del «maestro».

Al aludir a los temas fundamentales —tanto a los que analizo extensamente como a los posibles— no hice referencia a algunos otros, de importancia secundaria, que, sin embargo, merecen ser mencionados aunque no les dedique mucha atención. Así, entre otros, un subtema

—más bien que tema— al que Unamuno y Machado se refirieron en sus conversaciones y escritos: la actitud hacia Francia. Le llamo subtema porque cabría dentro de uno más amplio: actitud del hombre español de una época ante el resto del mundo.

En el caso de nuestros dos escritores hallaríamos, si nos propusiéramos estudiar este último punto, muy notables coincidencias: la actitud de Unamuno y de Machado hacia Francia —que veremos—, hacia Inglaterra —en general favorable—, hacia Alemania —de antipatía con frecuencia—, hacia Rusia —de admiración casi siempre—, por ejemplo, coincide en forma sorprendente. No me parece necesario, sin embargo, estudiar este y otros temas muy detenidamente, aunque haré sobre algunos de ellos diversos comentarios.

Creo, además, que, tanto en la actitud hacia los países extranjeros como en muchas otras actitudes, es probable que las coincidencias no se limiten a Unamuno y a Machado, sino que se extiendan a gran parte de los españoles progresistas de principios de siglo [9]. Son influencias de ambiente.

Nos lleva esto a nuevas observaciones y a la posibilidad de plantearnos un sinnúmero de nuevas preguntas. Imposible detenernos en todas las que ahora pueden surgir. Pero hay ciertas cosas que no pueden escapársenos. Se me puede preguntar, por ejemplo, que, si en la actitud de Machado hacia los países extranjeros veo más bien influencias de ambiente que influencias de Unamuno, ¿por qué no pensar que aquéllas operen en otros aspectos en los que he hablado de presencias de Unamuno en el pensamiento de Machado? ¿En los temas derivados del problema de España, por ejemplo? No niego que, en algunas ocasiones, donde veo huellas de Unamuno no pudiera tratarse, en efecto, de influencias generales de ambiente.

Dentro de las que llamo en forma un tanto imprecisa «influencias de ambiente», podríamos —para precisar— establecer tres apartados: 1.º, sociales; 2.º, de educación; 3.º, de lecturas.

---

[9] Entre el progresismo de Unamuno y el de Machado hay, sin duda, notables diferencias. Unamuno, como muy bien ha demostrado Elías Díaz (*El pensamiento político de Unamuno*, Madrid, Tecnos, 1965), no pasó de ser un liberal de corte decimonónico; Machado, por el contrario, entendió muy bien las nuevas ideologías que avanzaban con el siglo XX.

Introducción

El término «influencias sociales» podría aquí sustituirse por una frase muy del gusto de don Antonio: «lo que pasa en la calle». Es decir: lo que se habla en el café, lo que se comenta en las tertulias, lo que dicen los periódicos... Cuando Unamuno y Machado nacen a la vida intelectual, circulan por su mundo —como sucede en cada época— ciertas opiniones de moda, ciertos puntos de vista sobre personas, libros, ideas políticas, ideas sociales, tendencias filosóficas —recordemos como ejemplo el auge del krausismo— que necesariamente tuvieron que afectar a nuestros dos escritores, como a otros hombres de su mismo país y de su misma época.

Al referirnos a las «influencias de educación», debemos ir por partes. Hay que hacer algunas distinciones entre educación recibida en el hogar, educación recibida en la escuela y educación recibida a través de ciertas figuras —educadores y hombres públicos— que imprimen su sello en los jóvenes que nacen a la vida intelectual en las últimas décadas del pasado siglo.

El ambiente familiar de Unamuno y de Machado fue bastante distinto, al parecer; el hogar de éste era mucho más progresista que el de aquél. Fue también más progresista la educación recibida en la escuela. Recordemos que a la Institución Libre de Enseñanza acudió Machado desde su llegada a Madrid a los ocho años. Pero figuras de gran relieve, como Joaquín Costa o Francisco Giner de los Ríos, parecen haber influido en ambos, aunque más en Machado, naturalmente, que los tuvo como maestros, no ya sólo cuando conscientemente quiso escuchar sus palabras, sino desde los años de la Institución.

Podría decírseme que son inseparables las influencias sociales y las influencias en la educación, que separé; lo son, en efecto, y sólo trazo estas divisiones para mejor entendernos.

En cuanto a lecturas —tema muy sugestivo y digno de ser estudiado a fondo—, mucho más sabemos sobre las que hizo Unamuno, ya que lo dice él mismo más de una vez, que sobre las que hizo Machado, en cuyo caso tenemos casi que adivinarlo llevándonos de las influencias que podamos hallar en su poesía más temprana, de los nombres que cita —pocos— y de alguna que otra nota sobre sus preferencias. Pero nos resulta difícil averiguar todo lo que quisiéramos saber. Podemos adivinar que leyó y que conocía bien a Rosalía de Castro, de quien nunca habla; sabemos que es imposible que desconociese a Augusto Ferrán...

Pero, en realidad, ¿qué pruebas tengo para demostrar todo esto? Sólo un estudio de la presencia de estos poetas en su obra. Y ello, claro, sería discutible.

A Bécquer se refiere Machado varias veces. Es el romántico sevillano acaso uno de los poetas que más influyen en su formación; también influye en buena medida en cierta parte de la obra poética de Unamuno, que lo reconoce.

Hacia los escritores españoles clásicos —que Unamuno y Machado habían leído muy bien— muestran actitudes muy similares; así, en el caso de Calderón de la Barca, por ejemplo, en quien ambos ven un símbolo de lo más externo y superficial de su pueblo, en contraste con Cervantes, en quien hallan un símbolo de la España eterna.

En los dos hay admiración hacia escritores anteriores a los de nuestro Siglo de Oro. Coinciden muy notablemente en su gran devoción hacia Jorge Manrique. Esa devoción hacia el autor de las *Coplas* es en Machado antigua y constante; se puede percibir ya en *Soledades*, y no desaparece jamás, como podemos comprobar casi a simple vista. No sé cuándo podríamos fijar, en el caso de Unamuno, el comienzo de una admiración que en sus últimos años —después de 1931 especialmente— parece muy fuerte, a juzgar por las frecuentes alusiones al autor de las «coplas inmortales».

Hasta aquí me he referido sólo a la admiración —que es de suponer nazca de un amplio conocimiento establecido a través de frecuentes lecturas— de escritores de lengua española. Si intentamos una búsqueda por la poesía, o la novela, o la filosofía extranjeras, creo que hallaríamos resultados reveladores. Por ejemplo, conocimiento serio de un Shakespeare, de un Tolstoy, de un Bergson..., por citar sólo un poeta, un novelista y un filósofo.

No estoy segura de que podamos incluir la lectura de Bécquer —o de algunos otros de los autores citados— dentro de las «influencias de ambiente»; es claro, sin embargo, que podemos hacerlo en el caso de Tolstoy, por ejemplo, y en el caso de toda la novela rusa, descubierta en España y puesta en moda a principios de siglo.

Aparte de los pocos nombres de autores españoles y extranjeros mencionados aquí, es seguro que nuestros dos escritores leyeron obras de literatura, de filosofía, de sociología... de moda en un determinado momento.

Introducción

No he incluido en este último apartado la lectura de periódicos porque me parece que había que incluirlo en el primero, donde lo mencioné ya. La lectura de los diarios —acompañada de comentarios y discusiones— es parte de «lo que pasa en la calle».

Podría decírseme que la lectura de ciertas obras, o los educadores o figuras públicas a que me he referido, no influyeron sólo en Unamuno y en Machado, sino en todo un grupo: el que conocemos hoy como «Generación del 98».

Estoy plenamente de acuerdo. Y es cierto e importantísimo recordar siempre que Unamuno y Machado —como los demás integrantes de esta generación— no sólo recibieron las influencias humanas —de maestros, de figuras públicas— a que antes hacía referencia y las influencias de lecturas comunes, sino que, no lo olvidemos, son testigos de una misma circunstancia histórica que los dos vivieron plenamente y que a los dos afectó en forma radical.

Acabo de referirme a la «Generación del 98». No quisiera extenderme sobre un punto que podría convertirse en tema interminable de discusión y que podría llevarnos hasta plantearnos muchos problemas: incluso el de la existencia misma de dicha generación.

Quiero sólo decir sobre ello que acepto su existencia, globalmente, sin discusión, como hipótesis de trabajo. Mas, sin embargo, entiendo que hay entre los integrantes del grupo radicales diferencias; tan radicales que, a veces, hasta parece posible poner en duda, como señalaba, su existencia como «generación».

Con relación a Unamuno, podría hacer mías las siguientes observaciones de Ferrater Mora: «Ya es tradicional incluir a Unamuno en la generación española de 1898 —mejor aún, considerarlo como uno de sus adalides—. Aceptaremos la tradición, lo que supone admitir —aprobando el insistente testimonio de Azorín frente a la terca negativa de Baroja— que semejante generación ha existido»... [10].

Sobre si Machado pertenece o no a dicha generación se ha discutido también. Recordemos que Azorín no lo incluye entre los integrantes de ella; posteriormente, parece que no solamente se le admite, sino que se habla de él como del «poeta de la Generación del 98». Así, por ejemplo,

---

[10] *Unamuno. Bosquejo de una filosofía*, pág. 12.

Miguel de Unamuno. — 2

en las obras de P. Laín Entralgo y Hans Jeschke[11]. Él, sin embargo, tenía sobre el particular sus propias y muy interesantes ideas. De una entrevista aparecida en *La Voz de Madrid* (1938), firmada por V. D. M., saco estas palabras:

Pregunta de V. D. M.: «Entonces, ¿su relación con la generación del 98?»

Respuesta de Machado: «Soy posterior a ella. Mi relación con aquellos hombres —Unamuno, Baroja, Ortega, Valle-Inclán— es la de un discípulo con sus maestros. Cuando yo nacía a la vida literaria y filosófica, todos aquellos hombres eran ya valores cuajados y en sazón»[12].

Con relación a nuestro tema de estudio, la respuesta de Machado es muy valiosa: una vez más —en 1938— se declara discípulo de don Miguel.

Sin afirmar ni negar nada todavía, veamos hasta dónde podemos aceptar las manifestaciones de don Antonio. Éstas —me refiero aquí a las que tienen relación con Unamuno—, que son una vez más afirmación de aquellas de los versos que todos recordamos:

> Siempre te ha sido, ¡Oh, Rector
> de Salamanca!, leal
> este humilde profesor
> de un instituto rural.
> Esa tu filosofía
> que llamas diletantesca,
> voltaria y funambulesca,
> gran don Miguel, es la mía.

---

[11] P. Laín Entralgo: *La generación del 98*; Hans Jeschke: *La generación de 1898*.

[12] El hallazgo de esta entrevista se lo debemos al profesor Oreste Macrí, a quien le agradezco el haberla puesto a mi disposición aun antes de darla a la publicidad.

El lector se habrá fijado en un hecho curioso: Machado nombra a Ortega entre sus maestros. Recordemos que don Antonio llegó a la filosofía relativamente tarde, cuando Ortega y Gasset, algunos años más joven que él, era, en efecto, una figura ya conocida.

Recientemente he visto la misma entrevista, junto con otros textos poco conocidos del poeta, recopilados por Robert Marrast. Serán publicados próximamente.

PRIMERA PARTE

RELACIONES PERSONALES Y LITERARIAS

Capítulo I

RELACIONES AMISTOSAS ENTRE LOS DOS ESCRITORES.
LA ADMIRACIÓN DE ANTONIO MACHADO POR EL
«GRAN DON MIGUEL»

Pocos datos concretos tendríamos acerca de la amistad que medió entre los dos escritores si no hubiese llegado a nosotros parte de la correspondencia privada que entre ellos se cruzó: las cartas que Antonio Machado dirigió a don Miguel, testimonio de amistad y una prueba más de la enorme devoción que el que se llamaba a sí mismo «discípulo» sentía por el «querido y admirado Maestro». Son parte de un diálogo del que la otra parte, lamentablemente, no nos llegó.

De don Miguel a don Antonio conservamos sólo una carta abierta, publicada en *Helios,* y fragmentos de otra, escrita en 1908.

La publicación de esa correspondencia se la debemos a Manuel García Blanco; conocíamos anteriormente algunos párrafos de cartas de Machado que don Miguel incluyó y comentó en artículos de principios de siglo.

Unamuno en la juventud de Antonio Machado

El más antiguo testimonio del comienzo de una larga relación epistolar data de 1903. En este año, Antonio Machado envió a Unamuno su primer libro de versos, *Soledades,* con la siguiente dedicatoria: «A

Don Miguel de Unamuno, al Sabio y al Poeta. Devotamente. Antonio Machado»[1].

La opinión de don Miguel sobre *Soledades* parece que le fue comunicada a Manuel Machado[2]; puede ello deducirse del contenido de la carta abierta dirigida por Unamuno a Antonio, publicada en la revista *Helios* bajo el título de «Vida y Arte»[3], a que arriba me refería.

Desde el primer párrafo, don Miguel utiliza la carta del joven poeta como medio de dirigirse al público. Comienza con estas palabras: «Mi estimado amigo: La carta en que me contesta a lo que dije a su hermano Manuel, en la que le escribí hablándole del librito de poesías que usted ha publicado, es una carta sugeridora. Y a tal punto lo es, que creo bueno contestársela en público y tomando a usted como medianero para con éste».

Por lo que don Miguel dice, sabemos que en esa carta le comunicaba el poeta sus impresiones sobre París y sobre los franceses. Don Miguel entresaca, para comentarlos, algunos de los párrafos en los cuales Machado expresa sus opiniones sobre el particular: «Poseen el arte de conversar —me dice usted de los franceses—, el cual consiste en dar siempre la razón al interlocutor y seguir sosteniendo la tesis contraria, así como nosotros poseemos el arte de *disputar*, que consiste, a su vez, en pegarle siempre al interlocutor, aunque estemos de acuerdo con él...»

Y continuando con el tema de lo francés, que ha de ser siempre, como lo iremos viendo, un tema de constante diálogo entre los dos escritores, sigue Unamuno mezclando opiniones del joven poeta con pro-

---

[1] Manuel García Blanco: *De la correspondencia de don Miguel de Unamuno. Cartas de Antonio Machado*, pág. 6.
[2] Con Manuel Machado tenía Unamuno, al parecer, ya en este momento, buena amistad. Recuérdese que en 1901 escribió don Miguel un elogioso artículo sobre *Alma*. Según García Blanco *(Op. cit.*, pág. 6), Manuel escribió a don Miguel en 1901 «pidiéndole colaboración —en lo que fue atendido— para el primer número de *Juventud*, revista popular contemporánea, que inició su vida el día primero de octubre de dicho año». En diversas ocasiones en que don Miguel, por algún motivo, alude a Antonio durante estos primeros años del siglo, se refiere siempre a «el hermano de Manuel Machado».
[3] *Helios*, VIII, 1903, págs. 46-50. Reproducida por G. Ribbans en *Unamuno and Antonio Machado*. La recoge posteriormente M. García Blanco en su reciente libro: *En torno a Unamuno*, págs. 277 y sigs.

pios puntos de vista: «Comenta usted luego lo que a propósito de su libro de usted le escribí a su hermano de que es fuerza nos abramos paso por nosotros mismos en la selva española, virgen en su mayor parte, y al comentarlo da usted en una de mis tesis favoritas. Me dice que sostenía a algunos amigos de allá, grandes adoradores del alma francesa, que la vida en París es poco fecunda para el arte, porque la vida allí es arte y no siempre bueno, y el arte viene a ser ya como una redundancia u ornamentación inútil. Pasa lo contrario —añade usted— en España, donde, aparte algunas capitales que tienen alma postiza, la vida, que se ignora a sí misma, corre más espontánea y verdadera, y tiene mayor encanto para el arte».

Comenta luego Unamuno temas de la actualidad española: el teatro, la literatura, la oratoria... Los puntos de vista que sostiene no son nuevos en su obra, mas no por ello carecen de interés. En este momento —quiero subrayarlo— vienen promovidos por la carta de un joven poeta; Unamuno, que siempre sintió su misión de guía de la juventud, no desperdicia esta oportunidad para hablar a los jóvenes, y, sobre todo, a los jóvenes poetas. Por eso, cuando pensábamos que don Miguel había perdido de vista al corresponsal, nos muestra que, por el contrario, lo tiene muy presente. «Y todo esto —dice—, aunque caiga en sarta sin cuerdas, tiene relación con lo que usted me escribe del arte y de la vida»...

Finaliza Unamuno dando al joven una serie de consejos sobre la vida y el arte que no sería absurdo pensar que hayan influido en la formación del poeta.

¿Se conocían personalmente en este momento los dos escritores? No me ha sido posible determinar con exactitud la fecha de los primeros encuentros. Según el doctor Álvarez Sierra, amigo de juventud de don Antonio, el poeta conoció a don Miguel antes de 1900. Afirma Álvarez Sierra que Machado estuvo presente en unos Juegos Florales, celebrados en Bilbao, en los que don Miguel fue el orador principal [4].

Según Alice Mc Van, en 1903 Unamuno visitó a Antonio Machado en su casa para darle las gracias por el envío de *Soledades* [5]. Añade

---

[4] Se celebraron el 26 de agosto de 1901. Agradezco al doctor Álvarez Sierra la información.

[5] *Antonio Machado*, págs. 24-25. No indica la fuente de información de este dato.

esta escritora que, en agradecimiento, Machado dedicó a don Miguel el poema *Luz*, publicado en *Alma Española* el 21 de febrero de 1904.

El hecho de que don Miguel comunique a Manuel sus primeras impresiones sobre el libro de Antonio, puede inclinarnos a pensar que le unía a aquél mayor amistad; podemos pensar también en otra posibilidad: que Manuel hiciese el envío por encargo de su hermano [6].

Aunque nos falten datos concretos, es posible pensar que en los primeros años de siglo Antonio Machado haya visto con relativa frecuencia a don Miguel, que, recién nombrado Rector de la Universidad de Salamanca, visitó bastante Madrid, llevado por asuntos relacionados con la Universidad. Hizo también varios viajes a la Corte poco antes de su nombramiento [7].

La primera muestra de admiración hacia el poeta Unamuno la expresa el joven Machado en la dedicatoria de *Soledades*, libro destinado no sólo al «Sabio», sino igualmente al «Poeta».

Esta dedicatoria, escrita varios años antes de la publicación del primer libro de versos de Unamuno, *Poesías* (1907), no casa, desde luego, con ciertas afirmaciones de Juan Ramón Jiménez, en las que señala que a él y a Machado no les gustaba al principio Unamuno. «Darío nos trajo —dice J. R. Jiménez— un vocabulario nuevo que correspondía a una forma sensorial y no a una forma hueca, como creían algunos necios. Ese vocabulario nos llegó muy adentro. Unamuno no lo tenía, pero de él aprendimos, en cambio, la interiorización. A Machado y a mí al principio no nos gustaba. Hay que pensar en la diferencia de edades. Cuando en 1907 publicó *Poesías* me lo envió, y ese libro influyó en nosotros» [8].

Cabe pensar que Juan Ramón Jiménez utilice el nombre de Antonio Machado un tanto arbitrariamente para justificar su propio sentir. La aseveración podría ser cierta sólo en parte, ya que muchos de los poe-

---

[6] Esto no era raro entre los hermanos Machado. Algunos de los libros de Antonio están dedicados, de su parte, por alguno de sus hermanos. El ejemplar de *Soledades* que poseía Juan Ramón Jiménez fue dedicado por Manuel, «de parte de Antonio». He visto algunas otras dedicatorias semejantes.

[7] Sobre ello informa ampliamente EMILIO SALCEDO en su libro *Vida de don Miguel*, imprescindible para cualquier lector interesado en Unamuno.

[8] RICARDO GULLÓN: *Conversaciones con Juan Ramón*, pág. 56.

mas publicados por Unamuno en revistas antes de 1907 se incorporarán a *Poesías;* algunos se encuentran entre los mejores del libro [9].

Aunque hay innegables ecos rubendarianos en *Soledades,* a Machado no le llegó Darío tan adentro como a Juan Ramón. En 1917 confiesa su antigua admiración por el poeta nicaragüense, que, «combatido hasta el escarnio por la crítica al uso, era el ídolo de una selecta minoría», pero afirma que, personalmente, trató de seguir un camino distinto. Creo, efectivamente —y trataré de demostrar después—, que su estética está mucho más cerca de la de Unamuno que de la de Darío. Es un acercamiento de fondo, visible ya en el Machado joven.

El año 1903 trae para Machado una intensa actividad literaria. En abril aparece el primer número de *Helios,* la más importante revista del modernismo español. El nombre de Antonio figura con frecuencia en sus páginas; don Miguel ha de ser también asiduo colaborador.

En 1904, en el ensayo *Almas de jóvenes,* comenta Unamuno otra carta que el joven poeta le había enviado, entresacando de ella algunos párrafos de indiscutible interés [10].

G. Ribbans, que afirma la existencia de un marcado influjo unamuniano en la formación de Machado, y muy especialmente en los años que van desde la publicación de *Soledades* (1903) a la de *Soledades. Galerías. Otros poemas* (1907), pone de relieve algunos párrafos sacados por Unamuno de las dos cartas —la de 1903 y la de 1904— en

---

[9] Hasta donde he podido comprobar, los publicados en revistas de cierta importancia, que Machado pudo haber leído, son los siguientes: *Al sueño* (*Revista Contemporánea,* 1899); *La flor tronchada* (*Revista nueva,* Madrid, 1899); *El Cristo de Cabrera* (*Revista nueva,* Madrid, 1899); *El coco caballero* (*Albores,* Salamanca, 1901); *A la rima* (*El Imparcial,* Madrid, 1901); *Muerte* (*Arte joven,* Madrid, 1901); *Al destino* (*Ibíd.*); *Niñez* (*Ibíd.*); *Haga Dios que del mundo...* (*Pel y Ploma,* Barcelona, 1903); *Oda a Salamanca* (*La Ilustración Española y Americana,* Madrid, 1904); *La torre de Monterrey* (*La Publicidad,* Barcelona, 1906); *En la catedral vieja de Salamanca* (*Ibíd.*); *La catedral de Barcelona* (*Ibíd.*); *Duerme, alma mía* (*Ibíd.*); *Elegía en la muerte de un perro* (*Ibíd.*); *En la muerte de un hijo* (*Ibíd.*). En la antología *Florilegio de la poesía castellana del siglo XIX,* de J. VALERA (Madrid, 1904), figuran dos sonetos: *Piedad* y *Fortaleza.*
[10] Publicado por vez primera en *Nuestro tiempo,* núm. 40, abril 1904. Recogido en *O. C.,* III, págs. 718-736. Los dos jóvenes de quienes Unamuno se ocupa son José Ortega y Gasset y Antonio Machado.

que la aceptación por parte del joven de las ideas del maestro es clara y la admiración —ahora como en los últimos años— evidente [11].

Por el mismo Machado sabemos, señala Ribbans, que en este momento sus puntos de vista anteriores están en proceso de cambio: de un subjetivismo estético pasa a una posición que podría resumirse en su propia frase «empiezo a creer, aun a riesgo de caer en paradojas que no son de mi agrado, que el artista debe amar la vida y odiar el arte», que hallamos en la carta de 1903.

En la de 1904 hay párrafos más reveladores aún; reveladores no ya de admiración, sino de una total aceptación de discipulado por parte del joven poeta [12]: «Usted —escribe Antonio Machado— con golpes de maza ha roto, no cabe duda, la espesa costra de nuestra vanidad, de nuestra somnolencia. Yo, al menos, sería un ingrato si no reconociera que a usted debo el haber saltado la tapia de mi corral o de mi huerto. Y hoy digo: Es verdad, hay que soñar despierto. No debemos crearnos un mundo aparte en que soñar fantástica y egoístamente en la contemplación de nosotros mismos; no debemos huir de la vida para forjarnos una vida mejor que sea estéril para los demás» [13].

---

[11] *Op. cit.*, págs. 18-19.

[12] Volveré más adelante sobre algunos de los temas tratados en estas cartas, interesantes por muchos motivos, entre otros por hallarse en ellas el germen de ideas estéticas desarrolladas posteriormente. Me limitaré ahora a dar datos que ilustran la relación amistosa entre los dos escritores y la gran admiración de don Antonio por don Miguel.

[13] Esta carta, a juzgar por lo que de ella conocemos, coincide en algunas ideas con ciertos párrafos del artículo que sobre *Arias tristes,* de Juan Ramón Jiménez, escribió Machado por esa misma época, y donde se hacen interesantes reflexiones sobre su propia poesía, a la vez que reflexiona sobre la de *Arias tristes* y, en general, sobre las tendencias representadas por los jóvenes modernistas españoles. «De todos los cargos que se han hecho a la juventud soñadora, en cuyas filas, aunque indigno, milito, yo no recojo más que dos. Se nos ha llamado egoístas y soñolientos. Sobre esto he meditado mucho, y siempre me he dicho: si tuvieran razón los que tal afirman, debiéramos confesarlo y corregirnos. Porque yo no puedo aceptar que el poeta sea un hombre estéril que huya de la vida para forjarse quiméricamente una vida mejor en que gozar de la contemplación de sí mismo. Y he añadido: ¿no seríamos capaces de soñar con los ojos abiertos en la vida activa, en la vida militante? Acaso entonces echáramos de menos en nuestros sueños muchas imágenes, y

Nótese que «corral», «charco», «cotarro» y otros sustantivos de igual o parecida carga emocional fueron empleados con frecuencia por Unamuno para designar el pequeño mundillo de los escritores de la época. «Huerto» no tiene aquí el valor simbólico que otras veces adquiere en la poesía de Machado: lo veo más bien como sinónimo de «corral»; ambos términos se aplican al mundillo pequeño, particular, limitadísimo de las «minorías selectas», cerrado al gran mundo de todos, del que Unamuno le decía al joven poeta: «Huya, sobre todo, del "arte de arte", del arte de los artistas, hecho por ellos para ellos solos». No coincide plenamente mi interpretación con la del ilustre profesor Ribbans, que ve en éste el mismo sentido que en otros huertos de la poesía machadiana —huerto, imagen que describe el alma del poeta—, y la frase de Machado como un propósito de salirse de su contemplación narcisista [14]. Hay algo de ello, pero es más bien del mundillo de los que hacen el «arte por el arte» del que el poeta se propone salir.

Por otra parte, y a pesar de las declaraciones del propio poeta, no creo que Machado haya estado plenamente sumergido en ese mundillo, ni que a Unamuno le deba totalmente el descubrimiento de su realidad, de su circunstancia. Aunque por caminos distintos, Unamuno —como Ganivet y los otros escritores de la llamada Generación del 98— no hace, en este aspecto, otra cosa que continuar la tradición de escritores e ideólogos de las generaciones precedentes —particularmente de la anterior—. Los pensadores —incluidos los literatos— del pasado siglo se enfrentan constantemente a los problemas que los envuelven, e intentan buscarles solución. Machado, educado en la Institución Libre de Enseñanza por hombres como Giner y Cossío, se interesó desde muy joven por la sociedad en que vivía y comenzó su carrera literaria publicando —mucho antes que versos— artículos periodísticos, donde se

---

tal vez entonces comprendiéramos que éstas eran los fantasmas de nuestro egoísmo, quizá de nuestros remordimientos» (O. P. P., 763).

La carta a Unamuno significa un paso más en esta meditación: lo que en el artículo se plantea como problema, en la carta es plena afirmación.

[14] Op. cit., pág. 20. «'Huerto' is one of Machado's fixed images to describe his soul —«Alma, ¿qué has hecho de tu pobre huerto?»— so that we may interpret this sentence as meaning that Unamuno's influence enable him to escape from his earlier Narcissus-like self-absorption».

mete de lleno a criticar la vida de España en la última década de siglo [15].

En un artículo de 1905 —al que volveré más adelante—, Machado dice de Unamuno: «A él acudimos en demanda de auxilio, y él siempre en amable maestro nos acoge» [16].

De estas palabras puede deducirse que existe en este momento entre ambos escritores una amistad que acaso no se limitara a unas cuantas cartas —habría alguna más que las dos que nos han llegado— y que posiblemente durante esos años, 1904 y 1905, la amistad se va intensificando. De 1904 nos queda, además de la carta, el poema *Luz;* en 1905 Antonio Machado dedica a Unamuno un poema y un artículo.

Todo ello, sin embargo, no creo que nos dé base para aceptar en todas sus partes las afirmaciones de Serrano Poncela sobre la influencia de Unamuno en el joven Machado. «La influencia personal, directa y decisiva en los años mozos, subsiguiente a la institucional que acompaña a Machado a lo largo de su vida, y que decide, en parte, aspectos de su obra, es la de don Miguel de Unamuno» [17]. No rechazo la posibilidad de esa influencia *personal* y *directa*, pero, como señalé, no hay pruebas suficientes para hacernos pensar en una relación como la habida con los maestros de la Institución, que el ilustre escritor y profesor Serrano ve muy bien.

En 1905 los nombres de Unamuno y Machado figuran juntos en el documento que algunos escritores jóvenes lanzan para mostrar su desacuerdo con la Academia Sueca por otorgar el Nobel de Literatura al dramaturgo don José Echegaray. El documento, que causó gran revuelo, estaba firmado por varios nombres que empezaban a destacarse; el de don Miguel de Unamuno lo encabezaba.

Antonio Machado, que permanece en la Corte después de su regreso de París —en 1902—, decide en 1906 preparar oposiciones a cátedra de francés. Sabemos que, ganada la cátedra, elige la vacante de Soria. Por Real Orden del 16 de abril se le nombra oficialmente catedrático

---

[15] Me refiero a los publicados con seudónimo en *La Caricatura*. Véase AURORA DE ALBORNOZ: *La prehistoria de Antonio Machado*.

[16] *Divagaciones. En torno al último libro de Unamuno. La República de las Letras*, núm. 14, 9-VIII-1905. Reproducido y comentado por G. RIBBANS en *Op. cit.*, págs. 15-17. En *O. P. P.*, págs. 765-767.

[17] *Antonio Machado. Su mundo y su obra*, pág. 38.

numerario de lengua francesa del Instituto General y Técnico de Soria. A finales de ese año ve la luz su nuevo volumen de versos: *Soledades. Galerías. Otros Poemas.*

Piensa G. Ribbans que Unamuno, con su odio a los «profesionales de la poesía», pudo haber contribuido a que el joven poeta se decidiese a trabajar para vivir y buscase una profesión, como el mismo don Miguel había hecho desde su juventud [18]. Sin embargo, según me informó en conversación particular el doctor Álvarez Sierra, en la decisión de hacer oposiciones a cátedra, como en otras muchas que tomaron los Machado, quien influyó fue Giner, que era para ellos, además del maestro, una especie de mentor y guía.

ANTONIO MACHADO EN SORIA

Antonio Machado llegó a Soria en el mes de setiembre de 1907. Nos dirá más tarde: «Allí me casé; allí murió mi esposa, cuyo recuerdo me acompaña siempre». Allí permanecerá hasta la muerte de Leonor, el 1.º de agosto de 1912.

Son cinco años de vida plena que transcurren entre la publicación de dos libros fundamentales: *Soledades. Galerías. Otros poemas* (1907) y *Campos de Castilla* (1912).

A su llegada a Soria conoce a Leonor Izquierdo Cuevas —adolescente—, que un año y pico más tarde, el 30 de julio de 1909, ha de ser su esposa.

En enero de 1911, acompañado de Leonor, parte Antonio Machado hacia París. Va pensionado por la Junta de Ampliación de Estudios, para seguir cursos de Filología Francesa. En el Collège de France sigue los cursos de filosofía de Bergson: ello ha de influir en su obra posterior.

---

[18] *Op. cit.*, pág. 27: «For Unamuno the professional artist is, like the actor, a man acting a lie, and he passionately warns Machado against professionalism: «la profesión de poeta es una de las más odiosas que conozco...» It is not possible that Unamuno contributed to Machado's decision to abandon his Bohemian life in Madrid, where literature was his only profession, and prepare for oposiciones a cátedra —a course which eventually led to his fateful departure for Soria in 1907?»

En setiembre del mismo año, y tras las primeras manifestaciones serias de la tisis que padece Leonor, el matrimonio regresa a Soria.

Mientras tanto, don Miguel, desde la Rectoría de Salamanca, sigue hablando a todos los españoles.

Aunque tenemos noticia de un cruce de cartas entre los dos escritores, son escasísimas las muestras que hasta nosotros han llegado. M. García Blanco recoge una muy breve —de Machado— que supone fuese escrita en los primeros meses de 1912. Es la primera que conocemos en forma íntegra, ya que de las anteriores sólo nos habían llegado párrafos. «Está escrita en papel de tamaño holandesa, cuadriculado, con un membrete impreso que dice «Círculo de la Amistad. Soria», y, sobre el nombre de la ciudad, un dibujo que representa dos manos enlazadas en apretón cordial», señala García Blanco [19].

Hay una circunstancia que le hace pensar a García Blanco que ésta fue escrita en los primeros meses de 1912. Ruega en ella don Antonio a don Miguel que le escriba una carta «que podamos publicar en Soria, último rincón del mapa, donde, no obstante, tiene usted lectores y admiradores». En *El Porvenir Castellano* del 1.º de julio de 1912 se publicó una carta que don Miguel dirigió a José María Palacio —de la que más tarde hablaré—, y que podría bien ser, cree el comentarista, la que Machado solicitaba.

Por Heliodoro Carpintero tenemos noticia de un cruce de correspondencia anterior a la fecha arriba señalada. Una carta de Unamuno, dirigida a Machado, fue publicada en *Tierra Soriana* en 1908. Según afirma Carpintero —y he tenido ocasión de comprobar—, la carta se publicó fragmentariamente bajo el título de *Unamuno, íntimo* [20]. Carpintero da la noticia al hablarnos sobre los primeros años que Machado pasó en Soria y de la cordial amistad que pronto unió al poeta con el periodista José María Palacio, director del diario local *Tierra Soriana*. «De la íntima y cordial amistad de Machado y Palacio —escribe Carpintero— da fe el siguiente hecho: sabida es la buena amistad que hubo siempre entre don Miguel de Unamuno y don Antonio Machado. Entre ellos se cruzaron muchas cartas. Pues bien, Machado hizo conocer

---

[19] *Op. cit.*, pág. 9.
[20] *Tierra Soriana*, año II, núm. 204, 21 de julio, 1908, pág. 3.

a Palacio alguna de aquellas cartas y el periodista juzgó interesante dar una serie de párrafos sueltos, formando con ellos un trabajo que tituló *Unamuno, íntimo*, que vio la luz con el beneplácito de Machado»[21].

Se trata, como puede verse, de una respuesta de Unamuno a una o varias cartas de don Antonio que, por lo visto, no se han conservado. En *Tierra Soriana* apareció con una pequeña nota introductoria y dividida de acuerdo con los temas [22].

---

[21] *Historia y poesía de Antonio Machado. Soria, constante de su vida.* Celtiberia, núm. 2, Soria, 1951, pág. 316. Posteriormente, José Tudela reproduce y comenta la misma carta en *Ínsula* (núms. 216-217, nov.-dic. 1964). Según Tudela, el director de *Tierra Soriana* era en ese momento Benito Artigas. «Es una carta de Unamuno a Machado —dice Tudela—, pero por ser una carta íntima no destinada a la publicidad, aunque don Antonio la debió dar a conocer a sus amigos de Soria, y Artigas era uno de ellos, no debió de autorizarle a publicarla íntegra, por lo que éste la publicó sin encabezamiento y, por lo tanto, sin que constase a quién iba dirigida, aunque la referencia a su hermano Manuel y el sentido del texto revela quién era el destinatario: Antonio Machado».

[22] Por tratarse de un texto poco conocido y no muy extenso, lo reproduzco a continuación, sin excluir la nota introductoria, tal como figura en *Tierra Soriana*.

UNAMUNO, ÍNTIMO

Siempre son interesantes las personalidades vigorosas que imprimen un sello característico a las ideas. En la tribuna pública o en la conversación familiar destácase igualmente la estela del genio.

Por eso nosotros, indiscretos por naturaleza, nos permitimos transcribir a continuación párrafos sueltos de cartas que fueron escritas sin otra pretensión que la de rendir culto a la amistad.

El autor nos perdonará la ligereza de que nos hacemos reos dando a la publicidad lo que nació para ser íntimo y en la intimidad morir. ¡Que no siempre se cumplen los deseos de los hombres!

AISLAMIENTO Y TRABAJO

Cada vez me interesa más el estado de ánimo de los jóvenes, y lo observo desde este mi retiro, desde esta mi dulce soledad.

Mi aislamiento se acentúa de día en día.

Siento demasiada afición al tipo legendario, aunque falso, del general que dirige una batalla sin salir de su gabinete; figuras como las de Kant y Spinoza me atraen. Me gusta provocar batalla, pero no hallarme en el fragor de ella,

Como se ve, en varias ocasiones Unamuno da la razón a Machado y afirma coincidir con él. ¿En qué? Nos falta, ya lo dije, la carta —o cartas— de don Antonio que promueven las afirmaciones de Unamuno. En el fragmento que lleva como subtítulo *Cobardía moral*, llama la atención el primer párrafo: por lo que podemos adivinar, don Antonio

---

y por eso renuncio sistemáticamente a leer cuanto contra mí se escribe. Lo rompo y tiro sin leerlo.

Estoy llevando una temporada de gran actividad. Leo, estudio y escribo como pocas veces lo he hecho. Y para ello me brinda este bendito aislamiento, a donde no me llegan voces perturbadoras. Tengo que trabajar. Me pasa lo que a Raquel, que se hubiera muerto de no haber tenido hijos. El gozo de la vida es producir.

Cobardía moral

Tiene usted razón: no hay razón de confesar los propios defectos y de mostrarse cada cual como es, sea como sea. Este santo impudor enajena muchas simpatías. Lo sé por experiencia propia, porque yo no tapo ni mis mayores defectos.

La soberbia dañina es la contemplativa, es la de aquel que por temor al fracaso no obra y se limita a decir «si yo fuera...» La soberbia activa es humilde. Lo más grande que veo en el símbolo de la creación del mundo por Dios es la suprema humildad de Dios al cesar en la mera contemplación de sí mismo y crear un mundo y criaturas que lo juzguen y censuren. Hay que obrar.

Ignorar para ser justo

Recibí un número de X... Leí cuatro líneas de *Clavijero*, y, fiel a mi sistema, destruí y tiré el número. Se gana mucho con no leer ataque, y lo más que se gana es que no se irrita uno ni se hace injusto. Yo defendí y elogié en cierta ocasión a un escritor, y al decirme que me había atacado duramente, repliqué: «pues me alegro no haberlo sabido, porque de otro modo o no le habría defendido tal vez o mi defensa sabría a la vergonzosa venganza del que devuelve, con dañina intención, bien por mal; así ha sido espontánea y sincera.

Unamuno y la juventud

¿Que quiero erigirme en guía de la juventud? ¡Ah!, si lo lograra... Sólo sé que de joven era viejo —según decían— y que conforme envejezco en edad me siento más joven y, lo que es mejor, más niño. Este año, por septiembre, haré los cuarenta y ocho, y me parece que empiezo a vivir. Y es que de hecho nazco cada día y tiro a que sea mi vida un perpetuo nacimiento.

Machado, el bueno, sabía muy bien que para convivir con los otros no se puede ser tan impúdicamente sincero como lo era a veces don Miguel, y —al parecer— en alguna forma se lo insinúa al maestro.

En cuanto a la claridad —*La claridad y el lenguaje*—, ¿en qué tendría don Antonio «razón que le sobra»?

LA CLARIDAD Y EL LENGUAJE

En lo de la claridad tiene usted razón que le sobra. Tenemos por claro lo que sabemos ya, lo de todos los días, lo que no es nuevo. Las palabras son viejas, y todo hombre que sea un espíritu debe tirar a ir creando su lenguaje según habla, a que sean sus palabras virginales. Y no importa que sean las comunes, las de los demás. A mí se me ha culpado muchas veces de falta de claridad, y he podido ver que no era la forma, era el concepto lo que se les resistía.

A pesar del dicho de que no hay nada nuevo bajo el sol, creo que para un hombre natural todo es nuevo bajo el sol, renace cada mañana y el sol de cada día es un sol nuevo. Y lo nuevo no es claro para los demás. Esas claridades deben quedar para los Fray Candiles y para los que se atiborran de lógica formal.

SU POETA PREDILECTO

Coincido con usted en cuanto dice de la literatura española, y coincido en su juicio respecto a su hermano Manuel. A mí es, entre los poetas vivos españoles, el que más me gusta. (Quiero decir entre los que escriben en castellano.) Lo prueba el que mi artículo sobre su libro *Alma* fue espontáneo y no obligado.

(Y aquí, entre paréntesis, he de decirle que muchas de las enemistades me las he ganado por callarme respecto a obras de jóvenes, siendo así que no quiero hacer crítica de obras españolas, como no sea que de primera intención me gusten.)

ESTILO Y MANERA DE LENGUAJE

Hay que deshacer la confusión entre estilo y manera de lenguaje. Hablando un aldeano de mi tierra en castellano chapurreado puede tener poderosísimo estilo, y hay quien con un lenguaje claro, limpio, acicalado, carece de todo estilo, como Picón. Carlyle dicen que tenía mal inglés. Y aun en punto de lenguaje dominan aquí todo género de prejuicios, por no haberlo estudiado bien. Por lo que hace a rítmica, de nada sirve cambiar o modificar los ritmos externos si el ritmo interior, el ritmo espiritual, sigue siendo el mismo. Las innovaciones en ritmo tienen que ir de dentro a fuera. El verso castellano suele ser más acompasado que rítmico; están, por lo común, hechos a tambor. El maravilloso ritmo de las Coplas de J. Manrique proviene del ritmo espiritual.

MIGUEL DE UNAMUNO

Es importante la parte *su poeta predilecto*. Sabíamos lo que don Miguel gustaba de los versos de Manuel Machado; sabíamos que en diversas ocasiones le dedicó artículos; en otros momentos había proclamado ya su preferencia por la obra de Manuel, pero llama la atención que en 1908 lo haga todavía en forma tan radical. Y digo *todavía* porque esa opinión variará luego: algunos años después Antonio ha de ser su poeta predilecto, como dejó dicho en múltiples ocasiones. Mas es sorprendente que, un año después de la publicación de *Soledades. Galerías. Otros poemas*, haga Unamuno esta afirmación. Como quedará demostrado, es *Campos de Castilla* el libro de don Antonio que don Miguel llega a captar más plenamente.

ANTONIO MACHADO EN BAEZA

El 15 de octubre de 1912 Antonio Machado cesa oficialmente en sus funciones de catedrático del Instituto de Soria por traslado a Baeza. Desde el 8 de agosto se había instalado provisionalmente en Madrid. El 1.º de noviembre toma posesión de la cátedra de Lengua Francesa del Instituto General y Técnico de Baeza.

El periódico local de Soria, *El Porvenir Castellano*, el 28 de octubre de 1912 da, en una nota, que debe ser del buen amigo Palacio, la noticia del traslado. Al mismo tiempo nos da otras interesantes noticias [23]. «Este poeta insigne —leemos allí—, quizá el más delicado entre los poetas castellanos contemporáneos, que hasta hace poco y durante varios años ha desempeñado la cátedra de francés en el Instituto de esta capital, se encuentra ya en Baeza, en cuyo Instituto seguirá explicando su asignatura.

»De su paso por Soria deja un libro inmortal, acogido por la crítica selecta como pocos libros lo fueron.»

Y más adelante: «Deja en embrión otro libro que con el título de *Tierras pobres* pensaba hacer, inspirado en éstas de aquí y en las de Burgos».

Los poemas de ese libro, que no llegó a publicarse, podrían ser los que han de formar parte de la sección de *Campos de Castilla* en la pri-

---

[23] Información de H. CARPINTERO en *Op. cit.*, págs. 330-331. Carpintero supone que la nota es de Palacio.

mera edición de *Poesías completas,* que no figuraban en el volumen de 1912.

En esta misma nota, como señalé, hay otras interesantes noticias. Nos enteramos de que Antonio Machado contribuyó a fundar *El Porvenir Castellano:* «En días en que presentía él sus grandes amarguras, contribuyó a fundar este *Porvenir Castellano* que Machado ama y quiere por ser cosa nuestra. Le consta cuánto le queremos los que hacemos este periódico, y hasta aspiramos a que nos siga ayudando con su consejo y con los frutos de su talento preclaro cuando éste vuelva a la actividad, que debe volver pronto».

Nos enteramos, además, de la existencia de alguna carta de pésame enviado por don Miguel. De ella queda sólo este fragmento que recoge, a su manera, el autor de la nota: «Nosotros, que sabe cuánto le queremos, pretendemos, como le decía Unamuno, que de su mismo dolor saque energías para el ideal. Entendemos que el mejor sedante para las almas tristes está en que ellas miren de frente a su propia tristeza».

Algo de lo que pasó en el alma de don Antonio en los primeros años de viudez quedó definitivamente guardado en un grupo de extraordinarios poemas que constituyen una cumbre de la poesía española [24]. Es profundamente reveladora también la correspondencia que mantuvo con algunos amigos. En una carta destinada a Juan Ramón Jiménez leemos las siguientes palabras: «Cuando perdí a mi mujer, pensé pegarme un tiro. El éxito de mi libro me salvó, y no por vanidad, ¡bien lo sabe Dios!, sino porque pensé que, si había en mí una fuerza útil, no tenía derecho a aniquilarla» [25].

Luego, muy poco a poco, se va dejando meter en la vida provinciana. Hace algunas amistades; acude a la tertulia de la rebotica de Almazán y a la del Casino. Pero su descontento con el medio ambiente está bien reflejado en todas las cartas que escribe a sus amigos, así como en gran parte de su poesía.

---

[24] Sobre esos poemas ya habló Luis Felipe Vivanco en su estudio *Comentario a unos pocos poemas de Antonio Machado,* a que antes me referí.

[25] *Relaciones amistosas y literarias entre Antonio Machado y Juan Ramón Jiménez* (correspondencia entre los dos escritores, con un estudio preliminar de Ricardo Gullón).

Durante esta época de total desorientación, el poeta necesita algo a que asirse. Como veremos más tarde, primero intenta buscar a Dios; luego busca algún consuelo en la filosofía.

La voz del gran don Miguel —que se oye cada vez más en el ámbito nacional, y empieza a oírse ya fuera de España—, la voz del gran Rector —aunque deje de serlo por decreto ministerial en 1914—, resuena más que nunca en el alma atormentada del Machado de esos años.

M. García Blanco ha logrado recoger un buen número de cartas escritas por don Antonio en este momento.

Por confesión propia sabemos que leía con avidez las obras de Unamuno. En carta fechada el 31 de diciembre de 1914 escribe: «¡Cuántas veces he leído su soberbio libro *Del sentimiento trágico en los hombres y en los pueblos!* (sic). Por cierto que los filósofos de profesión parece que no han reparado en él. Es, no obstante, una obra fundamental, tan española, tan nuestra, que a partir de ella se puede hablar de una filosofía española, de esa filosofía tan arbitrariamente afirmada como negada antes de su libro» *(O. P. P., 918).*

Y al año siguiente, en carta del 21 de marzo: «Querido y admirado maestro: Mil gracias por su *Niebla,* que leí de un tirón con el deleite y avidez con que leo cuanto V. escribe. Portentosa me parece de honda realidad su nivola y de humorismo, aunque desoladora. Fraternalmente simpatizo con su Augusto Pérez, ente de ficción y, acaso por ello mismo, ente de realidad. Volveré a leerla y a releerla» *(O. P. P., 921).*

No hay duda de que Machado hablaba de verdad cuando afirmaba que volvería a leer la novela. Con frecuencia notamos cómo reflexionaba y cómo rumiaba las ideas del «querido y admirado maestro» y cómo esas ideas le hacían plantearse o replantearse ciertos problemas en algunas ocasiones más de una vez. Muchas de las cuestiones que se interroga en estas cartas se convierten luego en tema de poesía; se da otras veces el caso contrario: intuiciones que hallamos en la poesía se convierten en materia de reflexión en la correspondencia.

Un ejemplo curioso del primer caso es el siguiente. En la carta del 21 de marzo hallamos este párrafo: «En fin, yo creo que el autor de esa *Niebla* no está hecho de la sustancia de los sueños, sino de otra más sustancial. ¿Que dormimos? Muy bien. ¿Que soñamos? Conforme. Pero cabe despertar».

El poema —o, en este caso, poemas— en que casi con las mismas palabras medita sobre el mismo tema nos viene en seguida a la memoria:

> Tras el vivir y el soñar
> está lo que más importa:
> despertar.

Que tiene variantes:

> Entre el vivir y el soñar
> hay una tercera cosa.
> Adivínala.

Y:

> Si el vivir es bueno,
> es mejor soñar,
> y mejor de todo,
> madre, despertar [26].

Con una de las cartas —la de 1913—, Machado envía a Unamuno una serie de poemas, unos recién publicados, otros inéditos aún. Es curioso observar que la temática de todos ellos es muy del gusto de don Miguel, y en algunos —como más adelante veremos— hay rasgos de influencia unamuniana [27].

---

[26] *Proverbios y cantares*, dedicados a Ortega y Gasset. Figuran en *Nuevas canciones* (1924). Se publicaron por vez primera en la *Revista de Occidente*, en 1923. Ignoro la fecha exacta de la composición de los proverbios y cantares. Sólo uno —no citado aquí— lleva al pie la fecha: 1919. No podría asegurarse si los versos que reproduzco arriba son posteriores al párrafo en prosa, pero si pensamos en la fecha de publicación y la comparamos con la de la carta —1915—, es de suponer que lo sean.

[27] Los poemas enviados son: *A un olmo seco, Del pasado efímero, A Xavier Valcárcel*, tres de los *Proverbios y cantares* (núm. CXXXVI de *Poesías completas*), el núm. VI de *Parábolas* y tres cantares que no pasaron a las ediciones de poesía en vida de Machado. (Fueron recogidos por Oreste Macrí en *Poesie di Antonio Machado*.) M. García Blanco señala algunas variantes entre la versión enviada a Unamuno y la que pasa a las ediciones (véase *Op. cit*, págs. 14-20).

Por las cartas sabemos que don Antonio asistía, siempre que le era posible cuando pasaba por Madrid, a los actos públicos en que Unamuno tomaba parte. La fechada en Baeza el 16 de enero de 1915 comienza con estas palabras: «Querido y admirado maestro: Acabo de recibir su generosa carta. Con el alma agradezco a V. estos ratos que me dedica. La primera vez que estuvo V. en Madrid le busqué en la Residencia de Estudiantes. No lo encontré, pero asistí a su lectura de poesías en el Ateneo el día antes de mi visita. Estuve en el gallinero de aquella casa con mi hermano Pepe» *(O. P. P., 919)*.

Y en la fechada en Baeza el 16 de enero de 1918: «Le aplaudí a V. con entusiasmo en su conferencia de «La Casa del Pueblo» *(O. P. P., 925)* [28].

En agosto de 1915, en el número 9 de *España*, figuran juntos, una vez más, los nombres de Unamuno y Machado en un documento en favor de los aliados: «Manifiesto de adhesión a las naciones aliadas», que fue firmado por gran número de políticos, escritores y artistas.

Es posible que durante estos años don Antonio haya estado alguna vez en Salamanca. Ya en la primera carta anuncia a Unamuno el proyecto de un viaje a «esa Baeza castellana». Emilio Salcedo supone que pudo haber estado en la ciudad en 1913 [29].

Como el epistolario revela, hacia fines de 1914 o principios del 15, Unamuno le habló a don Antonio de la posibilidad de ocupar una cátedra en Salamanca, a lo que éste, en la carta del 16 de enero de 1915, responde lleno de entusiasmo: «Para mí sería una inmensa satisfacción el ir a Salamanca de profesor, y si ese buen señor Laserna piensa en su retiro y antes quiere hacer una obra de caridad bien entendida, colmaría mis aspiraciones con esa permuta. Ahí está V. y la tierra castellana que tanto amo. Con el alma agradecería cuanto haga, y, siempre, su buen deseo» *(O. P. P., 919-920)*.

---

[28] Según García Blanco, esta conferencia «debió ser en diciembre de 1917, pues por aquel entonces Unamuno visitó la Corte y también habló en el Ateneo» *(Op. cit., pág. 29)*.
[29] *Huella salmantina de Antonio Machado*, en *Literatura salmantina del siglo XX*. Habla Salcedo de otro viaje, en el año treinta y tantos, en que don Antonio pasó por la tertulia unamuniana del café Novelty. No posee, sin embargo, datos muy concretos de ninguno de los dos.

Como sabemos, el plan no llegó a realizarse. Antonio Machado permaneció en Baeza hasta 1919.

Antonio Machado en Segovia

Por Real Orden del 30 de octubre de 1919, Machado es trasladado al Instituto de Segovia; allí residirá hasta 1932.

Es la vuelta a la vieja Castilla, y, en cierto modo, la vuelta a Madrid, donde pasa los fines de semana.

Los años de estancia en Segovia están llenos de nuevas experiencias que van dejando en el alma del poeta un poso de ideas nuevas, de impresiones, de sentimientos, que se traducen en una poesía que, a mi entender, constituye la culminación de su arte. Recordemos que los versos escritos por Abel Martín y Juan de Mairena —además de la mayor y mejor parte de los incluidos en *Nuevas canciones*— pertenecen a este momento.

Son también años de plenitud vital. Además del episodio amoroso que se inició en una memorable cena segoviana, y que terminó sólo con la muerte del poeta, la que podríamos llamar «actividad humana» se afirma e intensifica ahora. El poeta, más que antes aún, se vierte hacia los otros, hacia los jóvenes especialmente: ya a través de la Universidad Popular, ya a través de la revista *Manantial*, actividades ambas a las que se dedicó de lleno.

Por este tiempo, don Miguel de Unamuno se ha convertido ya en mito nacional.

Sus actuaciones directas en la marcha del país, sus llamadas al despertar de un pueblo, desde las columnas de la prensa o desde cualquier lugar público que le abra sus puertas, comienzan a ser tomadas en cuenta por los españoles conscientes.

En 1924 es desterrado por la dictadura de Primo de Rivera, y la figura nacional se convierte en internacional. Sus actuaciones no son ya suyas: es un símbolo de la intelectualidad rebelde y tiene que vivir —y vive hasta el final— su papel.

La admiración de don Antonio por don Miguel, si no crece —porque ya no podía crecer más—, se mantiene tan viva como siempre. No queda mucha correspondencia de esta época, pero lo que ha llegado hasta nosotros justifica mis palabras.

No caigamos, sin embargo, en la exageración de pensar que el ejemplo de la actitud de Unamuno mueva a Machado a tomar parte, más o menos activa, en la política de ese momento. El interés del poeta por los problemas políticos y sociales venía de lejos: lo había visto en su casa, en su familia, en sus primeros maestros. En los último años de la década del 20 —últimos de un régimen muerto—, todo ser consciente se sentía responsable de sus actuaciones públicas; don Antonio lo era en máximo grado.

Tengo informes de que, al menos en una ocasión, y muy probablemente en dos, como veremos, los dos escritores se encontraron en Segovia antes del destierro de don Miguel.

Uno de mis informantes, doña Luisa Torrego Illeras, dueña de la casa de huéspedes del Callejón de los Desamparados, donde Machado se hospedó desde unos días después de su llegada a la ciudad hasta su partida para Madrid, dice que la única ocasión en que éste cambió a última hora su plan de pasar en Madrid el fin de semana se debió al hecho de haber llegado don Miguel a Segovia. Don Antonio, que había salido ya hacia la estación para tomar el tren, mandó su maletín a la pensión y recado a doña Luisa de que no saldría ese día porque Unamuno acababa de llegar a la ciudad. Doña Luisa no recordaba la fecha.

A un viaje a Segovia alude Unamuno en *Andanzas y visiones españolas* (1922). «Hace cuatro días he vuelto a ver el Acueducto de Segovia», comienza el corto capítulo que titula *Una obra de romanos*. No tiene fecha. El que le precede, *Frente a Ávila*, está fechado en octubre de 1921; los dos que le siguen —que también tienen a Ávila como tema— están igualmente sin fechar. Es posible que *Una obra de romanos* sea de mayo de 1921, ocasión en que Unamuno fue a Segovia a visitar los monumentos, aunque a primera vista —dado que la fecha del artículo que le precede es «octubre de 1921»— pudiéramos pensar que el de Segovia sea posterior. Y, en verdad, podría serlo, ya que en febrero de 1922 Unamuno volvió a visitar Segovia.

De la visita de mayo de 1921 he recogido pocos datos. Supe de ella por un suelto de *Norte de Castilla*, periódico de Valladolid, de febrero de 1922, en que, al mismo tiempo que anuncia una próxima conferencia en la Universidad Popular segoviana, da cuenta de la visita anterior.

Copio la nota tal como apareció en la sección «Información de Castilla» el domingo 26 de febrero de 1922.

«Segovia 24

Conferencia de Unamuno.—En Mayo último permaneció algunas horas en Segovia, visitando nuestros monumentos artísticos, don Miguel de Unamuno. Prometió entonces a los elementos intelectuales que constituyen la Universidad Popular venir cuando sus ocupaciones se lo permitieran a dar una conferencia en dicho centro.

Ayer telegrafió desde Madrid anunciando que al regresar a Salamanca se detendría aquí a dar la prometida conferencia. Hay gran expectación por oir al señor Unamuno».

Sobre la conferencia he podido reunir bastantes datos [30].

La nota de prensa está recogida —y no por un admirador— en el mismo periódico, *Norte de Castilla,* del 28 de febrero:

«Segovia 26

La conferencia de Unamuno.—En el teatro Juan Bravo, y ante un público numeroso, entre el que se veían numerosas señoras, dio el señor Unamuno su anunciada conferencia sobre los «Problemas de actualidad».

---

[30] Don Mariano Quintanilla, amigo y compañero de Antonio en el Instituto de Segovia, me dio varias pistas valiosas.

Según Quintanilla, don Miguel fue invitado por la Universidad Popular y habló en el teatro Juan Bravo. Reproduzco un fragmento de una carta personal que don Mariano Quintanilla me envió, respondiendo a algunas preguntas mías: «Fue invitado (Unamuno) por la Universidad Popular y habló, ya no recuerdo bien el tema, que me parece que fue de la situación política de entonces, en el teatro Juan Bravo. Lo curioso es que quien gestionó su visita fue el gobernador civil, conservador, don Juan Díaz-Caneja, amigo antiguo suyo, que no asistió públicamente al acto, sino entre bastidores, porque en aquella época había comenzado ya don Miguel su campaña contra el rey. Los que pertenecíamos a la Universidad Popular, entre ellos don Antonio Machado, cenamos con el conferenciante y al día siguiente dimos con él un paseo por los alrededores de la ciudad. Con nosotros estuvieron el gobernador y el escritor Francisco de Cossío... Creo que en esa ocasión (me parece recordar que lo oí a don Antonio) leyó don Miguel una de sus obras teatrales. Yo no asistí a la lectura.»

Habló de la guerra con Marruecos, de las garantías constitucionales, de los Aranceles, de los presos gubernativos y de muchos temas, sin ahondar en ninguno, soslayándolos todos. Los que esperaban notas «agudas» sufrieron una decepción. Ya ha dicho el señor Unamuno al comenzar su discurso, que él sabía muy bien «cuándo, dónde y cómo tenía que hablar». El público escuchó con agrado al ilustre catedrático, aplaudiéndole al final de su amena charla».

Francisco de Cossío escribió una interesante página sobre esta visita de Unamuno a Segovia y la curiosa relación entre Machado y Unamuno que observó en ese momento [31]. «A la tarde —escribe Cossío—, una hermosa tarde de sol, recorrimos las rondas de la ciudad acompañando al maestro...

»Unamuno por aquellos parajes era un autor desconocido. Y en la paz de la tarde sonaba su charla incitando a la revolución y a la guerra civil; mas el sosiego de la ciudad, un sosiego de muerte, o más bien de laguna, no se interrumpía. Entonces pude advertir el contraste admirable que formaban Machado el poeta y Unamuno el político. En Antonio Machado se reflejaba la paz dorada de la ciudad. Machado es el hombre que sabe escuchar, que tiene siempre en los labios una sonrisa de benevolencia que jamás contradice. Difícilmente el batallador Unamuno puede hallar un interlocutor más comprensivo, más silencioso y más discreto.

»Unamuno sigue su charla en el teatro y después, durante la cena, y más tarde en el Casino, donde nos lee su último drama» [32].

Es notable la coincidencia de varias personas en darnos esta visión de Unamuno y Machado como «el que habla y el que escucha», podríamos decir.

---

[31] Debo también a don Mariano Quintanilla el haberme dado cuenta de este artículo, que, con el título de *Los encuentros,* se publicó en *Norte de Castilla* el 7 de marzo de 1922.

[32] Me hace pensar que no es éste el viaje de Unamuno a que se refería la señora Luisa Torrego el hecho de que estaba previsto, ya que don Miguel telegrafió el día antes de su llegada, y Machado, que formaba parte de los miembros de la Universidad Popular, tenía que estar enterado. Es muy posible, por tanto, que el viaje que sorprendió a don Antonio fuese el que don Miguel había hecho en mayo del año anterior.

Relaciones amistosas entre los dos escritores

No es muy abundante la correspondencia en estos años. En 1919, acabado de llegar a Segovia don Antonio, envía a don Miguel una tarjeta felicitándolo por un artículo recién publicado. La tarjeta reproduce un dibujo de José Machado que representa a tres hombres de espalda, andando, al mismo tiempo que tocan la guitarra. Al pie del dibujo, las siguientes líneas:

> Saluda al querido maestro y le felicita por su admirable artículo de *El Mercantil Valenciano* su siempre suyo,
>
> Antonio Machado.
>
> Segovia, 18 Dic. 1919 [33].

La segunda carta de esta época está escrita en Madrid el 24 de setiembre de 1921. Por ella nos enteramos de varias cosas: una, que a Unamuno le importaba recibir noticias del poeta y le preocupaban sus silencios: «Querido maestro: Tiempo hace —dice Machado— que deseaba escribirle. No achaque mis largos silencios a mengua de afecto hacia usted. Éste siempre crece».

Nos enteramos, además, de que don Antonio está en esos momentos un tanto desanimado, descontento de sí mismo, y no muy activo: «Es desafecto o descontento de nosotros mismos —continúa— lo que, a veces, nos aleja de nuestros altos y nobles amigos».

Y casi al final de la carta: «Escribo poco, y aun esto no muy de gusto. Espero trabajar con más fruto este año».

Nos enteramos también de una enfermedad que retiene a don Antonio en Madrid: «Estoy en Madrid, dispuesto a tornar a Segovia. He pasado varios días de fiebre gástrica, con lo cual he aligerado un poco esta *too solid flesh*. Siempre que se pierde en peso se gana en energía y propósitos de porvenir. Confieso que nunca me siento peor que cuando estoy saludable y robusto, aunque bien comprendo que esta salud es sólo apariencia» [34].

---

[33] Véase la reproducción de la tarjeta en M. GARCÍA BLANCO, *Op. cit.*, pág. 30. El artículo en cuestión es, según García Blanco, *Disolución de crisis*.
[34] *O. P. P.*, 925. El último párrafo que reproduzco, como ya señaló García Blanco, lo hallamos también, con pocas variantes, en uno de los apuntes de *Los complementarios*.

Pocos meses posterior —cree García Blanco que de la primavera de 1922— debe ser otra carta en que Machado le comunica a don Miguel que acaba de leer *Andanzas y visiones españolas,* y le anuncia algunos trabajos que piensa publicar sobre este libro. Una vez más afirma don Antonio que lee cuanto don Miguel publica; la «maravillosa composición a Gredos» se la sabe de memoria.

La actividad política de Unamuno está en estos momentos en pleno apogeo. Por eso, Machado le dice: «Unos cuantos hombres como V. —si ello fuese posible—, y la España que tan rápidamente se deshace se iría, al par, haciendo, fundiendo en nuevo molde. Siempre al leerle encuentro consuelo y pienso que España tiene todavía un porvenir. ¿De dónde saca V. tanta juventud, tanta energía espiritual? Aquí, donde todo se viene abajo, todas las almas se caen, literalmente, a los pies, sólo V. se mantiene enhiesto» *(O. P. P.,* 927) [35].

Después, una breve nota, un saludo escrito en agosto de 1922. Nada más hasta 1927. Un paréntesis de cinco años en esta relación epistolar.

En la primavera de ese año —1927—, Unamuno escribe, al parecer desde Hendaya, una amable carta al catedrático del Instituto de Segovia. En ella incluía alguna de sus últimas poesías. Acaso el objeto principal fuese el felicitar a don Antonio por su nombramiento de Académico de la Real Academia Española [36].

La carta de respuesta de don Antonio, fechada en Madrid el 12 de junio de 1927, comienza con las palabras afectuosas de siempre: «Querido y admirado maestro: Recibí su amable carta, fechada en Hendaya, 29-III-27. Mucho le agradezco su recuerdo desde su retiro —¡destierro!— y las poesías que en la carta me incluye». Y termina con el mismo tono admirativo, si no mayor, que las lejanas primeras cartas: «...El cariño de siempre y la admiración de su «ne varietur», Antonio Machado» *(O. P. P.,* 928).

Don Antonio llegó a hacer planes de ir a saludar a Unamuno a Hendaya, pero sus planes no se cumplieron por falta, quizá, de alguna de

---

[35] En el cuaderno de *Los complementarios* se conserva una nota inédita en la que Machado dice estar en desacuerdo con la visita de don Miguel a palacio, aunque acepte que don Miguel tuviese sus razones personales. Es un apunte que Machado no quiso, sin duda, sacar a la luz pública.

[36] Véase M. GARCÍA BLANCO, *Op. cit.,* págs. 33-34.

las condiciones imprescindibles: «Si este verano dispongo de algún tiempo y algunos cuartos, pasaría la frontera para saludarle».

Y, a continuación, estas magníficas palabras: «Aquí se padece —no lo achaque V. a adulación— la ausencia de Unamuno, de sus artículos, de sus poesías, de su espíritu vigilante por la espiritualidad española».

Una carta fechada el 16 de enero de 1929 es la última larga, según García Blanco, del epistolario. Ha de haber aún dos notas posteriores a la vuelta de Unamuno a España, pero muy breves [37].

El 18 de enero de 1929 Unamuno escribe a su yerno, José María Quiroga Pla. Entre otras cosas, le da cuenta de haber recibido carta de Machado: «Me escribe Antonio Machado; su carta llegó con la tuya y la de Almagro. Es una inteligencia toda bondad» *(O. C., XV, 897)*.

Don Antonio, muy metido entonces en el teatro, y algunas de cuyas obras —escritas en colaboración con su hermano Manuel— se han estrenado ya por este tiempo, habla sobre todo de teatro, actores y crítica en la carta de 1929.

Hay un párrafo muy corto que me interesa reproducir: «Aquí en Segovia hemos recordado muchas veces aquella preciosa comedia que nos leyó V. la noche de su conferencia y el argumento de otra que nos contó; ¿no las dará V. al teatro?» *(O. P. P., 929)*. Se trata, sin duda, de la conferencia a que aludí y de la obra teatral a que las personas allí presentes se refieren [38].

Hay otras palabras de la misma carta que quiero destacar. Son las siguientes: «Hace unos días envié a V., con nuestro *Juan de Mañara*, el libro *Huerto cerrado*, de Pilar de Valderrama. Esta señora, a quien conocí en Segovia, mujer muy inteligente y muy buena, es una ferviente admiradora de Vd. Me envió su libro para que yo se lo remitiese a V., pues ignoraba sus señas. En esa obra encontrará V. acaso algo de su gusto, sobre todo una cierta verdad cordial que ya no se estila» *(O. P. P., 929)*.

Parece la primera y única vez que en sus cartas menciona Machado a esta escritora, que, como se supone, pasó a llamarse Guiomar en sus versos. Ello desmiente, desde luego, la hipótesis que sin ninguna base lanza Concha Espina sobre la posibilidad de que Unamuno fuese el

---

[37] *Ibíd.*, pág. 35.
[38] Véanse págs. 41 y 42 del presente trabajo.

confidente de este amor de madurez del poeta. El hecho de que en varias de las cartas escritas a Guiomar nombre Machado —siempre con gran respeto y admiración— a don Miguel nada tiene que ver con la suposición gratuita de la comentarista de esa correspondencia [39]. Este punto lo ha abordado ya Miguel Pérez Ferrero en el apéndice a su libro *Vida de Antonio Machado y Manuel,* que hace sobre el particular estas atinadas consideraciones: «En cuanto a imaginar que tomara (Machado) como confidente a Unamuno de ese amor, me parece un tanto aventurado. ¿Por qué a Unamuno y no a don Ricardo Calvo, amigo de la infancia y confidente hasta extremos grados de intimidad de los dos hermanos separados en poesía y unidos en el teatro? Yo presencié el trato entre Antonio y don Miguel, que era sumamente afectuoso, pero de índole marcadamente intelectual. Les unía todavía más lo que ambos tenían de humanistas que su condición de poetas» [40].

La última entrevista

El día 9 de febrero de 1930, a las cinco de la tarde, don Miguel de Unamuno entra en España después de seis años de destierro voluntario. La dictadura de Primo de Rivera había caído por fin.

En la mañana de ese día habían llegado a Hendaya comisiones amigas, de Salamanca, de Irún, de San Sebastián. Don Miguel cruza a pie el puente internacional de Irún. «El paso del puente es largo, y Unamuno no ha querido que le acompañe nadie», escribe Emilio Salcedo. En el momento en que pone el pie en el puente internacional, el alcalde de Hendaya grita: «Vive l'Espagne! Vive la France! Vive monsieur Unamuno!». A ambos lados del puente se corean los vítores. Cuando pisa tierra española, la multitud se avalanza sobre él, «le abrazan, le estrujan, todos quieren tocar su ropa como la de un santo» [41].

La figura de Unamuno como símbolo de la España mejor había —con los años de destierro— alcanzado su máximo prestigio. Su nombre

---
[39] *De Antonio Machado a su grande y secreto amor.*
[40] *Apéndice breve con motivo de unas cartas,* que figura en *Op. cit.* Editorial Espasa-Calpe, 1952, págs. 224-225.
[41] *Vida de don Miguel,* págs. 314-317.

empieza a asociarse con el de la futura república, cuyo advenimiento se deseaba en todo el país.

La República se proclamó, por voluntad popular, el 14 de abril de 1931.

De lo ocurrido aquel día en Salamanca nos da amplia noticia Emilio Salcedo: «El sol de abril dora las piedras, y las voces resuenan con entusiasmo en el gran patio salmantino. En el balcón del Ayuntamiento aparece la figura venerable de Unamuno, acompañado de los nuevos concejales y del comité revolucionario de Salamanca. Unamuno ha caminado al frente de la manifestación que desde la Casa del Pueblo fue a la Plaza Mayor, que ya rebosaba de gente... Cuando se asoma al balcón de la Casa Consistorial se hace el silencio. Don Miguel se inclina sobre el balaustre, se quita las gafas porque tiene los cristales empañados, y comienza a hablar... Don Miguel se rehace y con voz velada se disculpa:

> «Permitidme la arrogancia de que sea yo quien proclame la República en esta plaza que recibió al desterrado de la Revolución del 68.»

»Su gesto y su voz se han adueñado de la muchedumbre... Con voz solemne y unción religiosa, don Miguel proclama oficialmente la República en Salamanca»[42].

Aquel mismo 14 de abril, Antonio Machado, en Segovia, participaba activamente en los acontecimientos del día. Recordará esa fecha con nostalgia unos años más tarde: «¡Aquellas horas, Dios mío, tejidas todas ellas con el más puro lino de la esperanza, cuando unos pocos viejos republicanos izamos la bandera tricolor en el Ayuntamiento de Segovia!... Recordemos, acerquemos otra vez aquellas horas a nuestro corazón. Con las primeras hojas de los chopos y las últimas flores de los almendros, la primavera traía a nuestra República de la mano. La naturaleza y la historia parecen fundirse en una clara leyenda anticipada o en un romance infantil.

---

[42] *Ibíd.*, pág. 336.

> La primavera ha venido
> del brazo de un capitán.
> Cantad, niñas, en corro:
> ¡Viva Fermín Galán!

»Florecía la sangre de los héroes de Jaca y el nombre abrileño del capitán muerto y enterrado bajo las nieves del invierno era evocado por una canción que yo oí cantar o soñé que cantaban los niños en aquellas horas.

> La primavera ha venido
> y don Alfonso se va.
> Muchos duques le acompañan
> hasta cerca de la mar.
> Las cigüeñas de las torres
> quisieran verlo embarcar.

»Y la canción seguía monótona y gentil»... *(O. P. P., 540)*.

Durante la República se crean en España nuevas escuelas e institutos. Don Antonio fue trasladado a Madrid a uno de ellos, el Instituto Calderón de la Barca, en el curso académico de 1932-33.

De 1932 a 1936 vive en la calle del General Arrando en compañía de su madre, de su hermano José y de la familia de éste.

Frecuenta los cafés madrileños; va por las mañanas, antes de acudir a sus clases del Instituto; vuelve por las tardes. Poco antes de la guerra civil se reúnen los hermanos Machado con algunos amigos en el café Varela. Por la llamada «tertulia de los Machado», además de los habituales —Ricardo Baroja, García Cortés, Ricardo Calvo, Giménez Encina...—, pasan muchos otros escritores. La última entrevista de don Antonio y don Miguel tuvo lugar allí; pero sobre esto trataré un poco más adelante.

En los primeros meses de la República, el nombre de Unamuno, elevado a mito durante los años de destierro, se convierte en uno de los más importantes de España. El 16 de abril se le nombra alcalde-presidente honorario del Ayuntamiento de Salamanca. Vuelve a ocupar el cargo de Rector por voto del claustro universitario, emitido el 18 de abril, y confirmado por el Gobierno el 23 de mayo. El 27 de abril se le nombra presidente del Consejo de Instrucción Pública. Dos meses más tarde irá a Madrid como diputado por Salamanca para asistir a la inauguración de las Cortes Constituyentes, que tienen en ese momento la misión de crear una Constitución. Con este motivo, su permanencia en Madrid se alarga bastante esta vez.

Pero Unamuno, hombre de oposición siempre, y todo antes que profesional de la política, pronto empieza a sentirse contra gusto. En abril de 1933 declara que el régimen no le satisface; mas sus críticas habían empezado aun antes de esa fecha. El 1.º de mayo del mismo año la *Gaceta de Madrid* publica un decreto aceptando su dimisión como presidente del Consejo de Instrucción Pública. En ese mismo año deja de asistir a las sesiones de las Cortes, y no se presenta como candidato en las nuevas elecciones parlamentarias que se convocaron el 19 de setiembre.

En el año 1934, el 15 de mayo, don Miguel pierde a su mujer, que muere tras una breve enfermedad. Dos meses antes había muerto una de sus hermanas; su hija Salomé morirá también poco después.

En ese mismo año —1934, en sus setenta— se le jubila como catedrático y se le nombra Rector vitalicio de la Universidad de Salamanca. Se organizan con este motivo varios actos; es un homenaje que se convierte en una verdadera celebración nacional, a la que asisten multitud de periodistas, escritores, políticos... El presidente de la República preside la celebración.

Al año siguiente se le nombra Ciudadano de Honor de la República.

En estos años, en dos ocasiones por lo menos, las firmas de Unamuno y Machado aparecen juntas en dos manifiestos. El primero se hace público el 14 de mayo de 1931: dos días antes los periódicos madrileños habían hablado de la quema de algunos conventos, de disparos y de personas muertas y heridas. El manifiesto del 14 de mayo, que es una llamada al buen sentido, lo firman, entre otros, Miguel de Unamuno, José Ortega y Gasset, Antonio Machado, Felipe Sánchez Román, Luis Jiménez Asúa... El segundo manifiesto se publica el 8 de agosto de 1935. Según cuenta Emilio Salcedo, «El periodista Luis de Sirval ha sido asesinado, y sus asesinos sentenciados a ridícula pena que es, en realidad, absolutoria. Unamuno encabeza con su firma el manifiesto de protesta que suscriben con él Azorín, Julián Besteiro, Antonio Machado, Juan Ramón Jiménez, José F. Montesinos, José Bergamín y Corpus Barga»[43].

El epistolario publicado por M. García Blanco nos ofrece sólo dos breves notas de este período. Ambas fueron escritas en 1934, y son, al decir del comentarista, «tan lacónicas como trascendidas de un afecto auténtico». La primera es una carta de pésame con motivo de la muerte de doña Concha, fechada en Madrid el 17 de mayo de 1934. El breve texto dice: «Queridísimo maestro: Con toda el alma le acompaña en su dolor y le envía un fuerte abrazo su viejo amigo...»

La segunda, una tarjeta escrita por don Antonio y firmada por él, sus dos hermanos, Manuel y José, y los viejos amigos Ricardo Calvo y C. Jiménez Encina, enviándole un fuerte abrazo, con motivo de su cumpleaños y jubilación[44].

Las entrevistas personales, en cambio, deben haber sido frecuentes en esta época en que don Antonio vive en Madrid y Unamuno visita a menudo la capital.

M. Pérez Ferrero, que habla con detenimiento de la «tertulia de los Machado», afirma que don Miguel concurre a ella, por lo menos una tarde, siempre que pasa por Madrid[45].

Por otra parte, parece que don Antonio fue en esa época algunas veces a Salamanca[46].

Por Pérez Ferrero tenemos noticias del último encuentro de don Miguel y don Antonio. Fue a la llegada del primero a Madrid, procedente de Inglaterra, donde acababa de ser nombrado «Doctor honoris causa» por la Universidad de Oxford. La ceremonia del nombramiento tuvo lugar a fines de febrero de 1936. El 2 de marzo, si creemos la fecha del poema que dedica a Ramón Pérez de Ayala —que lo había atendido fraternalmente en Inglaterra—, el 1.738 del *Cancionero*, parte

---

[43] *Ibíd.*, pág. 389.
[44] M. García Blanco reproduce y comenta las dos notas en *Op. cit.*, página 36.
[45] *Op. cit.*, pág. 196.
[46] Me informa de ello su sobrina y ahijada Leonor Machado.

Emilio Salcedo también se refiere —como ya señalé— a alguna visita de don Antonio a Salamanca durante los años treinta, pero por carencia de datos concretos no da noticias exactas.

de Londres. El 3 y el 4 de marzo fecha en París dos cortos poemas —números 1.739 y 1.740 del *Cancionero*—. El siguiente de este «diario poético» está fechado en «Salamanca. Viernes Santo, 10-IV-36». La entrevista que Pérez Ferrero nos describe tuvo lugar, por tanto, en el mes de marzo, y es de suponer que en los primeros días, ya que las estancias de don Miguel en Madrid solían ser breves. Pérez Ferrero, testigo presencial, que no da la fecha de la entrevista, nos da, en cambio, una serie de datos que considero de sumo interés. Por eso me permito transcribir casi íntegros algunos párrafos de su libro:

«Entre los visitantes circunstanciales de la tertulia de los Machado figura Miguel de Unamuno...
»Es amigo de los dos poetas, pero más estrechamente de Antonio.
»Y esta tarde, al encontrar a la puerta del café (Varela) a un joven visitante de la reunión, que no hace mucho acude a ella generosamente admitido, le pregunta:
»—¿A dónde va usted?
»—Me parece que a ver a los mismos que usted, don Miguel.
»—Yo —agrega Unamuno— vengo a saludar al hombre más descuidado de cuerpo y más limpio de alma de cuantos conozco: don Antonio Machado.
»Don Miguel de Unamuno acaba de llegar de Inglaterra, de Oxford, donde ha sido recibido *Doctor honoris causa* en aquella Universidad...
»En la tertulia ocasiona también cierto revuelo su llegada. Se le hace sitio en el diván, entre Antonio y Manuel Machado...
»Unamuno cuenta de Oxford y del suceso de su recepción. De pronto extrae un papel del interior de su chaqueta y, sin mayores preparativos, lo lee en latín... Es la salutación de la Universidad de Oxford al recibirle en su seno...
»... Luego habla de los temas que le preocupan y que pueden reducirse a uno solo: España. De vez en cuando se le queda mirando a Antonio y le interroga con apremio:
»—¿No le parece a usted?
»Y Antonio le responde lacónicamente con palabras que encuentran el eco de lo que Unamuno expresa...» [47].

---

[47] Es curiosa la observación de Pérez Ferrero, que coincide con otros co-

Luego pasan a hablar de otros temas. Unamuno elogia a don Antonio su última edición de *Poesías completas*. Le habla también de la prosa de Juan de Mairena.

«Cuando Unamuno se marcha —prosigue Pérez Ferrero—, se despide hasta el otro viaje, pues al siguiente día irá a Salamanca»[48].

Pero no llega a realizarse ningún otro encuentro; es ésta, por tanto, la última vez que los dos amigos se ven.

---

mentaristas. Emilio Salcedo, en *Literatura salmantina del siglo XX* (pág. 69), al hablar del paso de Machado por Salamanca, por la tertulia de don Miguel, dice: «Pasó por nuestra ciudad, por nuestra plaza y por la unamunesca tertulia del café Novelty, donde a todos producía asombro la insistente petición de asentimiento a sus palabras que don Miguel hacía al forastero». Recordemos también el testimonio de Francisco de Gossío (véase pág. 42 del presente estudio).

[48] *Op. cit.*, págs. 196-197.

CAPÍTULO II

POESÍAS DE MACHADO DEDICADAS A UNAMUNO

Antonio Machado dedicó a don Miguel tres poemas; son los que en este capítulo comento.

«LUZ», UN POEMA DE 1904

En la revista madrileña *Alma Española*, con la siguiente dedicatoria: «A D. Miguel de Unamuno, en prueba de mi admiración y de mi gratitud» [1], se publicó el poema *Luz*. Para mayor facilidad del lector lo reproduzco a continuación:

¿Será tu corazón un arpa al viento,
que tañe el viento?... Sopla el odio y suena
tu corazón; sopla el amor y vibra...
¡Lástima da tu corazón, poeta!
¿Serás acaso un histrión, un mimo
de mojigangas huecas?

¿No borrarán el tizne de tu cara
lágrimas verdaderas?

---

[1] Año II, núm. 16, 21 febrero 1904. Fue exhumado por Dámaso Alonso, que lo publicó, junto con otros, en su estudio *Poesías olvidadas de Antonio Machado* (*Cuadernos Hispanoamericanos*, núms. 11-12, Madrid, 1949). No se incorporó a las ediciones de poesía de Machado hasta que Oreste Macrí lo recogió en *Poesie di Antonio Machado* (en O. P. P., págs. 27-28).

¿No estallará tu corazón de risa,
pobre juglar de lágrimas ajenas?
Mas no es verdad... Yo he visto
una figura extraña,
que, vestida de luto, ¡y cuán grotesca!,
vino un día a mi casa.

—De tizne y albayalde hay en mi rostro
cuando conviene a una doliente farsa;
yo te daré la gloria del poeta,
me dijo, a cambio de una sola lágrima.

Y otro día volvió a pedirme risa
que poner en sus hueras carcajadas...
Hay almas que hacen un bufón sombrío
de su histrión de alegres mojigangas.
Pero, en tu alma de verdad, poeta,
sean puro cristal risas y lágrimas;
sea tu corazón arca de amores,
vaso florido, sombra perfumada [2].

G. Ribbans ha hecho interesantes observaciones [3]. Entre otras cosas, señala el hecho de que Machado, como tantas veces Unamuno, se plantea aquí el problema de la autenticidad, de la fidelidad a lo que somos. Mucho se ha dicho ya —¡y cuánto resta por saber!— sobre este gran problema, esta constante pesadilla que sobreviene cuando menos se la espera, en forma de angustioso interrogante: ¿Soy como los otros creen que soy, o juego ante todos un papel, el que ellos me han asignado?, ha de preguntarse constantemente Unamuno a través de su obra.

---

[2] Lo reproduzco tal como aparece en *Alma Española*. Dámaso Alonso deja un espacio en blanco entre los versos 10 y 11 que no existe en la versión publicada. La observación del poeta y erudito justifica la alteración: «Es la única composición de Machado que recuerdo con cambio de asonancia —dice—, lo cual me hace pensar que sus dos partes estarían bien diferenciadas en el pensamiento del poeta: si en *Alma Española* salieron las dos partes sin blanco intermedio, tal vez se debió a descuido o necesidad de ajuste» *(Op. cit.*, página 362). No obstante, me atengo a la versión original.

[3] *Op. cit.*, pág. 25.

No ahondemos ahora en este tema; señalemos tan sólo el hecho de que Machado se lo plantee aquí, en unos versos dedicados a don Miguel. Ello hace pensar en que no se trata de una coincidencia casual.

Sin embargo, el tema concreto y central de *Luz* es la autenticidad, sí, pero la autenticidad en el arte. La pregunta fundamental no es si estoy o no representando un papel, o si es el papel que represento el que me corresponde auténticamente, sino más bien esta otra: ¿es mi poesía expresión sincera de mi yo, o estoy ocultándome tras las palabras de otros, que no son las mías? Se trata, pues, de la autenticidad en poesía.

Si pensamos que *Luz* se publica un año después que *Soledades*, el poema se convierte en una reflexión —quizá una de las primeras que el poeta se hace— sobre su propia obra [4].

¿Habrá influido la voz de Unamuno en este empeño de Machado por encontrar su propia voz? En cierta forma, sí, ya que acaso —como en otras ocasiones— deba al estímulo de don Miguel el haberse planteado el problema. Y quizá lo veamos más claro si volvemos al artículo de Unamuno *Almas de jóvenes* y a los fragmentos de la carta de Machado, incluidos en el mismo.

Señalemos un dato importante. Por el mismo don Miguel sabemos que el poeta le envió con esa carta «unos versos», como hemos visto en uno de los párrafos reproducidos en el capítulo anterior. ¿No se trataría precisamente del poema *Luz*? [5].

Podría serlo. Mas lo que importa es destacar el hecho de que algunas de las ideas fundamentales de la carta —o de lo que de ella nos ha llegado— están recogidas también en el poema, cuyo sentido y título se aclaran al confrontarlo con la prosa. «No quiero —escribe Machado— que se me acuse de falta de sinceridad, porque eso sería calumniarme. Soy algo escéptico y me contradigo con frecuencia. ¿Por qué hemos de callarnos nuestras dudas y nuestras vacilaciones? ¿Por qué hemos de aparentar más fe en nuestro pensamiento o en el ajeno de la que en

---

[4] La autenticidad, la sinceridad, el ansia de ser *sí mismo*, voz, y no eco, es acaso la primera aspiración que alienta, desde muy pronto, toda la poesía de Machado. Esto lo ha visto bien José María Valverde, que lo comenta en varias ocasiones.

[5] *Almas de jóvenes* se publicó en mayo de 1904; el poema *Luz*, en febrero del mismo año. Lo que se desconoce es la fecha de la carta de Machado que Unamuno comenta en el artículo.

realidad tenemos? ¿Por qué la hemos de dar de hombres convencidos antes de estarlo? Yo veo la poesía como un yunque de constante actividad espiritual, no como un taller de fórmulas dogmáticas revestidas de imágenes más o menos brillantes».

Obsérvese el tono interrogativo de la parte central del párrafo, seguida de la afirmación de las propias ideas sobre poesía. La primera parte de *Luz* está construida también sobre interrogantes; pero el poeta no se queda —tampoco en el párrafo citado— en los interrogantes: intenta una afirmación.

En el siguiente de los párrafos recogidos por Unamuno, el tono afirmativo sustituye totalmente al interrogativo: «Pero hoy, después de haber meditado mucho, he llegado a una afirmación: todos nuestros esfuerzos deben tender hacia la luz, hacia la conciencia. He aquí el pensamiento que debía unirnos a todos».

Esa *luz,* esa *conciencia* que el joven persigue, está traducida en verso en los cuatro finales de *Luz.*

Nótese la insistencia en esa palabra, que todavía ha de volver a emplear Machado en otro párrafo de la misma carta al hablar de la vida literaria española: «Pero el torpe resurgir a la luz de nuestros cerebros adormilados nos hace mirarnos todavía como enemigos».

Comentando esa «ansia de luz», escribe Unamuno casi al final del ensayo, tras los párrafos machadianos transcritos —y acaso teniendo en cuenta también el poema—: «Dice Machado que ansía luz. Es que se está haciendo la luz en sus entrañas, o, mejor, en sus sotoentrañas espirituales: es el alba del espíritu. ¿Qué será un alba perpetua? ¿Y qué importa? ¿Hay acaso nada más dulce, nada más fortificante, nada más vivificante que el alba?»

¿Ha tenido don Miguel —volvemos a preguntarnos— algo que ver con esta ansia de luz que invade al joven Antonio Machado? Habría que admitir que sí si se aceptan —cosa que hago parcialmente— las palabras a que antes me refería: «Usted, con golpes de maza, ha roto, no cabe duda, la espesa costra de nuestra vanidad, de nuestra somnolencia...», citadas en el capítulo anterior [6]. Mas, como señalé, es peli-

---

[6] En enero de 1905, por tanto después de publicada la carta —mayo 1904—, en el ensayo *Los naturales y los espirituales* escribe Unamuno: «Me llega al alma el oír decir una tontería o una vaciedad a un prójimo, y quisiera

groso que nos dejemos impresionar totalmente por las expresiones apasionadas del joven entusiasta de don Miguel. No olvidemos, sin embargo, que algo debió de orientarlo en la búsqueda de la luz que perseguía.

UN POEMA DE 1905

El conocido poema *A Don Miguel de Unamuno* lleva, a guisa de dedicatoria, las siguientes palabras: «Por su *Vida de Don Quijote y Sancho*». Pertenece a la sección *Elogios* de la parte *Campos de Castilla*, de *Poesías completas*, donde figura con el número CLI.

De los tres, es el único cuyo texto alude a la persona a quien se dedica. En los otros dos, don Miguel figura sólo en la dedicatoria; éste, como veremos a continuación, es un retrato espiritual del fuerte vasco quijotizado:

> Este donquijotesco
> don Miguel de Unamuno, fuerte vasco,
> lleva el arnés grotesco
> y el irrisorio casco
> del buen manchego. Don Miguel camina,
> jinete de quimérica montura,
> metiendo espuela de oro a su locura,
> sin miedo de la lengua que malsina.
>
> A un pueblo de arrieros,
> lechuzos y tahures y logreros
> dicta lecciones de caballería.

---

ir a él y quitarle aquella tontería de la cabeza de cualquier modo, *a golpes de maza*, con violencia» *(O. C.*, III, 822). (El subrayado es mío.)

Creo —sin asegurarlo— que la frase subrayada es hallazgo de Machado, aunque Unamuno haya expresado la misma idea anteriormente. Si ello es así, se trataría del primer ejemplo de un curioso fenómeno que llamaré de reflujo: una idea, originada en Unamuno, encuentra una expresión tan justa en Machado que Unamuno la acepta y la emplea con las palabras machadianas. Es el caso de «la sombra de Caín» y algunas otras frases y versos de Machado, que Unamuno menciona con gran frecuencia. De ello hablaré más extensamente en otro capítulo.

Y el alma desalmada de su raza,
que bajo el golpe de su férrea maza
aún duerme, puede que despierte un día.
Quiere enseñar el ceño de la duda,
antes de que cabalgue, al caballero;
cual nuevo Hamlet, a mirar desnuda
cerca del corazón la hoja de acero.

Tiene el aliento de una estirpe fuerte
que soñó más allá de sus hogares
y que el oro buscó tras de los mares.
Él señala la gloria tras la muerte.
Quiere ser fundador, y dice: Creo;
Dios y adelante el ánima española...
Y es tan bueno y mejor que fue Loyola:
sabe a Jesús y escupe al fariseo.

Esta poesía, que —creo— no fue publicada hasta 1912, es anterior, al parecer, al artículo que sobre *Vida de Don Quijote y Sancho* publicó Machado en 1905 —del cual hablaré en el próximo capítulo—, con el que coincide tanto en el tema como en la expresión.

En dicho artículo se hace referencia al poema en los siguientes términos: «Admírole yo (a Unamuno) por su temple de espíritu y téngole comparado con Íñigo de Loyola, su conterráneo, aunque yo digo que es mejor en versos que le compuse» *(O. P. P., 765)*.

En *Poesías escogidas* (1917) figura al pie del poema la fecha 1905.

No parecen estos versos de ese momento: por su tono, son mucho más cercanos a todo lo escrito entre los años 1912-1917 que a lo que el joven Machado escribía a principios de siglo. Sin embargo, tras la afirmación del propio poeta, no cabe duda. Lo que sí cabe es pensar —si tenemos en cuenta que no se publica hasta 1912— en la existencia de una primera versión. germen de la que nos llegó [7].

---

[7] Para plantear esta hipótesis me baso en el hecho de que no se trataría de la única vez que algo semejante sucede. Tengamos en cuenta que Machado en diversas ocasiones escribió prosa y versos en forma germinal, que desarrolló y perfeccionó años después. Es el caso de algunos poemas hallados en el cuaderno de *Los complementarios*. Véanse, como ejemplo de poemas en forma germi-

Si en la primera parte —en los primeros ocho versos— notamos una cierta influencia rubendariana, muy visible en el vocabulario [8], lo que sigue —a partir del verso 9— parecería pertenecer a un período posterior. El «pueblo de arrieros, lechuzos y tahures» es el mismo en que piensa desde Baeza mucho más tarde.

Hay versos cercanos, en espíritu, en tono, en vocabulario, a otros mucho más tardíos [9]. El tono rudo, el lenguaje duro y muy directo, presente por vez primera en la poesía de Machado en estos versos de 1905, y que reaparecerá con firmeza más tarde, tiene mucho de unamuniano [10]. Más del Unamuno ensayista que del Unamuno poeta —al menos del poeta que era en ese tiempo—. Los ejemplos de semejanza en tono y vocabulario con la ensayística unamuniana serían inagotables. Bástenos recordar un ensayo que Machado debió conocer muy bien: «El marasmo actual de España», último de los cinco que integran *En torno al casticismo*.

Queda sin precisar si el poema en cuestión es —tal como nos llegó— de 1905, o si se trata de una reelaboración, aunque me inclino a creer esto último. Lo que sí queda claro es que la presencia de don Miguel es notable en la visión de España y lo español, así como también en el tono y vocabulario empleados.

---

nal, los que Luis Felipe Vivanco recoge en *Retrato en el tiempo (Papeles de Son Armadáns*, 1956).

[8] Es rubendariano el epíteto «fuerte vasco», que Darío aplica a Unamuno en un artículo publicado en *La Nación*, de Buenos Aires, del 2 de febrero de 1899.

[9] Recordemos, por ejemplo, éstos de *El mañana efímero:*

«Esa España inferior que ora y bosteza,
vieja y tahur, zaragatera y triste;
esa España inferior que ora y embiste
cuando se digna usar de la cabeza...»

[10] Guillermo de Torre muy atinadamente ha señalado que Machado se «unamuniza» al corresponder con don Miguel o comentar sus libros. Podemos comprobar el mismo fenómeno en relación a Rubén Darío, a Azorín, a Lorca —en los poemas dedicados a la muerte de éste— y a Juan Ramón Jiménez, aunque en los dos últimos casos con menor intensidad.

«PARERGON», 1923

El último de los tres poemas que Machado dedicó a Unamuno es el que lleva el número CLXII en las ediciones de *Poesías completas*. Se recoge por primera vez en volumen en *Nuevas canciones* (1924). Lleva la siguiente dedicatoria: «Al gigante ibérico Miguel de Unamuno, por quien la España actual alcanza proceridad en el mundo» [11].

Fue publicado por vez primera en 1923, en el semanario *Segovia*, con el título de *Los ojos*. No llevaba dedicatoria alguna [12].

El poema, que es una cala hacia el fondo del alma humana, no sería extraño que recogiese una experiencia personal:

I

Cuando murió su amada
pensó en hacerse viejo
en la mansión cerrada,
solo, con su memoria y el espejo
donde ella se miraba un claro día.
Como el oro en el arca del avaro,
pensó que guardaría
todo un ayer en el espejo claro.
Ya el tiempo para él no correría.

II

Mas pasado el primer aniversario,
¿cómo eran —preguntó—, pardos o negros,
sus ojos?, ¿glaucos?..., ¿grises?
¿cómo eran, ¡santo Dios!, que no recuerdo?

---

[11] En realidad, en *Nuevas canciones* el título *Parergon* va en la página que precede al poema, a manera de título de una parte; en la página siguiente, el poema bajo el título de *Los ojos*, que pasa a ser subtítulo en *Poesías completas*, quizá por ser el único de esa parte. La dedicatoria sigue al título general.

[12] Núm. 1, 1.º de julio de 1923. Debo esta información a don Mariano Quintanilla.

III

Salió a la calle un día
de primavera, y paseó en silencio
su doble luto, el corazón cerrado...
De una ventana en el sombrío hueco
vio unos ojos brillar. Bajó los suyos,
y siguió su camino... ¡Como ésos!

Nada de extraordinario tiene que Machado dedique a Unamuno una poesía más. Lo que a primera vista sorprende es que la dedicatoria falte en la primera publicación y figure en *Nuevas canciones*, libro aparecido unos meses más tarde. Si consideramos la fecha de la primera publicación del poema, 1.º de julio de 1923, y la de la aparición de *Nuevas canciones*, que salió de las prensas el 22 de abril de 1924, nos damos cuenta de que en estos pocos meses ha pasado algo muy importante: don Miguel salió de su Salamanca hacia el destierro el 21 de febrero de 1924. Es muy posible que don Antonio haya querido rendir homenaje al «gigante ibérico» en este momento dedicándole una poesía. Y no me parecería excesivamente arriesgado pensar que esa poesía —inédita aún— pudo haberla conocido Unamuno en uno de sus viajes a Segovia.

Capítulo III

DOS ARTÍCULOS DE ANTONIO MACHADO SOBRE LIBROS DE UNAMUNO

Me limito en este capítulo a comentar dos artículos bastante extensos; en el siguiente me referiré a algunos más breves.

«DIVAGACIONES (EN TORNO AL ÚLTIMO LIBRO DE UNAMUNO)»

En 1905, como respuesta al libro *Vida de Don Quijote y Sancho*, que Unamuno acababa de publicar, escribe Antonio Machado este artículo [1]. No se trata de un simple comentario, sino de un cuidadoso estudio.

Desde las primeras líneas captamos el intento de identificar a don Miguel con don Quijote, visible también en el poema comentado antes. En la prosa de estas páginas —como en el poema— el epíteto «donquijotesco» salta pronto a la vista; ya lo encontramos al principio del ensayo, dándole al resto un tono general. El donquijotesco don Miguel parece ser para Machado lo que aspiraba a ser para todos: un excitador de conciencias, un luchador incansable que se empeña en plantear problemas —nunca en traer la paz— a sus lectores. «En nuestro mundo intelectual —dice Machado— nadie mueve tanta guerra como el sabio Unamuno. El espíritu batallador, expansivo y generoso reside en este donquijotesco varón». Y luego: «En el ambiente de triste paz en que vivimos, sólo

---

[1] Publicado en *La República de las Letras*, Madrid, núm. 14, 9-VIII-1905. Reproducido por G. RIBBANS en *Op. cit.*, págs. 15-17 *(O. P. P.*, 765-767).

Unamuno y unos cuantos guerrean —que no hemos de llamar guerra a disputas de comadres y pedreas de golfos».

Son notables el afán de síntesis y el intento de captar, breve y justamente, los más salientes rasgos de la personalidad de Unamuno: «Pero las notas en él dominantes —escribe— son: el impulso acometedor, la ambición de la gloria, y la afirmación constante y decidida de su personalidad». Notas, añadamos, que casan a las mil maravillas con el epíteto de «donquijotesco». Porque estos tres rasgos definitorios del carácter de don Miguel, según Machado, creo que podrían definir también al héroe cervantino, el que lucha contra todo, el que persigue incansablemente su gloria —o su Dulcinea, que, según Unamuno, es lo mismo—, el que afirma su personalidad con la frase: «Yo sé quién soy».

Admira en algunas ocasiones la crítica machadiana por su minuciosidad: «Mucho me recuerda Unamuno, en sus escritos, a nuestros mejores místicos por la expresión sinuosa y asimétrica, tan castiza, por el deseo de envolver y dominar espiritualmente y por el mucho pelear interior, que no le deja punto de reposo».

Y más adelante: «Y reparad, ya que nos paramos en la forma, en que no es Unamuno de los que sirven su pensar simétricamente ordenado o cortado en lonchas, como salchichón en tienda de montañés, a pedacitos redondos o cuadrados; que a esta faena llaman algunos literatura»... «Cierta rudeza y montuosidad hay, no obstante, en la prosa de Unamuno que nos hace pensar en la tierra vasca; pero esto de que un escritor recuerde a su tierra, más es virtud que defecto».

Hallamos en uno de los últimos párrafos interesantes opiniones sobre poética: «Y para indicar algo esencial del libro, digo que está impregnado de tan profundo y potente sentimiento que las ideas del pensador adquieren fuerza y expresión de imágenes de poeta. Esto es lo que importa. Sólo el sentimiento es creador. Las ideas se destruyen y pasan. En realidad, ni las ideas de los pensadores ni las imágenes de los poetas son nada fuera del sentimiento de que nacen. Una idea no vale más que una metáfora; generalmente, vale menos. La pura ideología y la fría imaginativa son deleznables». Sorprende hallar en fecha tan temprana un anticipo de ideas poéticas que don Antonio no ha de dar —al menos en forma definitiva— hasta mucho más tarde.

Se observan aquí —lo mismo que en el poema— una serie de influencias unamunianas. Algunas hay, me parece, en la valoración del sentimiento sobre la razón, idea fundamental en la filosofía de Unamuno; muchas, en el tono y vocabulario. «Que no hemos de llamar guerra a disputas de comadres y pedreas de golfos», y algunas otras frases semejantes, recuerdan, por ejemplo, éstas de un conocido ensayo de don Miguel: «¿Que se pierde tu voz? Más te vale que se pierdan tus palabras en el cielo inmenso a no que resuenen entre las cuatro paredes de un corral de vecindad, sobre la cháchara de las comadres» (*Adentro, O. C.*, III, 420).

Hay, sin embargo, algo que diferencia siempre a Machado de Unamuno: éste pierde con frecuencia la fe en los otros, y lo muestra; don Antonio habla y actúa como si creyese en los demás, como si tuviese alguna esperanza en los que le rodean. Por ello, en este momento, en medio de la «laxitud de sentimientos y miseria intelectual» que le envuelve, ve algo positivo, algo que empieza a removerse, provocado —piensa él—, en parte, por la incansable lucha de Unamuno: «Existe hoy más trajín espiritual, y buen deseo de saber, de enseñar, de trabajar, que en la época anterior a nuestros desastres definitivos. Injusticia sería negar la labor que realiza la juventud: todos, aunque por diversos caminos, vamos en busca de mejor vida. Los gestos de protesta, de rebeldía, de iconoclasticismo, de injusticia si queréis, que tanto asustan y escandalizan a unos cuantos pobres de espíritu, ¿qué son, en el fondo, sino ese noble deseo de renovación?».

Pero llega mucho más lejos aún; llega hasta algo que difícilmente aceptaría Unamuno: no sólo los rebeldes, los que hablan en voz alta, aspiran a esa renovación. Hay otros espíritus que, aunque lo expresen de muy distinta manera, la buscan también: «Y los gestos de compunción, de melancolía, y las palabras plañideras y elegíacas de la juventud más lírica, ¿qué son sino expresión del mismo descontento y ansia de nueva vida? Las diferencias son sólo de procedimiento».

No es muy probable que don Miguel estuviese de acuerdo con estas últimas afirmaciones. Es que nos hallamos ante un punto que los separa radicalmente: Unamuno se cierra ante quien no piensa como él; Machado intenta oír a los demás.

Me parece muy exacta la relación que establece Ribbans entre una idea que Antonio Machado plantea aquí sobre la generosidad espiritual de Unamuno y un corto poema que ha de publicar más tarde [2]. En efecto —como Machado ve—, Unamuno, que tanto gustaba de la «Parábola de los talentos», aconseja siempre el dar para acrecentar la riqueza; el darse: «da, da y nunca pidas, que cuanto más des, más rico serás en dádivas», ha de decirnos en *Adentro (O. C.,* III, 424). En el artículo que comento, dice Machado: «Unamuno sabe cómo el espíritu es de suyo algo altruista y que sólo se pierde cuando se guarda. Tal vez por esto se da consejo y no dinero, y el que nos roba nuestra bolsa nos roba lo único que nos puede robar». Y en un poemita de estos mismos años escribe:

> Moneda que está en la mano
> quizá se deba guardar;
> la monedita del alma
> se pierde si no se da. *(O. P. P.,* 100) [3]

«ALGUNAS CONSIDERACIONES SOBRE LIBROS RECIENTES: 'CONTRA ESTO Y AQUELLO', DE MIGUEL DE UNAMUNO»

Este nuevo artículo de Machado, más largo aún que el comentado antes, se publicó en la revista madrileña *La Lectura* [4].

Contra esto y aquello, colección de ensayos aparecidos en periódicos —casi todos en *La Nación,* de Buenos Aires—, vio la luz en 1912. Cuando en 1928 se hizo una nueva edición, Unamuno —entonces en el destierro— escribió para ella una advertencia previa: «Los artículos que

---

[2] *Op. cit.,* pág. 21.
[3] Parte II del núm. LVII —*Consejos*— de *Poesías completas.* Se publicó por vez primera en *Soledades. Galerías. Otros poemas,* en 1907. Debe, por tanto, de haber sido escrito entre 1903 y 1907. En la primera versión hay una variante notable. Verso 3: «pero lo que está en el alma».
[4] Año XIII, núm. 151, julio 1913. No había vuelto a reproducirse desde su publicación hasta la fecha muy reciente en que fue incluido en *Antonio Machado. Prosas y poesías olvidadas,* recogidas y presentadas por Robert Marrast y Ramón Martínez López (Centre de Recherches de l'Institut d'Études Hispaniques, París, 1964) *(O. P. P.,* 779-784).

componen esta colección no son propiamente ensayos críticos, ni pretende su autor que lo sean. Tan sólo son notas de un lector. En rigor, un pretexto para ir el autor entretejiendo sus propias ideas con las que le dan aquellos otros escritores a que lee» *(O. C.,* IV, 747).

En el ensayo de Machado observamos algo similar: dos de los veintitrés artículos que contiene el libro de Unamuno le dan pie para hacerse sus propias consideraciones, sin olvidar, desde luego, el punto de partida. La mitad, más o menos, de los artículos que integran *Contra esto y aquello* están consagrados a libros o a autores hispanoamericanos; los otros, a escritores europeos, sobre todo franceses.

Machado, que, sin duda, leyó cuidadosamente todo el libro, fija su atención, como señalé, en dos capítulos. Los dos dedicados a temas franceses: *El «Rousseau» de Lemaître (O. C.,* IV, 838-843) y *Rousseau, Voltaire y Nietzsche* (*O. C.,* IV, 845-853).

En la carta que en 1913 escribe a Unamuno desde Baeza, Machado le anuncia ya la próxima aparición de su artículo, explicándole, además, las razones que le han movido a escribirlo: «En el próximo número de *La Lectura* verá usted mi artículo dedicado a su libro *Contra esto y aquello,* muy especialmente a los capítulos sobre las conferencias de Lemaître, y preparo otro sobre sus ideas de pedagogía y educación nacional. Como casi todo el contenido de ese libro son crónicas publicadas por usted en *La Nación,* de Buenos Aires, conviene que nuestros indígenas se enteren de lo más sustancioso que, a mi juicio, se ha dicho sobre estos temas. En sus artículos sobre el Rousseau de Lemaître está, en mi opinión, calado hasta el fondo el espíritu del neocatolicismo francés, que ya empieza a sentirse en España, como usted profetiza. He dedicado mucho tiempo a leer y comentar sus libros. Toda propaganda de ellos me parece poca» *(O. P. P.,* 914) [5].

De las opiniones y comentarios de Unamuno sobre el neocatolicismo francés surgen en Machado una serie de consideraciones sobre el mismo tema. Parte de Unamuno, pero su «gota de sangre jacobina» le lleva aún más lejos que a don Miguel. La ilustre tradición protestante de Francia —que Unamuno señala en el artículo *Rousseau, Voltaire y Nietzsche* y

---

[5] Hasta el momento nada he logrado saber de ese otro artículo que Machado preparaba acerca de las ideas de don Miguel sobre pedagogía y educación nacional.

había comentado ya en otras ocasiones— es punto que trata también con auténtica simpatía.

Tras dos largos párrafos introductorios —que comentaré luego—, entra Machado en el que podremos llamar tema central del ensayo: confusión entre patriotismo y religión, que trae como consecuencia —se refiere a Francia— el nacimiento del llamado neocatolicismo, y que no es más que una forma de esconder un francesismo *chauvin* y no religioso, sino más bien «vaticanista».

Establece una constante comparación entre esa Francia que ve el nacimiento de un nacionalismo chauvinista, escondido tras la bandera del catolicismo, y la situación espiritual de España. Mas la situación —piensa Machado— no puede llegar a ser la misma: los neocatólicos franceses, surgidos no del pueblo, sino de la intelectualidad, no pueden estar en el mismo plano que «nuestra ferocidad de guante blanco», que «no aspira al decoro intelectual, lo fía todo de la Guardia Civil, tiene la franqueza de la brutalidad, y, en el fondo, es menos repugnante que la francesa».

Tras los primeros comentarios a este neocatolicismo *chauvin* de los intelectuales franceses, Machado reflexiona, en los siguientes párrafos, sobre la situación de decadencia espiritual de la Francia del momento, cosa que ha podido percibir poco tiempo antes en su último viaje a París, en 1911: «Es evidente —dice— que la Francia actual literaria y filosófica se caracteriza por una carencia absoluta de originalidad, por una tendencia mezquinamente reaccionaria y por una farsantería que sería cómica si no estuviese mezclada con terrores de Apocalipsis. Los que hemos vivido en Francia algún tiempo en estos últimos años, sabemos que este gran pueblo espiritualmente agotado no tiene hoy otra fuerza de cohesión que el miedo. El miedo se llama allí patriotismo, nacionalismo, catolicismo, clasicismo, etc., etc.».

El tema de Francia y lo francés es, con frecuencia —ya lo señalé—, tema central en las cartas de Machado a Unamuno. Está ya en las primeras. A juzgar por lo que de ellas conocemos, y teniendo en cuenta los puntos de vista de Unamuno sobre el vecino pueblo, podríamos, a primera vista, pensar que ello influye en don Antonio. Creo, sin embargo, que se trata de una coincidencia casual; un terreno en el que ambos se encontraron muy pronto en completo acuerdo: de la larga conversación que, a través de muchos años, mantuvieron sobre el tema sacan idénticas consecuencias.

En un antiguo escrito de Unamuno titulado *Afrancesamiento* ya recoge algunas ideas sobre las diferencias radicales entre España y Francia, a pesar de las influencias culturales de ésta sobre nuestro país: «Y este nuestro pueblo piensa y siente en oposición bastante radical al francés —escribe—. El español no es, como el francés, sensual y lógico; no son distintivos nuestros ni la regularidad ni el orden en el pensar, ni la *joie de vivre* en el obrar» (*O. C.*, XI, 70). Sin embargo, el español se empeña en imitar lo francés. Ateniéndose al plano cultural, afirma: «Es inútil insistir aquí en cosa tan sabida y tan resobada como es esto de que recibimos la cultura europea mascullada ya y hasta peptonizada por los franceses» (*O. C.*, XI, 68-69).

En el campo literario, cree Unamuno que la influencia francesa llega a tomar proporciones alarmantes, acusándose aun en poetas que han merecido sus sinceros elogios, como Manuel Machado y muchos otros. Hacia los años 1902, 1903..., aprovecha todas las oportunidades que se le presentan para criticar las influencias negativas que Francia —o, más bien, París— puede producir en los jóvenes —españoles o no—. En sus escritos sobre literatura hispanoamericana, por ejemplo, el ataque a lo francés parisién es constante. A lo francés parisién —insistamos en ello—, porque, para Unamuno, París es lo que se ve desde fuera, lo menos auténtico [6].

Cuando Antonio Machado parte por vez primera hacia París, en 1899, va, sin duda, como todos los jóvenes escritores de aquel entonces, deslumbrado por los resplandores que llegan de la «ciudad luz»; va fascinado por la bohemia: por esa bohemia que Unamuno rechazó siempre y que al joven Antonio le atrajo durante algunos años. En las primeras cartas destinadas a Unamuno notamos ya una cierta desilusión de París. París, sin embargo, le ha enseñado muchas cosas; pero, sobre todo, le ha enseñado a retornar a España, a buscar en su tierra sus raíces.

---

[6] Como muestra de esa actitud véase, por ejemplo, el ensayo *Impresiones viajeras de Amado Nervo* (*O. C.*, VII, 222-230), *Los sonetos de un diplomático argentino* (*O. C.*, VIII, 236-241) o el *Prólogo a «Paisajes parisienses»*, de Manuel Ugarte (*O. C.*, VII, 171-178).

A partir del regreso a España tras la segunda temporada en Francia —1902—, sus opiniones sobre lo francés coinciden notablemente con las de Unamuno.

Ese tema, fundamental en las cartas de 1903 y 1904, sigue siendo punto de interés para ambos escritores en 1913. En los diez años que median entre la carta de 1903 y el artículo de que ahora me ocupo, es muy probable que, o bien en alguna conversación, o bien en alguna carta que desconocemos, se hablase entre ellos de cultura francesa, de filosofía y, posiblemente, de un filósofo: Henri Bergson. Los versos de un conocido poema machadiano pueden inclinarnos a admitir esta conjetura [7].

En algunos ensayos de *Contra esto y aquello* defiende Unamuno a «la otra Francia». No la de los jóvenes bohemios de París, ni la católica vaticanista. La otra es mucho más profunda. A primera vista podemos no encontrarla. Es la Francia de los hugonotes, de los jansenistas, la Francia de Calvino, la de las grandes inquietudes pascalianas. Con esa Francia está también Machado, según nos dice en estas notas y en algunas cartas escritas en Baeza [8].

---

[7] Me refiero, como se supondrá, a: «Este Bergson es un tuno; / ¿verdad, Maestro Unamuno?». G. Ribbans ha hecho ya esta observación *(Op. cit.,* página 23).

[8] La actitud de Unamuno hacia Francia se define totalmente al comienzo de la guerra del 14. Se declaró francófilo desde el primer momento, y fue más lejos aún: acusó constantemente a España de cobardía por no participar en una guerra que él consideraba decisiva para el triunfo de la cultura europea. En este sentido es revelador su «Discurso sobre la espiritualidad francesa», publicado en un reciente número de *Ínsula* (nov.-dic. 1964).

Como en algunos ensayos de *Contra esto y aquello*, durante la guerra defiende Unamuno a «la otra Francia», no la católica, no la oficial, sino la más profunda. En un bello artículo sobre Rubén Darío, de 1916, escribe: «Y el mismo Darío, justo es decirlo, no conoció bien esa Francia más íntima, más recogida, con raíces más allá del siglo XVIII y muy fuera de Versalles; esa Francia de ultramontanos, de jansenistas, de hugonotes, de jacobinos, esa Francia que nada tiene de ligera, la Francia de las hondas inquietudes pascalianas, no la de los escándalos mundanos o parlamentarios. Esta Francia de los franceses ha sido muy poco conocida aquí. Y contra la otra visión, la del cosmopolitismo parisiense —o el parisiensismo cosmopolita—, peleé toda la vida. En tal sentido fui y soy decididamente antiafrancesado. No ocultando tampoco mi escasa simpatía por el llamado neoclasicismo francés. Pero de esto hablaré otra vez: cuando acabe la guerra y podamos volver a plantear amigablemente

Son muchos los puntos de contacto que podríamos establecer entre la primera carta y el artículo en cuestión; comparemos el contenido del párrafo antes citado —en el que don Antonio le explica a don Miguel los motivos que le indujeron a escribirlo— con sus primeras frases: «Pocos libros se producen en España —y aun fuera de España— tan atrayentes como los de don Miguel de Unamuno. A la vista tengo su última colección de artículos titulada *Contra esto y aquello*. Paréceme que la crítica repara poco en los libros donde se recopilan trabajos que fueron anteriormente insertos en la prensa diaria. Las últimas obras del ilustre vasco son, en su mayor parte, colecciones de crónicas publicadas en *La Nación*, de Buenos Aires, y, si no las señalamos a la curiosidad del público español, corremos el riesgo de que se ignore en España algo de lo más sustancioso de nuestra moderna producción» (*O. P. P.*, 779).

Unas líneas más abajo nos da una noticia de sumo interés: «Poca es, en efecto, la curiosidad del público español; pero no sabemos hasta dónde llegaría si se la espolease. En una ciudad de 7.000 almas fundamos, entre unos cuantos amigos, un periodiquillo con el solo objeto de hacer la propaganda del libro. Nuestros resultados fueron modestos, pero no despreciables. Conseguimos que las librerías vendiesen unas cuantas docenas de libros publicados en aquella sazón por Valle Inclán, Unamuno, Azorín, Baroja, Pérez de Ayala, Juan Ramón Jiménez y otros autores de quienes sólo se conocía allí los nombres» (*O. P. P.*, 779).

---

con nuestros vecinos nuestros pleitos culturales. Hoy lo que importa es que venzan» (*O. C.*, VIII, 583).

La idea de las dos Francias es aceptada por Machado, que en carta fechada en Baeza el 16 de enero de 1915 escribe a don Miguel:
«Yo también, en el fondo, acaso sea francófilo. Mi antipatía a Francia se ha moderado mucho con eso que usted llama «estallido de barbarie» de las derechas, y, además, fui siempre [falta algo] por la Francia reaccionaria y, sobre todo, farsante, Francia que, triunfadora, nos habría de agobiar con la divinidad de Racine, cosa más lamentable que la guerra misma. La otra Francia es de mi familia, y aun de mi casa; es la de mi padre, y de mi abuelo y mi bisabuelo; que todos pasaron la frontera y amaron la Francia de la libertad y del laicismo, la Francia religiosa del *affaire* y de la separación de Roma en nuestros días. Y ésa será la que triunfe, si triunfa, de Alemania. La otra, vestida de pavo real, hubiera sido hace años barrida del mapa por el empuje teutónico» (*O. P. P.*, 920).

La ciudad es, naturalmente, Soria; no podía ser otra. Además, el mismo don Antonio lo declara en la carta mencionada con las siguientes palabras: «En Soria fundamos un periodiquillo para aficionar a las gentes a la lectura, y allí tiene usted algunos lectores» (*O. P. P.*, 914). Al parecer, alude a *El Porvenir Castellano,* del que fue uno de los fundadores y colaboradores.

En lo que al sentimiento religioso del pueblo español se refiere, hallamos también juicios coincidentes en la carta y en el artículo. Entresaco de un larguísimo párrafo de la carta las siguientes afirmaciones: «Empiezo a creer que la cuestión religiosa sólo preocupa en España a usted y a los pocos que sentimos con usted. Ya oiría usted al doctor Simarro, hombre de gran talento y de gran cultura, felicitarse de que el sentimiento religioso estuviera muerto en España. Si esto es verdad, medrados estamos, porque ¿cómo vamos a sacudir el lazo de hierro de la Iglesia Católica que nos asfixia? Esta Iglesia espiritualmente huera, pero de organización formidable, sólo puede ceder al embate de un impulso realmente religioso. El clericalismo español sólo puede indignar seriamente al que tenga un fondo cristiano»... «Hablar de una España católica es decir algo bastante vago. A las señoras puede parecerles de buen tono no disgustar al Santo Padre, y esto se puede llamar «vaticanismo»; y la religión del pueblo es un estado de superstición milagrera que no conocerán nunca esos pedantones incapaces de estudiar nada vivo» (*O. P. P.*, 916).

Y al final del artículo encontramos esta suavizada variante del mismo tema: «Hoy pensamos sacudir el peso bruto y abrumador de la Iglesia fosilizada, de esta religión espiritualmente huera, pero de formidable organización, eclesiástica y policíaca, y nos jactamos al par de que el sentimiento religioso esté muerto en España. Si esto fuera absolutamente cierto, medrados estábamos. Por fortuna, aún no estamos todos convencidos de ello. Leyendo las obras de Unamuno no es posible afirmar la incapacidad religiosa de nuestra raza. De algo más que de ese «vaticanismo» de las clases altas y de esa superstición milagrera del pueblo que llamamos catolicismo —ignoro por qué razón— somos todavía capaces».

CAPÍTULO IV

JUICIOS Y COMENTARIOS DE ANTONIO MACHADO SOBRE LA OBRA Y LA PERSONA DE DON MIGUEL

Además de los poemas dedicados y de los artículos críticos sobre libros de Unamuno, en varias ocasiones don Antonio hace comentarios acerca de la persona o la obra del maestro.
Me referiré al material que he podido reunir, siguiendo —salvo excepcionalmente— un orden cronológico. Se trata, a veces, de juicios o notas breves; en otros casos, de páginas que, sin llegar a ser largos artículos, constituyen extensos comentarios. Inserto al final unas notas que, aunque anónimas, parece probable que fuesen escritas por Machado.
Naturalmente, no intento hacer una nómina de las veces que Machado cita a Unamuno. Recojo y comento sólo aquello que, por alguna razón, considero significativo.

«POEMA DE UN DÍA»

Con el subtítulo de *Meditaciones rurales*, fechado en Baeza, 1913, se recoge este poema por primera vez en libro en *Poesías completas* (1917). Había aparecido ya en *La Lectura* algunos años antes [1]. En esa ocasión con la fecha «12 enero 1912», y con algunas variantes en relación con la versión posterior [2].

---
[1] XIV, II, 1914, págs. 47-52.
[2] Las variantes pueden hallarse en la citada edición de Oreste Macrí. Como éste ve muy bien, la fecha —*enero 1912*— debe ser un lapsus de Machado o simplemente un error de imprenta.

El poema es —desde sus comienzos queda claro— un soliloquio, empleando el término unamuniano. El poeta habla consigo mismo, para plantearse a solas su actual situación. ¿A solas? Acaso no del todo. Porque, si bien es verdad que medita en voz alta y que se habla a sí mismo cuando se dice «heme aquí», no es menos cierto que nos habla también a los lectores, y, sin poder acaso aclarar la razón, siempre he visto en este largo poema una carta a don Miguel de Unamuno. ¿Lo es? No, si tomamos la aseveración al pie de la letra. Mas, sin embargo, desde las primeras palabras, desde «profesor de lenguas vivas», pensamos un poco en el otro profesor: el que profesa en Salamanca la cátedra precisamente de una lengua muerta.

¿Lo pensamos sólo los lectores, o lo pensó también el poeta? Más adelante ha de hablarle directamente al «maestro Unamuno»; al principio del poema, no. Y, sin embargo, intuimos la presencia de don Miguel desde el comienzo. Y la seguimos sintiendo a medida que el poema avanza; la sentimos intensamente en ciertos momentos, como las descripciones del lugar en que ha venido a caer, y al tocar ciertos temas, discutidos con don Miguel en alguna de las cartas.

El nombre de Unamuno no surge hasta el verso 99; la primera vez que aparece, está sólo mencionado en tercera persona:

> Libros nuevos. Abro uno
> de Unamuno.
> ¡Oh, el dilecto,
> predilecto
> de esta España que se agita
> porque nace o resucita!
>
> (*O. P. P.*, 184-185)

Tras esta introducción —y observemos que todo ha venido evocado por un libro que se abre—, pasa el poeta del soliloquio al diálogo con don Miguel, a quien se dirige ahora como si lo tuviera ante sí:

> Siempre te ha sido, ¡Oh Rector
> de Salamanca!, leal
> este humilde profesor
> de un instituto rural...
>
> (*O. P. P.*, 185)

Y más adelante:

> Este Bergson es un tuno;
> ¿verdad, maestro Unamuno?
>
> (*O. P. P.*, 185)

El poema va adquiriendo un tono más y más confidencial, más coloquial. El poeta habla de materias diversas: los libros, el campo, la vida de provincias... Pero, al finalizar la lectura, sigue pesando en forma notable la presencia de la figura de Unamuno, a quien, en realidad, van sólo dirigidas algunas frases, y cuya sombra sentimos, sin embargo, desde los primeros versos.

¿Son las anteriores afirmaciones una serie de subjetivas divagaciones? Quizá no lo parezcan tanto después de profundizar un poco en dos puntos importantes: primero, las semejanzas que hallamos entre el poema y la primera carta de Baeza —posterior a los versos—; segundo, la presencia de la otra «presencia» importante en el poema: Henri Bergson.

Como el subtítulo indica, estas meditaciones son «rurales». La insistencia en el ruralismo de la provincia española hemos de hallarla de nuevo en la primera carta de Baeza, en la que se describe a la ciudad como «una población rural, encanallada por la Iglesia y completamente huera». Y se añade: «Por lo demás, el hombre del campo trabaja y sufre resignado, o emigra en condiciones tan lamentables, que equivalen al suicidio» (*O. P. P.*, 914). Sobre el campesino —que espera la lluvia mientras sufre y trabaja— leemos en el poema:

> Te bendecirán conmigo
> los sembradores del trigo;
> los que viven de coger
> la aceituna;
> los que esperan la fortuna
> de comer;
> los que hogaño,
> como antaño,
> tienen toda su moneda
> en la rueda,
> traidora rueda del año...
>
> (*O. P. P.*, 183)

Varios años antes de hablar en la carta sobre el tema de la emigración del campesino, había, en verso, hablado ya don Antonio de los atónitos palurdos del campo castellano, «Que aún van, abandonando el mortecino hogar / como tus anchos ríos, Castilla, hacia la mar». En el primer párrafo de esta misma carta, Machado hace mención a un poema de Unamuno, *Bienaventurados los pobres*, que gira en torno al mismo —y, al parecer, eterno— problema español de la emigración: «Acabo de recibir —escribe Machado— su hermosa carta, tan llena de bondad hacia mí, y su composición «Bienaventurados los pobres», que me ha hecho llorar». La emigración del campesino, del hombre de la tierra sin tierra, es el tema central del poema unamuniano [3].

Volviendo a la visión machadiana de Baeza, reflejada en la carta y en el poema, hallamos en aquélla estas terribles frases: «A primera vista parece esta ciudad mucho más culta que Soria, porque la gente acomodada es infinitamente discreta, amante del orden, de la moralidad administrativa, y no faltan gentes leídas y coleccionistas de monedas antiguas. En el fondo, no hay nada. Cuando se vive en estos páramos espirituales, no se puede escribir nada suave, porque necesita uno la indignación para no helarse también». Y más arriba, refiriéndose a política: «Se habla de política —todo el mundo es conservador—...» (*O. P. P.*, 914-915).

El ambiente de «páramo espiritual», de nada, de monotonía, superficialmente lleno y roto por las voces de la tertulia, había sido ya magistralmente captado en el poema:

Es de noche. Se platica
al fondo de una botica.
—Yo no sé,
don José,
cómo son los liberales
tan perros, tan inmorales.

---
[3] En *O. C.*, t. XIV, págs. 887-888. García Blanco, en *Op. cit.*, recoge las variantes de la versión autógrafa enviada a Machado.
El problema del mal reparto de la tierra preocupó siempre a Unamuno. Acaso el intento de ayudar a solucionarlo fue uno de los móviles que le llevó, desde muy pronto, a participar activamente en política.

—¡Oh, tranquilícese usté!
Pasados los carnavales,
vendrán los conservadores,
buenos administradores
de su casa.
Todo llega y todo pasa.
Nada eterno:
ni gobierno que perdure
ni mal que cien años dure.
—Tras estos tiempos, vendrán
otros tiempos y otros y otros,
y lo mismo que nosotros
otros se jorobarán.
Así es la vida. Don Juan...
....
Tic-tic, tic-tic... Ya pasó
un día como otro día,
dice la monotonía
del reló.

(O. P. P., 186-187) [4]

---

[4] Sobre la tertulia a que don Antonio se refiere en el poema nos da Francisco Escolano interesantes informes en su trabajo *Antonio Machado en Baeza* (*El Español*, Madrid, 14 nov. 1942). Reproduzco el siguiente párrafo, que nos ayuda en la comprensión de una parte del poema: «Acaso la tertulia de la rebotica de don Adolfo Almazán, profesor además de gimnasia, fuese la que más escuchó a Machado. El poeta concurría a ella asiduamente al anochecer, y la dejó magistralmente pintada en «Meditaciones rurales». La formaban, entre otros, el dueño de la farmacia, señor Almazán; los ya citados don Florentino Soria y don Mariano Ferrer; don José León (¿el don José de la poesía?), que en tiempos conservadores era alcalde; don Manuel Olivera, también edil conservador; el médico don Juan Martínez Poyatos; don Leopoldo de Urquía, catedrático de Filosofía; los abogados don Emilio Fernández del Rincón y don Cristóbal Torres; el notario don Pedro Gutiérrez Peña, gran tresillista (posiblemente aquel notario que en la poesía «Hacia tierra baja» va al tresillo del boticario), y los que aún viven, el registrador de la Propiedad, don Miguel Silvestre, y el secretario del Instituto, don Antonio Parra».

Bergson es, como señalé, la otra presencia importante del poema [5]. Pero viene unido al nombre de Unamuno:

> Enrique Bergson: *Los datos
> inmediatos
> de la conciencia.* ¿Esto es
> otro embeleco francés?
> Este Bergson es un tuno;
> ¿verdad, maestro Unamuno?
>
> (*O. P. P.*, 185)

Bergson, que desde los primeros versos había martillado, oculto tras ese incansable tic-tac del reloj, es un puente, un lazo de unión más entre don Miguel y don Antonio: al meditar Machado sobre el tiempo suyo y el tiempo del reloj, hay un intento de revivir o continuar un diálogo que en algún momento —no sabemos cuándo— y en algún lugar —¿dónde?— iniciaron los dos poetas-filósofos en torno a Bergson. Ya se señaló.

Sería arriesgado en extremo el afirmar que Antonio Machado llega a Bergson por influencia de Unamuno. Tampoco debemos, sin embargo, descartar esa posibilidad [6]. Podríamos, incluso, llegar a pensar que Unamuno haya contribuido en la decisión de Machado de seguir los cursos de Bergson en el Collège de France. Dos años antes ya había escrito don Miguel sobre el filósofo francés: «Estoy leyendo —escribe en 1909— en estos mismos días la última obra filosófica del intensísimo pensador

---

[5] No discutiré el tema de la influencia filosófica de Bergson en este y en otros poemas de Machado, que sería meterme en otro terreno.

[6] S. SERRANO PONCELA, en *Op. cit.*, señala: «A mi juicio, conforme antes indiqué, Machado se acerca a Bergson y se siente atraído por su filosofía debido a la preparación «unamunista», es decir, a la inquietud filosófica en torno a los temas del tiempo, el «logos» poético y la inquietud religiosa que Unamuno había sembrado en él a través de sus ensayos y correspondencia» (página 43). Sin aceptar en todas sus partes esta afirmación, es posible pensar que la admiración de Unamuno por Bergson pueda haber contribuido a despertar la curiosidad de Machado por el filósofo francés.

francés Henri Bergson, tal vez la primera cabeza filosófica de Francia —y quién sabe si aún más...— hoy» (*O. C.*, I, 487)[7]. Otro punto de gran interés del poema queda aún por mencionarse: la aceptación por parte de Machado de que la filosofía unamuniana es la suya:

> Esa tu filosofía
> que llamas dilettantesca,
> voltaria y funambulesca,
> **gran don Miguel, es la mía.**
>
> (*O. P. P.*, 185)

Y, sin embargo, no creo que ello sea cierto. No pretendo en este trabajo entrar en el campo de la filosofía, mas no puedo dejar de apuntar que, si bien es verdad que en algún momento ambas filosofías coinciden, en general, y a pesar de las afirmaciones del propio interesado, Machado llega por cuenta propia a crear una visión filosófica personal, que no es la de Unamuno.

«Leyendo a Unamuno»

En una carta, que M. García Blanco cree de 1922, Machado comunica a Unamuno su intención de publicar algunos trabajos sobre *Andanzas y visiones españolas*, que don Miguel acababa de enviarle: «Querido maestro: Mil gracias por sus nuevas «Visiones de España», su bello libro donde continúa usted sus *Por tierras de Portugal y de España*, que leí en París hace ya doce años. Su obra me tiene compañía y le llevo conmigo a estos viejos cafés de Segovia, donde logro un poco de aislamiento para la lectura y el trabajo», comienza el texto machadiano.

---

[7] A los puntos de contacto entre Unamuno y Bergson, así como a la opinión del primero acerca del filósofo francés, se refiere François Meyer en su excelente obra *L'Ontologie de Miguel de Unamuno*. Extraña, sin embargo, el siguiente comentario de Meyer: «les références à cet auteur (Bergson) sont toujours empreintes de banalité et presque de froideur, ce qui est fort inhabituel chez Unamuno» (pág. 117). En un estudio posterior profundiza mucho más en el tema *(Unamuno et les philosophes, Revista de la Universidad de Madrid*, núms. 49-50, 1964, págs. 88-90).

Y al final del mismo: «En breve le enviaré a usted un trabajo que publicaré en *La Voz de Soria* sobre su libro, y otro que remitiré a la revista *España (O. P. P.,* 927-928).

Lo que ha llegado hasta nosotros son unos expresivos comentarios, publicados en *La Voz de Soria* el 1.º de septiembre de 1922. Pero, a juzgar por la fecha en que fueron escritos —aunque publicados en 1922—, no puede tratarse del prometido trabajo sobre *Andanzas y visiones españolas*. He aquí el texto, que, por su brevedad, reproduzco a continuación:

Leyendo a Unamuno

Para curarnos de la melancolía literaria, no hay como leer a Unamuno. He aquí el gran llavero que no viene a cerrar, sino a abrir. Por nuestro caserón destartalado avanza, en efecto, don Miguel, abriendo puertas y dejando siempre la llave en la cerradura. Nosotros lo seguimos sin darle alcance, pero sin fatiga y sin tristeza, con la esperanza de que ha de abrirnos también la ventana del fondo.

Segovia, 1921 [8].

Estas líneas no necesitan comentario. Muestran, una vez más, no sólo la admiración, sino la fe, podríamos decir, de Machado en Unamuno. Y vienen a confirmar mi creencia de que don Miguel es para don Antonio, ante todo, un «excitador», un planteador de problemas que éste de vez en cuando ve como posible guía para alcanzar soluciones. Pero al fondo, a esa última ventana, don Antonio ha de llegar por sus propios caminos.

El texto machadiano se refiere a la obra de Unamuno en general. Sin embargo, es posible que surja promovido por alguna en particular. En 1921 se publicó *La tía Tula;* en 1920, *Tres novelas ejemplares y un prólogo* y *El Cristo de Velázquez*. No creo arriesgarme en exceso si pienso que el comentario haya surgido tras la lectura de este libro. Machado lo menciona repetidas veces en su correspondencia con entusiasmo: «Leo cuanto usted escribe: su hermoso *Cristo de Velázquez,* del

---

[8] *La Voz de Soria,* 1 sept. 1922 *(O. P. P.,* 807).

cual tengo comprados más de cuatro ejemplares. Lo presto, no me lo devuelven, y yo no me resigno a perderlo» (*O. P. P.*, 927).

En 1915 había escrito ya: «Aguardo con impaciencia su nuevo tomo de poesías, con el poema *Cristo de Velázquez*, cuyos soberbios fragmentos conozco, y tantas otras composiciones soberanas como leyó usted aquella tarde, la de su primera lectura» (*O. P. P.*, 919) [9].

UNAMUNO Y PARÍS. UN CORTO TEXTO QUE MACHADO NO PUBLICÓ

Entre los apuntes inéditos del cuaderno «Los complementarios», además del comentario a la visita de Unamuno a Palacio —a la que me referí en el capítulo I— que permanece aún sin publicar, hay un breve apunte, dado a conocer en 1949, que parece fue escrito cuando don Miguel pasó de Fuerteventura a París. No tiene fecha [10].

He aquí el texto:

> Ruego a Dios nos traiga pronto a don Miguel, antes de que en París nos lo crucifiquen.
> Temo mucho —¡ojalá me equivoque!— que Unamuno encuentre París más desierto que Fuerteventura.
> Que el Señor lo acompañe.
> Que el Señor lo acompañe.
> Que el Señor lo acompañe.
> De franceses y de chiriguos libra, Señor, a nuestro don Miguel.
>
> (*O. P. P.*, 696)

---

[9] Según M. García Blanco *(Op. cit.,* pág. 22), se refiere Machado a una lectura hecha por don Miguel en el Ateneo. «Unamuno, que sintió siempre gran desdén por Madrid, ha vuelto, tras varios años de ausencia, en enero de 1914, a ofrecer la primera redacción de su poema *El Cristo de Velázquez* y una lectura de otras poesías suyas en el Ateneo».

[10] Se publicó en *Cuadernos Hispanoamericanos*, núms. 11-12, Madrid, septiembre-diciembre 1949.

No insistiré sobre el tema de Francia y lo francés, sobre el que he hablado bastante. Sin embargo, hay algo que añadir: quiero señalar la visión de París como desierto, visión, me parece, muy teñida por un sentimiento personal. Aparte del rechazo de ciertos aspectos del espíritu y cultura franceses, coincidentes en Machado y en Unamuno, creo ver en el primero no sólo una gran desilusión —asunto que ya se comentó anteriormente al hablar de las primeras cartas dirigidas a Unamuno—, sino una cierta repugnancia, que le obliga a quedarse en Colliure a morir, sin querer marchar a la capital francesa. En esta actitud es posible ver una reacción a una serie de experiencias amargas vividas en París.

«UNAMUNO, POLÍTICO»

Con este título figura en *La Gaceta Literaria* del 1.º de abril de 1930 la página machadiana que a continuación reproduzco:

> Es don Miguel de Unamuno la figura más alta de la actual política española. Él ha iniciado la fecunda guerra civil de los espíritus, de la cual ha de surgir —acaso surja— una España nueva. Yo le llamaría el vitalizador, mejor diré, el humanizador de nuestra vida pública. El más personal de nuestros políticos, ha dicho Luis Araquistain en un libro reciente y admirable. Conforme. Unamuno es, ante todo, persona, pero no en el sentido etimológico de la palabra, porque es, acaso, el único político que no usa máscara. En esto, a mi juicio, estriba su enorme fuerza. No será nunca un jefe de partido o partida, ni un caudillo de masas. Para Unamuno no hay partidos, ni mucho menos masas, dóciles o rebeldes, en espera de cómitre o pastor. Unamuno es un hombre orgulloso de serlo, que habla a otros hombres en lenguaje esencialmente humano. Se dirá que esto no es política. Yo creo que es la más honda, la más original y de mayor fundamento. Porque ¿puede haber política fecunda sin amor al pueblo? ¿Y amor al pueblo sin amor al hombre, y, por ende, respeto a los valores del espíritu que son sus únicos privilegiados?

No basta invocar la ciudadanía. Es un concepto pagano y superado ya por la historia. Un ciudadano puede ser un hombre libre que viva sobre una masa de esclavos. La última gran revolución política no invocó los derechos del ciudadano, proclamó los derechos del hombre. ¿Por qué se olvida esto tan frecuentemente? Unamuno no lo ha olvidado nunca. Pero Unamuno piensa que mal puede el hombre invocar sus derechos sin una previa conciencia de su hombría. La ingente labor política de Unamuno consiste en alumbrar esta conciencia, con su palabra y con su ejemplo, en las entrañas de su pueblo [11].

Como es sabido, *La Gaceta Literaria*, revista quincenal, dirigida por E. Giménez Caballero y P. Saiz Rodríguez, dedicó a Unamuno un número completo, el del 15 de marzo de 1930. Fue un homenaje a la figura de don Miguel, recién llegado del exilio. Colaboraron muchos escritores. Salazar Chapela —que trabajaba entonces en la redacción de dicha revista— nos da algunos datos sobre ese número, en el que señala que «habían colaborado casi todos los escritores de Madrid —jóvenes, maduros y ancianos—, con las únicas excepciones relevantes de Ortega y Ors» [12].

Hay, no obstante, otras ausencias muy notables: Juan Ramón Jiménez, Federico García Lorca, Manuel y Antonio Machado...

Este último, sin embargo, no faltó al homenaje. Su artículo llegó tarde; por esa razón fue incluido en el siguiente número de la revista —el correspondiente al 1.º de abril, como hemos visto—, junto con otros tres que llegaron igualmente retrasados. Los cuatro artículos en cuestión figuran en el señalado número de *La Gaceta Literaria* precedidos de la siguiente nota: «Nos complace hoy publicar los adjuntos artículos que no llegaron a tiempo para ser insertos en el número anterior» [13].

---

[11] No había pasado a las ediciones de obras de Machado hasta que en 1959 Guillermo de Torre lo incorporó a *Los complementarios y otras prosas póstumas* (O. P. P., 836-837).

[12] *La Torre, Revista General de la Universidad de Puerto Rico*, números 35-36, julio-diciembre 1961.

[13] Se incluyen, además del de Machado, los siguientes artículos: EDUARDO MARQUINA: *Algunas notas sobre Unamuno;* JAIME IBARRA: *Unamuno;* APARICIO: *Diálogos sobre la vocación. Las de Unamuno.* Ocupan estas colaboraciones las páginas 3 y 4 de la revista.

Unamuno visto por Mairena

En *Juan de Mairena. Sentencias, donaires, apuntes y recuerdos de un profesor apócrifo*, que vio la luz en 1936, en dos ocasiones, por lo menos, el profesor hace extensos comentarios sobre Unamuno: en el capítulo XXXVII hallamos un largo párrafo titulado *Mairena y el 98. Un premio Nobel;* en el capítulo XLI, otro párrafo, algo más breve.
He aquí el primero:

> Cuando aparecieron en la prensa los primeros ensayos de don Miguel de Unamuno, alguien dijo: «He aquí a Brand, al ibseniano Brand, que deja los fiordos de Noruega por las estepas de España». Mairena dijo: «He aquí el gran español que muchos esperábamos. ¿Un sabio? Sin duda, y hasta un *savant*, que dicen en Francia; pero, sobre todo, el poeta relojero que viene a dar cuerda a muchos relojes —quiero decir a muchas almas— parados en horas muy distintas, y a ponerlos en hora por el meridiano de su pueblo y de su raza. Que estos relojes, luego, atrasen unos y adelanten otros...». Pero no agotemos el símil. Es muy grande este don Miguel. Y algún día tomará café con nosotros. Mas no por ello hemos de perderle el respeto.

(O. P. P., 476)

En 1935, el Gobierno español presentó a la Academia Sueca la candidatura de Miguel de Unamuno al premio Nobel. Poco después, la Academia Argentina de Letras apoyó la petición del Gobierno español. Al parecer, todo estaba en regla, y nada ni nadie en contra de que el Nobel le fuese otorgado. Sin embargo, a última hora no se le concedió. El precedente escrito machadiano, que alude en el título al posible premio, vio la luz en el diario madrileño *El Sol*, del 17 de noviembre de 1935; se incorpora después a *Juan de Mairena*.
He aquí el otro texto maireniano referente a don Miguel:

> Los alemanes, grandes pensadores, portentosos metafísicos y medianos psicólogos —aunque sepan más Psicología que nadie—, nos deben una reivindicación de la esencia cristiana. Y seguramente nos la darán. Pero al Cristo no lo entenderán nunca como nuestro gran don Miguel de Unamuno.
>
> *(O. P. P.,* 490)

Párrafo que queda más claro si leemos el que le precede:

> Leyendo a Nietzsche, decía mi maestro Abel Martín —sigue hablando Mairena a sus alumnos—, se diría que es el Cristo quien nos ha envenenado. Y bien pudiera ser lo contrario —añadía—: que hayamos nosotros envenenado al Cristo en nuestras almas.
>
> *(O. P. P.,* 490)

Para Machado, Unamuno, maestro siempre, es el verdadero maestro del Cristianismo: es quien entiende verdaderamente al Cristo.

La preocupación de Unamuno por la figura de Cristo es, como sabemos, muy profunda y muy antigua; en Machado es relativamente tardía. Pero de ello hablaré en otro capítulo.

«A LA MUERTE DE DON MIGUEL DE UNAMUNO...»

Durante la guerra civil, muerto ya don Miguel, Machado le recuerda en varias de las notas que periódicamente publicaba en *Hora de España,* y en algunos otros lugares.

En el número 3 de dicha revista, en las páginas que llevan por título «Sigue hablando Mairena a sus alumnos», en el apartado «Los cuatro Migueles», leemos estas palabras:

> Decía Juan de Mairena que algún día tendríamos que consagrar España al Arcángel San Miguel, tantos eran ya sus Migueles ilustres y representativos: Miguel Servet, Miguel de Cervantes, Miguel de Molinos y Miguel de Unamuno. Parecerá

un poco arbitrario definir a España como la tierra de los cuatro Migueles.

Sin embargo, mucho más arbitrario es definir a España, como vulgarmente se hace, descartando a tres de ellos por heterodoxos, y sin conocer a ninguno de los cuatro.

(*O. P. P., 535*)

Sobre el significado de su nombre, y sobre los otros ilustres Migueles, habló con frecuencia el último de los cuatro. No es preciso siquiera mencionar la presencia casi constante de don Miguel de Cervantes —como Cervantes o como Don Quijote— en su obra; Miguel de Molinos, con su quietismo, y Miguel Servet, «hereje en el más íntimo sentido de la palabra, de todas las herejías» *(O. C., VII, 1.034)*, tienen, igualmente, lugar destacado en la obra de don Miguel de Unamuno.

En el número 13 de la misma revista (Valencia, 1937), con el título de «Miscelánea apócrifa: Notas sobre Juan de Mairena», publica Machado un artículo sobre Martín Heidegger. En una de sus partes, al comparar la actitud de éste ante la muerte con la actitud de Unamuno, establece entre ambos el siguiente contraste:

> Don Miguel de Unamuno, que, dicho sea de paso, se adelantó en algunos años a la filosofía existencialista de Heidegger, y que, como Heidegger, tiene a Kierkegaard entre sus ascendientes, saca de la angustia ante la muerte un *consuelo de rebeldía*, cuyo valor ético es innegable. Donde Heidegger pone un sí rotundo de resignación, pone nuestro don Miguel un *no* casi blasfematorio ante la idea de una muerte que reconoce, no obstante, como inevitable. El *credo quia absurdum est,* de Tertuliano, que envuelve un reto de la fe a la razón y, en cierto modo, una esperanza de revelación por caminos desviados de la racionalidad, queda superado por la *decisión de rebeldía* y la *libertad contra lo ineluctable* de nuestro pensador y poeta, el cual no sólo piensa en la muerte, sino que cree en ella y, no obstante, contra ella se rebela y nos aconseja la rebeldía. Por eso no he vacilado en considerar a Unamuno como antípoda de los estoicos. Algún día probaré, o pretenderé probar, que

el pensador vasco es un español antisenequista y, por de contado, tan español como lo fue el cordobés.

(*O. P. P., 565*)

En un artículo publicado en la revista *Madrid*[14], don Antonio dedica a Unamuno el último párrafo, que transcribo parcialmente:

> A la muerte de don Miguel de Unamuno hubiera dicho Juan de Mairena: «De todos los grandes pensadores que hicieron de la muerte tema esencial de sus meditaciones, fue Unamuno el que menos habló de resignarse a ella. Tal fue la nota *antisenequista*, original y españolísima, no obstante, de este incansable poeta de la angustia española. Porque fue Unamuno todo menos un estoico, le negaron muchos el don filosófico que poseía en sumo grado. La crítica, sin embargo, deberá señalar que, coincidiendo con los últimos años de Unamuno, renace en Europa toda una metafísica existencialista, que tiene a Unamuno no sólo entre sus adeptos, sino también —digámoslo sin rebozo— entre sus precursores. De ello hablaremos largamente otro día. Señalemos hoy que Unamuno ha muerto repentinamente, como el que muere en guerra. ¿Contra quién? Quizá, contra sí mismo;... ¿contra el pueblo mismo? No lo he creído nunca ni lo creeré jamás.

(*O. P. P., 598-599*)

En el número 20 de *Hora de España* (1938) vuelve Machado a referirse al cristianismo de Unamuno. Comentando el trabajo de Joaquín Xirau *Charitas*, hace don Antonio algunas observaciones sobre un posible cristianismo español. Como aquí introduce un poco su propia interpretación de la figura de Cristo, y es ése tema que se considerará en otra parte, me limito a citar el texto, sin hacer comentario alguno, a continuación:

---

[14] *Madrid. Cuadernos de la Casa de la Cultura*, núm. 1. Recogido por vez primera en libro en *Obras de Antonio Machado* (Ed. Séneca, México, 1940).
En la *Carta a David Vigodsky* (incluido en *La Guerra*) hay una alusión a la muerte de Unamuno y una variante de la nota publicada en *Madrid*.

Una filosofía cristiana (hubiera comentado Juan de Mairena) que no pretenda enterrar nuevamente al Cristo en Aristóteles, parece posible en España, sobre todo después de Unamuno, que tanto ha hecho patente su propósito de libertar al Cristo de la garra del Estagirita, que tanto hizo por desenclavarlo de esa cruz en que todavía le tiene Roma, y donde seguramente no hubiera él gustado de mostrarnos su agonía. Cierto que Unamuno le restituye a su verdadera cruz, aquella en que fue realmente enclavado y a aquella otra, más duradera, en que San Pablo lo enclavó para siglos. Porque después de San Pablo ha sido difícil que el Cristo vuelva a asentar sus plantas en la tierra, como quisiéramos los herejes, los reacios al culto al Cristo Crucificado.

(O. P. P., 585)

Y unas líneas más abajo, continuando sus reflexiones sobre el cristianismo de Xirau, se atreve a sospechar —nos dice— que éste «no ha de hacer tanto hincapié en la Crucifixión como el maestro Unamuno —el gigantesco y españolísimo Unamuno—»..., porque no es el Cristo agonizante el que a Xirau le interesa más.

Las últimas páginas que Machado dedica a don Miguel se publicaron en la *Revista de las Españas* en 1938. Aparte del interés testimonial, nada, o casi nada, hay en estos párrafos que represente una aportación o constituya una novedad. Más bien se trata de una repetición, con variantes, de todo lo escrito en los últimos años, que acabamos de ver. El motivo inmediato de esas páginas fue la aparición, en el número XV de *Hora de España,* de algunas composiciones inéditas de don Miguel [15].

Hay, es cierto, algunos párrafos llenos de auténtico entusiasmo. Culminación —podría decirse— de una admiración que fue una constante en la vida de Machado: «De quienes ignoren que el haberse apagado la voz de Unamuno es algo con proporciones de catástrofe nacional, habría que decir: «¡Perdónalos, Señor, porque no saben lo que han perdido!».

Esto escribía don Antonio en 1938; poco después su voz se apagaba también, al otro lado de los Pirineos.

---

[15] Recogidas hoy, con el título de *Unamuno,* en *O. P. P.,* págs. 680-681.

Una nota sobre Unamuno atribuida a Machado

Como señalé en el capítulo anterior, en el artículo sobre *Contra esto y aquello* y en la primera carta de Baeza nos dice don Antonio que, en Soria, un grupo de aficionados a las letras fundaron un periódico para hacer propaganda de los libros y de los escritores del momento [16]. Aunque no supiéramos a qué periódico se refería, podría pensarse en *El Porvenir Castellano*, que, como sabemos, el poeta contribuyó a fundar [17].

Muy recientemente, como señalé, José Tudela aportó datos concretos sobre la fundación del periódico soriano, donde halló, además, el corto artículo que atribuye a Machado.

«En el número 2, del 4 de julio de 1912 [18], de *El Porvenir Castellano* se publicó un artículo, sin firma, sobre don Miguel de Unamuno, que no dudamos en atribuir a don Antonio, que, por no llevar firma, este artículo ha pasado desapercibido y sólo ha sido publicado en las páginas de este periódico soriano», señala Tudela; y añade que en la misma forma publicó Machado cortos artículos sobre Azorín, Valle-Inclán y Pío Baroja en los números 3, 4 y 7 del mismo periódico, todos ellos aparecidos en julio de 1912, es decir —dato en que insiste Tudela—, el último mes de vida de Leonor, con cuya muerte quedan interrumpidos otros, anunciados ya.

Por varias razones cree Tudela que estos escritos son, necesariamente, obra de don Antonio: «En primer lugar —señala—, por su estilo y su contenido, pues no había entonces en Soria quien hubiera podido escribirlos; por la afirmación de Palacio de haber sido Machado consejero y colaborador de *El Porvenir Castellano;* por interrumpirse la serie al fallecer Leonor, y por su sentido pedagógico de dar a conocer al público soriano estos escritores, cuyas obras publicadas hasta entonces cita al final de cada artículo, con la indicación práctica de la editorial que ha publicado muchas de estas obras y aun de la librería, la de «Las Heras», de Soria, donde están en venta».

---

[16] Ver págs. 70 y 71 del presente estudio.
[17] Ver pág. 35 del presente estudio.
[18] Por un indudable error tipográfico, en *Ínsula* (núms. 216-217, noviembre-diciembre 1964) figura la fecha 1913, pero es obvio que se trata de 1912.

Son buenas razones todas las que Tudela expone. Los mencionados párrafos del artículo sobre *Contra esto y aquello* y de la carta de Baeza son puntos de apoyo en favor de la última: indudablemente, Machado tenía empeño en dar a conocer a Unamuno, y no vacila en colaborar anónimamente en un periódico local, escribiendo un artículo sin pretensiones literarias, pero sí pedagógicas.

El vocabulario y tono de la prosa del artículo son machadianos; lo son también las opiniones sobre la labor de don Miguel en España, y las ideas sobre España y los hombres que representan en ella valores positivos, como Costa y Giner de los Ríos. A veces hallamos expresiones empleadas por Machado en relación con Unamuno en otros artículos y notas: en este sentido, el quinto párrafo es revelador.

Por tratarse de un texto casi desconocido, y no incluido en ninguna de las ediciones de sus obras, lo reproduzco a continuación [19]:

Don Miguel de Unamuno

No pretendemos descubrir a nuestros lectores la egregia figura de don Miguel de Unamuno; su nombre es en todas partes conocido y respetado. Diremos de él tan sólo algunas palabras como preámbulo del hermoso trabajo que a continuación publicamos.

Menéndez y Pelayo, el tantas veces ilustre autor de *Las ideas estéticas*, representaba en España el viviente archivo de la cultura tradicional; Miguel de Unamuno, el sabio rector de Salamanca, representa el poderoso aliento capaz de imprimir nuevo ritmo a la intelectualidad española. No es Unamuno un enemigo de la tradición como ciertos vacuos progresistas al uso, sino, al contrario, un amante de ella. Pero Unamuno pien-

---

[19] Recogido, bajo el título de *Unamuno y Antonio Machado*, en *Insula*, núms. 216-217, Madrid, nov.-dic. 1964.

sa que es preciso ahondar en el pasado hasta encontrar en él la entraña viva y fecunda, el ayer capaz de convertirse en mañana. Se le ha llamado sabio. Si la sabiduría es la erudición, no faltará en España quien pueda disputarle con ventaja el título de sabio. No es Unamuno el hombre que se convierte en biblioteca, sino, al contrario, el que consigue humanizar el libro. Desde este punto de vista, Unamuno representa la ciencia viva, la sabiduría.

Si echáis una ojeada a la intelectualidad contemporánea española, en toda descubriréis la huella de don Miguel de Unamuno. Su espíritu poderoso ha sellado su tiempo. Muchos llevan la enseñanza del maestro bajo la frente y en el corazón; otros la llevan, como la marca de un hierro candente, en las espaldas. Este gran inquietador de espíritus, este gran flagelador de la modorra nacional, es, sobre todo y antes de todo, un egregio poeta, en el alto sentido de la palabra, el descubridor de un nuevo ritmo para las ideas, no para las palabras.

Como vivimos en España, país beocio y sin respeto a todo valor espiritual, el nombre de Unamuno, como el de Costa, como el de Giner de los Ríos, traerá, acaso, a vuestra memoria algún adjetivo con que la estulticia ambiente trató más de una vez de descalificarle. A Unamuno se le ha llamado *paradojista* o simplemente *chiflado*. No olvidéis que, en todas partes y en todo tiempo, los idiotas han pretendido ejercer el monopolio de la cordura.

Miguel de Unamuno empezó a escribir para el público a raíz de nuestra ruina colonial, cuando España cosechó el amargo fruto de la inconsciencia y la iniquidad. Como el gran Costa, pensó Unamuno que era el caso de despertar algo que dormía un sueño muy profundo, y para ello empleó más de una vez la férrea maza y el hacha taladora. Su agresividad ha sido siempre generosa. Este indudable resurgir de la conciencia española se debe en gran parte a la obra siempre inquietante y sugestiva de Miguel de Unamuno.

Su personalidad es muy compleja y no somos nosotros los llamados a definirla. Hay en Unamuno un místico y un poeta, un pensador y un maestro; hay, sobre todo, un gran revelador de energía nacional. Ha pretendido despertar a su pueblo: ésta es su obra soberanamente patriótica.

¿Aguardaremos nosotros a la llamada *hora de la suprema justicia*, para decir todo lo que pensamos de Unamuno? Quien no hizo justicia a sus contemporáneos mientras vivieron, carece de autoridad para rendirla a los muertos. Siempre fue achaque de malsines y envidiosos el desatarse en desmedidos encomios de los muertos ilustres. Se enaltece al que se va para denigrar a los que se quedan.

Leed vosotros los libros de Miguel de Unamuno. Algunos de ellos, editados por la casa «Renacimiento», se venden en las librerías de Soria. La lista de sus obras, en orden cronológico de publicación, es la siguiente: ...

Tras la lista, que comprende todas las obras publicadas, desde *Paz en la guerra* hasta *Rosario de sonetos líricos*, se inserta un artículo de Unamuno: «La metarrítmisis».

Capítulo V

DE UNAMUNO SOBRE ANTONIO MACHADO

Son muchas las veces que el nombre de Antonio Machado aparece en la obra de Unamuno; no es mi intención el tomar nota de ellas, que no tendría sentido alguno.

En las siguientes páginas intentaré, en primer lugar, ver cómo las opiniones de don Miguel sobre la obra machadiana van evolucionando a través del tiempo, desde los días en que Antonio es «el hermano de Manuel» hasta que se convierte en «nuestro poeta preferido». La línea divisoria entre los dos períodos la marca la publicación de *Campos de Castilla*.

Fue, sin duda, ese libro el primero de Antonio Machado que impresionó, sin reservas, a Unamuno. Antes lo apreciaba, sí; pero recordemos que —aparte del hecho contundente de afirmar en 1908 sus preferencias por Manuel—, no merecieron más que breves comentarios *Soledades* y *Soledades. Galerías. Otros poemas*.

En alguna carta que no llegó a nuestras manos, don Miguel debió comunicar a don Antonio su propósito de comentar *Campos de Castilla*, pues en la primera que éste escribe desde Baeza, en 1913, al rector de Salamanca encontramos las siguientes palabras: «Con el alma agradezco a usted el trabajo que piensa dedicarme. Publíquelo usted en la *Hispania*, de Londres, pues de este modo, con tan espléndida recomendación, podré yo algún día mandar trabajos a esa revista» (*O. P. P.*, 914). El anunciado trabajo de don Miguel no se publicó en *Hispania;*

el año antes, en *La Nación*, de Buenos Aires, se había publicado un artículo. Los juicios que a través de sus líneas expresa Unamuno constituyen una gran aportación a la crítica machadiana. Vienen, además, a apoyar plenamente la tesis establecida: la auténtica admiración de don Miguel por la poesía de don Antonio tiene su principio en este momento [1].

En las páginas que siguen nos acercaremos a una serie de textos breves —notas cortas, citas— reveladores de la paulatina comprensión y admiración que don Miguel va mostrando, en forma progresiva, hacia la obra de don Antonio.

Prestaremos, además, atención a algunos fenómenos curiosos: muy notablemente, la influencia de Machado en parte de la poesía de Unamuno —en el *Cancionero* especialmente—; y, más curioso aún, la presencia del fenómeno que he llamado de «reflujo», término que trataré de explicar en seguida y que el lector podrá mejor entender a la vista de algunos textos.

En más de una ocasión Unamuno repite versos de Machado que le han impresionado; mas no se trata de una cita cualquiera: los versos que Unamuno suele citar hasta la saciedad, alterándolos, a veces, haciéndolos formar parte de sus propios textos, encierran ideas que él —don Miguel— expresó antes que Machado y que han influido visiblemente en éste: han influido tanto, que don Antonio las concreta en uno o más versos, versos que luego don Miguel —quizá porque se descubre a sí mismo, a veces, más poéticamente logrado— cita, comenta y utiliza para expresar ideas que había desarrollado antes que don Antonio.

Hallaremos este fenómeno repetidas veces. En el presente capítulo se analizará algún caso concreto, mas iremos observando otros según vayan surgiendo a lo largo de este trabajo.

No pasaremos por alto tampoco el comentar, cuando sea oportuno, las influencias de don Antonio en don Miguel, que son, a veces, muy notables [2].

---

[1] Se trata de una de las *Correspondencias* que don Miguel enviaba para este periódico argentino. Aunque la que conocemos parece ser continuación de otra, la primera no se ha encontrado.
[2] Trataré de demostrar con ejemplos algo de ello. Pero, teniendo en cuenta que no constituye el tema de este trabajo, lo haré en forma un poco superficial y sin darle toda la importancia que requiere.

Pretendo aquí, como señalé arriba, estudiar —citando sus propias palabras— la evolución de la opinión de don Miguel con respecto a la valoración de Antonio Machado. De paso sólo, nos detendremos en los dos fenómenos mencionados posteriormente: la influencia de don Antonio en la poesía de Unamuno y el «reflujo».

«EL HERMANO DE MANUEL»

Como hemos visto, en 1908 era Manuel Machado el poeta español vivo, de lengua castellana, predilecto de Unamuno.

¿Cuándo comenzó esta predilección? No podríamos afirmarlo a ciencia cierta; sin embargo, recordemos que ya en 1901 don Miguel escribió un artículo sobre *Alma*, y algunos años más tarde —1907— puso prólogo a *Alma. Museo. Los cantares*. El artículo, como dice él mismo, fue espontáneo y no obligado.

En 1904, refiriéndose a los jóvenes, escribe: «Manuel Machado cuando acierta a herirme el sentimiento es el poeta español vivo que más hondamente y con más novedad me hiere» (*O. C.*, V, 310).

Durante algunos años, sus preferencias por Manuel son, sin duda, claras, según se deduce de sus propias palabras; esto de una parte, y de otra el hecho de tener con él una gran amistad, pueden ser las causas de que en los primeros de siglo don Antonio sea para don Miguel «el hermano de Manuel».

Así lo presenta ante el lector en el ensayo *Almas de jóvenes*, varias veces citado aquí.

Recordemos, además, que la primera vez que Unamuno comenta la poesía de Antonio lo hace en carta personal, dirigida, no al autor de *Soledades* —que es la obra en cuestión—, sino a Manuel, como vimos ya.

Alguna vez ha de decir de Manuel «el hermano de Antonio», pero es, curiosamente, mucho más tarde [3].

De 1907 es el siguiente comentario de don Miguel: «Vi en «Renacimiento» unos versos muy hermosos de Antonio Machado. ¡Pobre muchacho! Otra víctima de la ramplonería ambiente» [4].

---
[3] En *Niebla*, en la explicación del término «nivola» (*O. C.*, II, 896).
[4] Citado por Bernardo G. de Candamo en la introducción al tomo II de

En *Almas de jóvenes* no podríamos decir que Unamuno se ocupe de los jóvenes a que se refiere en el ensayo —Ortega y Gasset y Antonio Machado, ya se ha dicho y repetido—; vemos, más bien, que los utiliza para dar por intermedio de ellos una serie de consejos a la juventud española y, muy especialmente, para responder a Gómez Carrillo de una acusación que le había hecho: la de no estimar a los jóvenes [5]. Don Miguel comenta ideas, opiniones y sentires de un «alma joven», expresados a través de una carta, limitándose, en cuanto a la poesía se refiere, a expresar que «los versos de uno y otro (hermanos Machado) son de lo más espiritual que puede hoy leerse en España».

A pesar de los comentarios —positivos siempre, aunque pocos y breves— de estos años, don Miguel tardó inexplicablemente mucho tiem-

---

Ensayos (Ed. Aguilar). Los versos a que se refiere Unamuno son, sin duda, los publicados en el número 1 de dicha revista, únicos que publicó Machado en *Renacimiento* (marzo 1907). Son: *El viajero, Romance, Apuntes, En el entierro de un amigo, Recuerdo infantil, En sueños, Ruidos, Pesadilla, De la vida, Sol de invierno.* Pasan a *Soledades. Galerías. Otros poemas.*

[5] El ensayo comienza con estas palabras: «En *La Nación,* acreditadísimo diario de Buenos Aires, y en el último número de *Mercure de France* —el de febrero—, ha publicado Gómez Carrillo unas notas que le di acerca de nuestra juventud intelectual y del efecto que ella me produce...»

«Dice Carrillo que no estimo a los jóvenes. Todo lo contrario. Dudo que a nadie le interesen más; dudo que haya en España quien con más ahínco busque firmas nuevas y las siga; dudo que haya quien con más ardor desee verlos unidos al asalto del ideal. Lo que hay es que yo, como muchos otros, manifiesto con cierta dureza mis cariños y gusto de fustigar a los que quiero».

Tras un preámbulo sobre los males de la juventud, da las dos cartas de Ortega y Gasset, acompañadas de sus propios comentarios. La de Machado —fragmentos, como señalé— viene después.

Las cartas de Ortega —aunque un poquito pretenciosas— muestran un criterio personal e independiente y una notable seguridad en sí mismo; los fragmentos de la de Machado revelan un alma —empleando sus propias palabras— en busca de luz, que no se ha encontrado aún a sí misma y lucha por encontrarse. Los problemas que se plantea Ortega son, es cierto, más externos que los que se plantea Machado.

Los comentarios de Unamuno favorecen más al joven Machado que al joven Ortega. Puede ello deberse a que encuentre a aquél más cercano a su espíritu. Puede ser también que el tono de autosuficiencia de Ortega y una serie de afirmaciones nada unamunianas le desagradasen; por el contrario, el tono de discípulo incondicional que Machado creía ser es muy probable que le haya halagado.

po en comprender del todo a su futuro «poeta predilecto», que ya en 1907 había dado parte de sus mejores poemas.

UN ARTÍCULO DE «LA NACIÓN»

En junio de 1912, posiblemente alrededor de dos meses después de la publicación de *Campos de Castilla* [6], aparece este artículo de Unamuno, fechado en mayo, en el conocido periódico bonaerense [7].

Campos de Castilla hace probablemente revisar a Unamuno sus opiniones sobre la poesía del momento.

En los primeros párrafos, el autor establece una comparación entre los hermanos Machado; tras ella, sentimos que la balanza está a punto de inclinarse del lado de Antonio: «La composición que abre el libro titulada *Retrato* —y es un auto-retrato— recuerda algo aquella otra de su hermano Manuel en el libro *Alma*, titulada *Adelfos*»... «Sólo que este *Retrato* de Antonio es más apacible, más sereno, menos arrogante que el de su hermano Manuel; menos arábigo, pero más ibérico» [8].

¿Qué destaca Unamuno en *Campos de Castilla*? Acaso, en primer lugar, algo esencial —verdaderamente lo es— del libro. El hombre y la tierra forman —nos dice— una misma cosa, «una sola y única unidad trágica, y la potencia de visión del paisaje que en él se observa arranca del mismo origen que la potencia de visión psicológica. El hombre domina el libro todo» [9].

---

[6] El volumen no tiene colofón. Es muy difícil, por tanto, determinar con exactitud la fecha de publicación. Para afirmar que debió ser publicado en abril me baso en la fecha de la carta que Unamuno escribió a Palacio «después de un hojeo en caliente» del recién recibido libro, fechada el 7 de mayo. Es de suponer que Machado enviase en seguida a don Miguel un ejemplar de la obra. Sobre la carta escrita a Palacio se hablará en breve.

[7] *Correspondencia II. La Nación*, 25 junio 1912.

Como antes señalé, no ha sido posible hallar la *Correspondencia I* por no estar publicada en ninguno de los números del periódico comprendidos entre abril y junio que fueron consultados. No sería extraño que, por pérdida del original o algún otro motivo, no llegase a Buenos Aires. En todo caso, no se publicó. La que aquí comento fue hallada por M. García Blanco, que la incluyó en su libro *En torno a Unamuno*.

[8] M. GARCÍA BLANCO, *Op. cit.*, pág. 283.

[9] *Ibid.*, pág. 284.

Notamos que los versos que le llaman la atención ahora son los mismos que nos ha de citar o comentar —y hasta llegará a hacer auténticamente suyos, ya lo veremos— muchos años más tarde.

Especialmente destaca algunos de *A orillas del Duero* —poema que cita como ejemplo claro de esa fusión de tierra y hombre—; destaca algunos de *La tierra de Alvargonzález,* poema que ha de recordar con admiración muchos años más tarde; de *Por tierras de España* fija su atención, sobre todo, en los dos últimos versos: «Son tierras para el águila, un trozo de planeta / por donde cruza errante la sombra de Caín», versos, éstos, que impresionaron tanto a don Miguel que llega a convertirlos —podríamos decir— en propios.

Dos temas, sobre todo, preocupan a don Miguel: el de la emigración —tema que le inquietó siempre— y el de Caín, es decir, la envidia, hispánica en este caso. Lógicamente, le impresiona más lo que está más cercano a su propio sentir.

Además de los poemas que podríamos llamar más «castellanos» del libro y más cercanos, por varias razones, al gusto de don Miguel —que venía desde muchos años atrás deseando el advenimiento del poeta de la tierra, del que cantase al hombre de la tierra—, fija su atención Unamuno en otro tipo de poesía que figura en el libro, muy representativo también de la lírica machadiana: los «Proverbios y cantares», entre los cuales señala y comenta unos cuantos y sobre los que hace observaciones que se adelantan a todas las que después se han hecho: «Otros poemas en que el poeta penetra en las reconditeces del alma humana contiene este libro de *Campos de Castilla,* y hacia el fin ya hay una serie de pequeñas composiciones —las más de sólo cuatro versos— bajo el título común de «Proverbios y cantares», en la vena de aquel judío de Carrión, don Sem Tob, nuestro clásico poeta gnómico. Este género de la sentencia rimada, al que, en rigor, pertenecen los refranes y no pocos cantares didácticos, tiene en España largo y glorioso abolengo y encierra lo más y mejor de nuestra sabiduría popular. Y en estos proverbios y cantares de Antonio Machado se condensa y concreta su amarga sabiduría poética» [10].

Antonio Machado siguió cultivando este género aún con más intensidad después de la publicación de *Campos de Castilla.* En la primera

---

[10] *Ibíd.,* pág. 290.

edición de sus poesías completas figuran nuevos «proverbios y cantares»; en *Nuevas canciones* hay una nueva serie dedicada a Ortega y Gasset.

Así como de los poemas de hombres y tierras de *Campos de Castilla* volvió a ocuparse Unamuno en repetidas ocasiones, no creo que volverá a hablar de los «Proverbios y cantares», salvo excepcionalmente. Sin embargo, no cabe duda de que el género le interesaba profundamente, y acaso no sea exageración el apuntar que la presencia de los de Machado se deja ver muchos años más tarde en varios poemas del *Cancionero* [11].

Poco se ha escrito sobre las influencias machadianas en el diario poético de don Miguel. Aunque aclaré que no me propongo insistir sobre el tema, creo que no es posible silenciarlo totalmente.

En el caso concreto de algunos versos cortos, de estilo sentencioso, llenos de saber y sabor popular, parecería que Machado con su precisión y claridad poética ha dejado alguna huella. Me parece bastante patente en los siguientes ejemplos:

> El pasado es el olvido;
> el porvenir, la esperanza;
> el presente es el recuerdo,
> y la eternidad, el alma.
>
> (*O. C.*, XV, 43)

> Soñé que me moría y me dormí;
> soñé que renacía y desperté;
> soñé que me soñaba, y, ¡ay de mí!,
> perdióse en sueño el que me soñé.
>
> (Pág. 180)

---

[11] En los cantares de tipo sentencioso está muy clara. No olvido otras influencias decisivas: don Sem Tob, el Refranero y los cantares populares... Acaso también los «hai kai», que Unamuno conocía y sobre los que escribió en 1924.

Oye el cántaro en la fuente:
¿canta el cántaro o el agua?
En el cántaro se fragua
la canción, en el oyente.

(Pág. 401)

Brilla tu canto, sirena,
en las cabrillas; la mar
cuenta el rosario de arena;
en su cuento tu cantar.

(Pág. 401)

No te duermas en la suerte
si al dormir no has de soñar;
mejor velar en la muerte
soñando resucitar.

(Pág. 511)

Hablas como un libro viejo,
sabe tu voz a carcoma;
menos mal que nadie toma
sino en broma tu consejo.

(Pág. 548)

Todo pasa; todo queda:
calza la rueda a tu casa;
todo queda; todo pasa:
monta tu casa en la rueda.

(Pág. 554)

No hay más cosa que el camino;
sé caminante, y harás
que según llegue el destino
vaya quedando detrás.

(Pág. 556)

En los ejemplos citados —y podríamos hallar muchos más— sentimos la presencia clara de algunos cantares de Machado, ya en el ritmo, en el vocabulario, en el tono o en las ideas. Hay muchos otros poemas del *Cancionero* que nos traen el recuerdo de don Antonio. Lo sentimos, por ejemplo, en la primera estrofa del número 302:

> Una tarde de aquellas en que se olvida el alma...
> Pues bueno, ya he olvidado lo que os iba a contar;
> me he perdido en el cántico del lejano recuerdo,
> se ha hecho el recuerdo anhelo, se ha hecho canto el cantar
>
> (pág. 203),

donde está muy presente:

> Canto y cuento es la poesía.
> Se canta una viva historia
> contando una melodía,

que Machado había escrito no muchos años antes [12].

Hay ecos de poemas de tierras sorianas en el número 1.548:

> Otra vez en el tren; fluyen los campos,
> viene tierra y se va,
> y vuelven los recuerdos de otros viajes;
> ¿otros? El mismo siempre, el mismo, el viaje eterno.
> Ay, mi Castilla, que te quedas siempre
> como tus ríos,
> que yéndose a la mar siempre se quedan...
>
> (Pág. 700)

El tema, desde luego, es un viejo tema unamuniano, mas algunas expresiones, algunos versos, tienen clara influencia machadiana. Los tres versos últimos podrían ser un comentario a los que don Miguel citó repetidas veces: los últimos de *A orillas del Duero*.

---

[12] *De mi cartera*, II. En O. P. P., pág. 286.

Hay también clarísimas reminiscencias machadianas en la última estrofa del número 1.568:

> Sobre la tierra desnuda
> y en el silencio sereno
> en lo más hondo del seno
> su ayer al mañana anuda.
>
> (Pág. 709)

Las hay en el contenido, y las hay en el primer verso, que nos hace pensar inmediatamente en conocidos versos machadianos: «En la desnuda tierra» o «Sobre la tierra amarga».

El número 250 parece una glosa o una interpretación personal del verso-poema de Machado: «Hoy es siempre todavía». Veámoslo:

> Todavía la agonía;
> éste es el grito del alma
> todavía
> unce el ayer al mañana
> todavía
> siempre... nunca... nada... nada...
> todavía
> aún no... ya no... y se aguarda
> todavía
> ¡hasta hoy! ¡Pobre de mi alma!
> todavía
> desde hoy ¡cómo se alarga!
> todavía
> ¡cuánto dura lo que pasa
> todavía!
>
> (Pág. 172)

Las anteriores consideraciones acerca de la presencia de la poesía de Machado en el *Cancionero* de Unamuno podrían alargarse mucho más; en realidad, sólo me he asomado al tema. No es momento de detenernos más en ello; ya lo advertí en la parte introductoria de este capítulo. Mas tampoco podemos soslayarlo cuando, como en el momento presente, lo hallemos muy cerca.

«NUESTRO POETA PREFERIDO»

Además del artículo de *La Nación*, es muy reveladora de la impresión que *Campos de Castilla* produjo en Unamuno la carta que, con fecha del 7 de mayo de 1912, le dirigió a José María Palacio, a la cual aludí de paso en las páginas anteriores.

Como señalé, el destinatario la dio a conocer en *El Porvenir Castellano*. Comienza con este párrafo, rebosante de entusiasmo: «A los pocos días de recibir su carta, señor mío, recibí el libro de Machado, y sin haberlo terminado, después de un hojeo en caliente —según mi modo—, le escribí una carta, y el mismo día, al acabarlo, otra. Lo he vuelto a leer, y va asentándose mi impresión primera. Al principio me saltó al alma una impresión casi mística; después he sentido mejor lo que de trágico tiene. Es todo un poeta Machado, y Soria le ha suscitado un fondo del alma que acaso de no haber ido ahí dormiría en él»[13].

A partir de este momento empezamos a ver una serie de versos machadianos citados frecuentemente en la obra de Unamuno.

En repetidas ocasiones observamos el fenómeno de reflujo a que antes me refería. Es natural: lo que más le interesa a Unamuno son una serie de sentimientos, de ideas, que él expresó antes que Machado; recogidos y resumidos por éste en uno o dos versos, le impresionan por su nuevo acento, por su «fatalidad», como diría Juan Ramón Jiménez. Es, entre otros, el caso de los versos finales del poema *Por tierras de España:* «... un trozo de planeta / por donde cruza errante la sombra de Caín». Esta sombra la había visto mucho antes don Miguel por los campos de España; pero Machado, de manera más plástica y con palabra más concisa, acierta a ponérnosla delante en forma que nos hiere

---

[13] Publicada en *El Porvenir Castellano* del 1 de julio de 1912; reproducida por M. GARCÍA BLANCO en *De la correspondencia de Miguel de Unamuno*, págs. 9-10.

y hiere la sensibilidad de don Miguel, que la repite incesantemente [14].
Veamos algunas muestras, y observemos el tono y calificativos, reveladores de esa admiración progresiva.

En el ensayo *Junto a la cerca del paraíso* (1916) escribe: «Y veis también cruzar la sombra de Caín como la vio cruzar por tierras del Alto Duero Antonio Machado, el poeta de estas soledades jugosas de misterio genesíaco» (*O. C.*, IV, 1137).

En 1924, en uno de los sonetos —el núm. LXXXIX— de *De Fuerteventura a París (O. C.*, XIV, 582), el verso machadiano sirve de lema, citado —como señalé en nota que frecuentemente sucedía— con un error: «Un trozo de planeta / por *el que* cruza errante la sombra de Caín.» (El subrayado indica el error.)

En *Cómo se hace una novela* (1925): «Y ¿de dónde sino de la soledad, de nuestra soledad radical, ha nacido esa envidia, la de Caín, cuya sombra se extiende —bien lo decía mi Antonio Machado— sobre la solitaria desolación del alto páramo castellano?» *(O. C.*, X, 842-843). Y en el mismo año: «Todo esto me trae, por una larga y dolorosa asociación de ideas, a la memoria aquellos tremendos versos de nuestro gran poeta español, de Antonio Machado, aquellos versos que dicen: «un trozo de planeta / por *el que pasa* errante la sombra de Caín» (el subrayado indica los errores) *(O. C.*, IX, 112).

Reparemos, de paso, en el *mi* del primer párrafo citado y en el *nuestro* del segundo.

El *mi* puede tener un sentido afectivo profundo: «mi Concha», «mi Salamanca», «mi España», dice Unamuno con frecuencia. Es verdad que en *Cómo se hace una novela* dice también «mi Alfonso XII», o «mi Primo de Rivera»... En estos casos sobra aclarar que el sentido es muy distinto: se trata del personaje Alfonso o el personaje Primo de Rivera, que venía haciendo, creando, en su imaginación don Miguel en su destierro. En el caso de España, además del sentido afectivo —la suya, la que le dolía—, tiene el segundo: el de la España que se ha venido forjando en su imaginación de desterrado. En el de Machado veo claro el sentido afectivo, pero íntimamente unido a una predilec-

---

[14] Como acostumbraba a citar de memoria, casi siempre altera alguna palabra, cosa que puede comprobarse a primera vista.

ción poética: «mi Antonio Machado» equivale a «mi poeta predilecto, Antonio Machado».

En la frase «nuestro Antonio Machado», al sentido encerrado en el *mi* se le ha añadido un carácter de universalidad: *nuestro* es *mío* y de todos los que lo leemos [15]. Pero, además de nuestro, es *gran poeta*, y además *español;* y no porque haya nacido en tal o en cual provincia española, sino porque ha sabido recoger en sus versos el alma de la España eterna.

De las varias ocasiones en que Unamuno recoge los citados versos de Machado [16] destaco una que, por varias razones, me interesa. Se trata del ensayo *La estrella ajenjo,* de 1919 [17]: «El profeta español —dice don Miguel— que mejor, acaso, ha sentido el amargor actual de la casta, nuestro Antonio Machado; el que en algún verso nos habla de la «tierra amarga», el que vio aquí

«un trozo de planeta
por donde cruza errante la sombra de Caín».

(O. C., IV, 1167)

Quiero destacar tres palabras: *nuestro, español* —ambas se repetirán, como vimos ya— y, sobre todo, *profeta.*

Para Unamuno, que quiso ser poeta sobre todo, que quiso que se le considerase como tal en primer lugar, la palabra «poeta» puede, sin embargo, ser un término peligroso, ya que puede confundirse con «versificador», o con «artista profesional», cosa que siempre detestó ser.

No. Unamuno quiso ser poeta, pero no versificador, sino profeta. Y de profeta —o poeta— ha de darnos una extraordinaria definición casi al final de su vida: «Profeta no es adivino, no es vaticinador, no es «calendariero» —esto es, el que hace en los almanaques el juicio del

---

[15] No hay un progreso temporal entre *mi* y *nuestro,* ya que «nuestro» le había llamado muchos años antes. Que yo sepa, acaso en *Del sentimiento trágico de la vida* por vez primera.

[16] Reaparece varias veces en el *Cancionero* y en la correspondencia privada.

[17] Todo el ensayo, en que comenta varias ideas y versos completos de *Campos de Castilla,* es de enorme interés, y volveré a ocuparme de él en un capítulo posterior.

año venidero, de su tempero—, no es el que dice lo que pasará mañana, o pasado mañana, o el año o el siglo que vendrá, sino el que declara lo que está pasando hoy por dentro —mejor, lo que está quedando— y lo que pasó —o mejor, quedó— ayer» *(O. C.,* XVI, 891). En 1922 establecía la identificación entre «poeta» y «profeta»: «Porque profeta, en el rigor originario de su significación, no quiso decir el que predice lo que ocurrirá, sino que dice lo que los otros callan o no quieren ver, el que revela la verdad de hoy, el que dice las verdades del barquero, el que revela lo oculto en las honduras presentes, el poeta, en fin, el que con la palabra crea» (*O. C.,* X, 511).

Don Antonio es, por tanto, para don Miguel un poeta en el sentido más profundo de la palabra.

En 1917, en *La labor patriótica de Zuloaga,* Unamuno llama a Machado «nuestro máximo poeta»[18], y comenta de nuevo versos suyos, esta vez de *La tierra de Alvargonzález:* «Los jardines, obra industriosa de la mano del hombre, están fuera del alma del hombre, y está dentro de ella el yermo amado del ermitaño. Antonio Machado, nuestro máximo poeta, dijo de los campos de Alvargonzález que son tan tristes que tienen alma: tienen el alma que ha puesto en ellos un pueblo que ha enterrado en ellos su alma, que ha hecho tierra su alma, que se ha abrazado al suelo que queda para no ser arrebatado por el aire que pasa» *(O. C.,* XI, 612-613).

No es ésta la primera ni será la última vez que Unamuno recuerde estos versos de *La tierra de Alvargonzález.* Ya unos años antes, en *Del sentimiento trágico de la vida* —por tanto, muy poco después de la apa-

---

[18] Notemos una vez más el «nuestro». Como señalé en una nota anterior, acaso la primera vez que lo hallamos es en *Del sentimiento trágico de la vida.* Muy poco después lo hallamos en un texto de 1914 —el ensayo *León de España*—, en el que destaca uno de los proverbios de Machado, a que se había referido también en el artículo de *La Nación:* «Y los que luchan —escribe— embistiendo al trapo son los otros, los toros, cuando no se someten al yugo y aran. Ya lo dijo en uno de sus proverbios Antonio Machado, nuestro poeta:

«De diez cabezas, nueve
embisten y una piensa.
Nunca extrañéis que un bruto
se descuerne luchando por la idea.»

(O. C., IV, 1109)

rición de *Campos de Castilla*—, se había referido a ellos: «¿No es acaso que todo tiene un alma, y que esa alma pide liberación?

«¡Oh tierras de Alvargonzález
en el corazón de España,
tierras pobres, tierras tristres,
tan tristes que tienen alma!»,

canta nuestro poeta Antonio Machado» *(O. C.,* XVI, 366). Muchos años después, en 1931, a la vista de Medinaceli, los mismos versos machadianos vuelven a surgir en su memoria, desde su corazón: «¡Medinaceli! El arco romano, imperial, mirando con ojos que son pura luz al paisaje planetario de aquellas tierras tan tristes que tienen alma, como dijo nuestro Antonio Machado» *(O. C.,* I, 1021). Y en el párrafo siguiente: «Esta tierra pobre, con pobreza divina...»

La presencia de *Campos de Castilla* está, por cierto, tan viva en ese cuadro de Medinaceli, que en el párrafo final hay una frase que es eco claro —no sé si consciente o inconsciente, pero me inclino a creer lo primero— de otro verso del mismo libro: «Desde aquella cumbre de páramo que es Medinaceli en ruinas, barbacana sobre Aragón en tierra castellana...» (pág. 1022). «Soria es una barbacana / hacia Aragón que tiene la torre castellana», había escrito Machado en *A orillas del Duero,* y repetido en *Campos de Soria* (VI): «barbacana / hacia Aragón en castellana tierra».

Dos años más tarde, en un ensayo un tanto machadiano desde el título, *Por el alto Duero,* vuelve a aplicar el calificativo de «pobres» a las tierras sorianas. En el mismo —dicho sea de paso— habla varias veces de «el Duero niño» —Machado le había llamado así en repetidas ocasiones—, desarrollando en un bello párrafo una serie de imágenes derivadas de esta infantilidad del río: «El Duero niño susurra, en siseo de sierra, vagidos infantiles, ciñe a Soria y cruza luego la desolación de la escombrera castellana» *(O. C.,* I, 1046).

En 1922, Unamuno se refiere a «nuestro poeta preferido» al comentar uno de los versos de *El dios ibero:* «Decíamos al comentar unos versos de nuestro poeta preferido, Antonio Machado, que mejor que tallar en roble al dios hispano, al dios adusto de la tierra parda, es tallarle en el corazón de la encina de que se hacen las dulzainas» *(O. C., V, 1111)* [19].

En la presentación de *Teresa* (1924), libro en que, por confesión del autor, sabemos que hay ciertas influencias machadianas, se alude a otro aspecto de la poesía de don Antonio: «Y a este respecto debo hacer notar —señala don Miguel— que, entre nuestros grandes poetas españoles contemporáneos, Antonio Machado es el que acaso aparezca menos erótico, el que menos veces haya cantado directamente a la mujer, así como Rubén Darío se nos muestra muy del otro modo. Y, sin embargo, se siente leyéndolos que por la vida de aquél pasó un gran amor, y no por la de Rubén, a pesar de su «Francisca Sánchez, defiéndeme», en que invoca la maternidad espiritual» *(O. C., XIV, 288-289)*.

Sobre las influencias más profundas de Rafael, el apócrifo amante y poeta de Teresa, escribe don Miguel: «Porque, entre las varias influencias de poetas españoles que el lector observará en estas *Rimas* que obraron sobre mi Rafael, las de Bécquer, Querol, Campoamor, Medina, Antonio Machado, Ausías March —a éste lo leyó por consejo mío—, la influencia mayor es la mía» *(O. C., XIV, 274)* [20].

---

[19] Los versos a que se refiere son los finales de *El dios íbero;* a ellos alude en más de una ocasión. Tendremos oportunidad de volver sobre ellos y comentarlos más adelante.

[20] Después de la influencia de don Miguel —podríamos añadir—, es la de Bécquer la más importante; la de Antonio Machado me parece secundaria, aunque, indudablemente, podemos notarla en algunas ocasiones, como comprobaremos.

Alguna hallamos, por ejemplo, en la segunda estrofa de la rima 42:

Se ha sorbido la tierra tu espejo;
se ha sorbido tu retrato:
seca y agrietada mi memoria,
voy como anonadado
(pág. 347),

que podría recordarnos algunos de los poemas escritos tras la muerte de Leonor:

¿No ves, Leonor, los álamos del río
con sus ramajes yertos?
....

Por estos campos de la tierra mía,
bordados de olivares polvorientos,

La última vez —creo— que Unamuno se refiere a Machado es en 1934, en el ensayo *Andología*. La referencia no aporta mucho a todo lo visto anteriormente; si lo traigo aquí, es sólo por tratarse del último comentario público: «Fue un gran poeta español, hispánico y

> voy caminando solo,
> triste, cansado, pensativo y viejo.
>
> *(O. P. P., 177)*

La 43, estrofa cuarta, dice:

> Sobre tu yerba llevan hoy las brisas
> el amor de los chopos en mechones;
> esparce Primavera granazones:
> nieves de flor que son como sonrisas.
>
> (Pág. 348)

¿No sentimos el recuerdo de aquella otra primavera, la soriana, aquella por la que el poeta Machado pregunta al buen amigo Palacio, al que pide que en una tarde azul suba al Espino, «al alto Espino, donde está su tierra? La tierra de Leonor, que tiene *su tierra,* como Teresa *su yerba*» (A José María Palacio, *O. P. P.,* pág. 180).

En la 50 (pág. 358) hallamos una cierta relación temática con el poema *Los ojos,* uno de los que Machado, como vimos, dedicó a Unamuno.

La 62 (pág. 379) recuerda notablemente el poema CXXII de Antonio Machado:

> Te vi pasar por el cielo
> anoche y resucité;
> raíces me dio el anhelo
> que prendieron en la fe.
>
> Sentí en las alas deshielo;
> hasta ti me levanté;
> perdí el sentido del suelo;
> nuestro ensueño reanudé.

Así dice Rafael; y así, bastantes años antes, Antonio Machado:

> Soñé que tú me llevabas
> por una blanca vereda,
> en medio del campo verde
> hacia las azules sierras,
> hacia los montes azules,
> una mañana serena.
>
> Sentí tu mano en la mía,
> tu mano de compañera,

universal, un máximo poeta, sevillano él, quien decía del arte sevillano que es «fino» y «frío». Y es curioso que los máximos poetas sevillanos, Bécquer y mi Antonio Machado, hayan madurado en Soria, en Soria «fría», verdadero riñón de Castilla, donde el habla de ésta se filtró; en esas tierras donde se balbuceó el *Cantar de Mío Cid*» (*O. C.*, VIII, 709).

> tu voz de niña en mi oído
> como una campana nueva,
> como una campana virgen
> de un alba de primavera.
> ¡Eran tu voz y tu mano,
> en sueños, tan verdaderas!...
> Vive, esperanza: ¡quién sabe
> lo que se traga la tierra!
>
> *(O. P. P., 177)*

Es obvio, desde luego, que el poema machadiano está mucho más logrado que el de Rafael.

Algo hay de algunas lejanas visiones machadianas de *Soledades, galerías y otros poemas* en la 74 (págs. 397-398), en que habla de una amada lejana que ya no recuerda:

> Aún la veo perdida en la nube
> de mis memorias pálidas y al lado
> de aquella tarde, que es como el escriño
> que separa
> mis dos vidas;
> en él tu cara,
> fuera de él perdidas
> en un lejano ocaso,
> visiones de niñez.
> ....
> ¿Quién era aquella pálida
> aparición;
> aquella que en la inválida
> memoria de mis años infantiles
> un momento ciñó mi corazón?

Un algo de un Machado muy becqueriano, que pierde intensidad poética —véase el poema en su totalidad— al pretender hacer «cuento» de lo que Machado sólo recogería el «canto».

Son éstas algunas de las posibles influencias machadianas que, tras la pista que Unamuno nos da, creo hallar en *Teresa*.

Con todo esto creo quedan claras las preferencias de Unamuno por Antonio Machado entre todos los poetas de habla española a partir de un momento: 1912.

Creo también haber aclarado el término «reflujo», que utilicé al principio del capítulo, y demostrado la existencia del fenómeno; más ejemplos del mismo surgirán a lo largo de este estudio.

En cuanto a las influencias de la poesía de Machado en la de Unamuno me he limitado a señalar algunas evidentes; sobre el particular queda mucho por decir.

SEGUNDA PARTE

HUELLA UNAMUNIANA EN LA VISIÓN DE
ESPAÑA DE ANTONIO MACHADO

INTRODUCCIÓN

Al hablar de España, no me refiero a una abstracción, sino a lo que verdaderamente la hace: sus gentes —con su carácter, su forma de vivir y obrar, sus pasiones...— y la tierra en que viven y mueren —campos, pueblos chicos o grandes, ciudades...

Desde su juventud, Machado sintió a España como problema. Prueba de ello son los artículos publicados en *La Caricatura* —fuerte crítica a la sociedad española de su tiempo—, escritos a los dieciocho años. Como ya señalé, estos artículos —de escaso mérito literario— anticipan, sin embargo, puntos de vista que se desarrollarán y concretarán mucho más tarde.

Es fundamental que no perdamos de vista el tipo de educación que recibieron los Machado para entender la actitud de don Antonio. En 1883, cuando el futuro poeta contaba sólo ocho años, el abuelo, Antonio Machado Núñez, es nombrado catedrático de la Universidad Central; la familia —padres, hijos y nietos— se traslada en pleno a Madrid: muy pronto entrarán los niños en contacto con la Institución Libre de Enseñanza.

El padre y el abuelo de los Machado Ruiz eran liberales; lo eran también las mujeres de la familia. En la Institución tienen los Machado Ruiz como maestros a los grandes educadores —liberales— de aquel entonces: a don Francisco Giner de los Ríos —de quien, como dijo en una ocasión Ricardo Gullón, acaso el futuro poeta aprendió la humildad—, a Manuel Bartolomé de Cossío, etc... [1].

---

[1] En algún momento, me informa don Mariano Quintanilla, Antonio Machado fue discípulo de Costa, según le oyó decir a él mismo.

Es de sobra sabido que los maestros soñaban un renacer de España; sabido es también con qué insistencia procuraron hacer de sus discípulos hombres rectos, hombres buenos, sobre todo, y despertar en los niños y en los adolescentes el amor auténtico a la patria —no la patriotería— haciendo todo lo posible porque la conocieran mejor: a través de su historia, de su arte, de sus paisajes, de sus gentes...

Muy pronto debieron inculcar los maestros en el futuro poeta el amor a España y un absoluto sentido de deber hacia ella. No podríamos, por tanto, afirmar que la preocupación por España haya surgido en Machado en un momento determinado, ni que Unamuno haya planteado en él el problema: pienso, sin embargo, que la visión de éste puede haber influido en la visión que Machado, a través de su adolescencia y juventud se va forjando, y que se concreta en su madurez.

Si en la prosa de Machado el problema de España —en forma de crítica a la sociedad, a las costumbres— se presenta muy pronto, en la poesía, por el contrario, tarda bastante en aparecer. Hasta *Campos de Castilla* no podemos plenamente encontrarlo [2].

Entre los artículos de *La Caricatura* y los poemas de *Campos de Castilla* hay, desde luego, diferencias radicales. Las más acusadas acaso lo sean de tono. El de aquéllos está bastante cercano al de un costumbrismo superficial, frecuente en muchos escritores de finales del siglo pasado; el de éstos presenta un matiz que los acerca no sólo a Unamuno, sino también a la honda y penetrante crítica de un Baroja o un Valle-Inclán. No perdamos de vista, claro está, que han pasado unos quince años y mucha vida entre los artículos primeros y los poemas de *Campos de Castilla*, y que el adolescente Cabellera se transformó en el catedrático del Instituto de Soria.

---

[2] Para mayor facilidad, simplifico al hablar de *Campos de Castilla* como momento en que aparece el problema de España en la poesía de Machado; ya se sabe que varios de los poemas que integran ese libro habían sido publicados anteriormente: en los años 1909 y 1910 se publicaron ya algunos de los más representativos del libro. (Para ver las fechas exactas, consúltese la parte dedicada a *Campos de Castilla* en *Algunas variantes y notas*, en *O. P. P.*, 971-975.)

En el comentado poema de 1905, dedicado a Unamuno, ya señalé que aparece la «España de tahures y logreros» creo que por primera vez en poesía. Pero recuérdese que el poema no se publicó en esa fecha, sino varios años después.

Creo que las frecuentes lecturas de las obras de Unamuno —acaso, en los primeros años, de *En torno al casticismo* y algunos otros ensayos— ayudaron al joven a lograr una más clara visión de España y de sus gentes y a penetrar más hacia el fondo. Creo también que la estancia en una vieja ciudad castellana y el contacto continuo con sus habitantes fueron definitivos en la vida de Machado. Pero no olvidemos que la preocupación por España existió desde la adolescencia, y que los maestros de la Institución pusieron en ello la parte principal.

Considero labor inútil el detenerme a hablar sobre el españolismo de Unamuno, ya que es ése uno de los aspectos que más se han destacado de la obra de don Miguel y cosa que nadie pone en duda. Quiero, sin embargo, traer aquí un párrafo del reciente libro de Elías Díaz, *El pensamiento político de Unamuno*, que me parece resume muy bien la posición de don Miguel ante su país; por eso, a pesar de su extensión, lo reproduzco íntegramente: «Toda la obra de Unamuno es una apasionada meditación sobre España; su españolismo, su preocupación y su profundo amor a España es nota determinante de su pensamiento; escribirá siempre sobre el ser de España, sobre el modo de ser de los españoles, y en esta preocupación será el adelantado de la generación del 98. Desde planteamientos más estético-literarios que sociológico-científicos del «problema de España», planteamientos que han perdurado hasta nuestros días, Unamuno analizará los rasgos esenciales del carácter español que han determinado nuestra historia: la envidia parece ser, en su opinión, la causa fundamental de nuestros males personales y nacionales. Criticará duramente esos componentes negativos del español, procurando siempre escapar tanto del derrotismo que reniega de España como de la fácil y vacía patriotería aduladora; quiere situar su amor a España entre unos y otros. Unamuno, desde su egotismo, desde su pretensión de constituirse en la encarnación de España, podrá, en ocasiones, querer aparecer como el mejor o único conocedor de nuestros males nacionales; podrá también llegar a indignar en algunos momentos su actitud de oráculo, dictaminando en forma un tanto dogmática y no siempre acertada sobre los remedios a adoptar; podrá incluso, como caso límite, dar lugar a pensar que en el fondo le interesa más hacer prevalecer su opinión personal que solucionar realmente los problemas colectivos; todo ello puede llegar a pensarse, pero lo que nunca faltará en las críticas u observaciones unamunianas es la expresión de su profundo amor al país, a España; la simbiosis Unamuno-España llega a tales extremos que normalmente se configura como identificación, con trasvase mutuo de problemas recíprocos: Unamuno querrá ser una España en pequeño, y en su concepción hará de España un Unamuno en grande: el ser de ambos coincidirá: contradictorio, agónico, en eterna lucha civil consigo mismo» [3].

---

[3] Pág. 41.

Capítulo I

LA ESPAÑA INTRAHISTÓRICA FRENTE A LA ESPAÑA HISTÓRICA

Poco tengo que añadir a todo lo que hasta el momento se ha dicho sobre el concepto unamuniano de la intrahistoria [1].

[1] El tema está ya bien estudiado. Sobre este punto son de interés fundamental las ideas de P. LAÍN ENTRALGO en *La generación del 98*. También penetra en este aspecto muy a fondo J. FERRATER MORA en *Unamuno: bosquejo de una filosofía*.

CARLOS BLANCO AGUINAGA, que en su *Unamuno contemplativo* apuntaba ya la posibilidad de influencia de Hegel en el concepto unamuniano de la intrahistoria, ha confirmado en estudios posteriores sus primeras conjeturas con datos muy concretos. Véase su excelente ensayo *El socialismo de Unamuno*, aparecido recientemente.

C. CLAVERÍA, en el ensayo *Unamuno y Carlyle* (incluido en el libro *Temas de Unamuno*), piensa que el inglés, que influyó en algunos aspectos en la formación de Unamuno, puede haber contribuido a despertar en éste el interés en los «silenciosos de la historia». El autor de la historia de la Revolución francesa se interesó también en los que no suenan en la historia, e insistió «acerca de la importancia de la vida silenciosa y olvidada de millares de hombres oscuros que laboran y crean, lejos de los campos de batalla, de conciliábulos políticos y de antecámaras regias» *(Temas de Unamuno*, pág. 23).

S. SERRANO PONCELA dedica al tema un interesante capítulo de su libro *El pensamiento de Unamuno*.

También lo toca, aunque no sea su intención profundizar en él, FRANÇOIS MEYER.

A. DE ZUBIZARRETA opina que «historia e intrahistoria no se contradicen, se complementan en el alma de Unamuno...» «A mayor profundización en la

Me parece claro que, aunque para llegar a lo intrahistórico hay que sumergirse en lo histórico —es decir, hay que bañarse en historia para llegar definitivamente a la intrahistoria—, los dos conceptos, que son, en realidad, complementarios, dentro del sistema de pensamiento de Unamuno —agónico siempre— se nos presentan más bien como opuestos.

Intrahistoria frente a historia —y, naturalmente, supremacía de la primera— están plenamente contrapuestas en conocidos párrafos como el que, a pesar de haberse citado con demasiada frecuencia, creo necesario recordar una vez más: «Las olas de la Historia —escribe en uno de los ensayos de *En torno al casticismo*—, con su rumor y su espuma que reverbera al sol, ruedan sobre un mar continuo, hondo, inmensamente más hondo que la capa que ondula sobre un mar silencioso y a cuyo fondo nunca llega el sol. Todo lo que cuentan a diario los periódicos, la historia toda del «presente momento histórico», no es sino la superficie que se hiela y cristaliza en los libros y registros, y, una vez cristalizada así, una capa dura, no mayor con respecto a la vida intrahistórica que esta pobre corteza en que vivimos con relación al inmenso foco ardiente que lleva dentro. Los periódicos nada dicen de la vida silenciosa de los millones de hombres sin historia que a todas horas del día y en todos los países del globo se levantan a una orden del sol, y van a sus campos a proseguir la oscura y silenciosa labor cotidiana y eterna, esa labor que, como la de las madréporas suboceánicas, echa las bases sobre que se alzan los islotes de la historia. Sobre el silencio augusto, decía, se apoya y vive el sonido; sobre la inmensa humanidad silenciosa se levantan los que meten bulla en la historia. Esa vida intra-histórica, silenciosa y continua como el fondo mismo del mar, es la sustancia misma del progreso, la verdadera tradición eterna, no la tradición mentida que se suele ir a buscar al pasado enterrado en libros y papeles y monumentos y piedras» (*O. C.*, III, 185).

La idea de oposición, de lucha, entre historia e intrahistoria, que está clarísima en el citado párrafo, y la podríamos ver en muchos otros de la misma época y no desaparece después, arranca, sin duda, del pensamiento de Unamuno, de la esencia de su pensamiento agónico.

---

historia (intra) hay una mayor seguridad en la historia, una reafirmación de ella» (*Unamuno en su «nivola»*, pág. 255).

En otras palabras, podríamos decir que la antítesis historia-intrahistoria es una manifestación concreta de la estructura antitética del pensamiento de Unamuno que, acaso deliberadamente, convierte los conceptos de historia e intrahistoria en opuestos [2].

En un párrafo de *La Generación del 98*, Laín Entralgo sintetiza los rasgos fundamentales de los dos conceptos en lucha: "Puntualicemos —dice— sinópticamente el pensamiento de Unamuno. La historia es el ámbito de los sucesos humanos y representa lo fugaz, lo ocasional, lo artificioso, lo superficial y visible de la vida del hombre. A la historia pertenece cuanto distingue y aísla a unos hombres de otros, las acciones relatadas, las "castas históricas", las "naciones históricas", las literaturas en lo que éstas tienen de histórico y mudadizo. La intrahistoria es el dominio de los hechos humanos y representa lo estable, lo permanente, lo espontáneo, lo profundo y silencioso de la vida humana. A la intrahistoria pertenece cuanto comunica y funde a unos hombres con otros, las realidades y las obras

---

[2] Sobre «la constante oposición de los contrarios» como punto fundamental del pensamiento de Unamuno se ha hablado ya. Me parece que lo ve muy claramente Ferrater Mora, que lo resume en estas palabras: «Lo real existe en forma de contienda —de lucha de un contrario y de pugna consigo mismo—. Es innecesario extendernos más sobre un punto que ha constituido uno de los pilares —por no decir el eje— del presente libro. Recordemos sólo que la guerra es para Unamuno tan radical que, no contento con declarar que se inserta en todo, concluye que se hace también la guerra a sí misma, y que, además, lucha sin tregua contra su antagonista, la paz. La paz se halla en el corazón de la guerra, y viceversa: sin guerra no hay paz posible. La lucha entre contrarios, y de cada contrario consigo mismo, no es, así, el resultado de una oposición lógica; es la manifestación del dinamismo trágico de la vida» *(Op. cit.,* págs. 130-131).

François Meyer, en su profundo análisis de la filosofía unamuniana, acepta la necesidad de admitir la estructura antitética del pensamiento unamuniano para entender toda su obra: «Et c'est bien en approfondissant cette intuition d'antithèse, ou mieux en la dépouillant de ses formes les plus spectaculaires, et souvent aussi, il faut le reconnaître, les plus déclamatoires, qu'on se met en mesure de dégager des textes eux-mêmes, sous une forme à la fois très pure et très concrète, une sorte d'évidence ontologique, première, irréductible, une sorte d'expérience pure du tragique de l'être qui fonde et justifie les formes multiples du «tragicisme» unamunien». Pero para Meyer —y es éste el punto más original de su tesis— «Ce thème de la structure antithétique de la pensée et de l'être est, chez Unamuno, parfaitement conscient et voulu» *(L'ontologie de Miguel de Unamuno,* «Introduction», X-XI).

más genéricamente humanas entre todas cuantas componen la existencia de los hombres: las acciones calladas y cotidianas; la «casta íntima» de los pueblos, expresión de lo que en cada uno de ellos hay de verdaderamente humano; los «pueblos» mismos por oposición a las «naciones históricas»; las lenguas en tanto unen a los hombres en el espacio y en el tiempo»[3].

Hay en Unamuno un claro rechazo de la historia española de los últimos siglos. Para él —como para algunos de sus contemporáneos, acaso especialmente Ganivet—, nuestros llamados «siglos máximos», el XVI y XVII, lejos de ser la culminación, son el principio de nuestra ruina como pueblo; representan el momento en que la «casta castellana» comienza a fosilizarse[4].

Esta casta, fosilizada desde los pasados siglos, es, cree Unamuno, la que perdura y domina en su España. Sus características podrían ser las siguientes: «Dogmatismo intelectualista, espíritu inquisitorial, fosilización del espíritu religioso, entendimiento nacionalista del patriotismo y concepción militarista del ejército»[5].

Mas para Unamuno hay una esperanza. Al menos la hay en estos años —alrededor de 1895— decisivos. Confía en la juventud. Confía, sobre todo, en que esa juventud encuentre España, y la encuentre buscándola, no en la historia, sino en la intrahistoria[6].

Si aceptamos que la constante oposición de contrarios es fundamental en el pensamiento de Unamuno, que es, podríamos decir, un modo de mejor entenderse consigo mismo, vemos claro por qué contrapone los conceptos de historia e intrahistoria. Y comprobamos, además, que no sólo necesita este par de conceptos, sino que, en cierto modo relacionados con éstos, aparecen a través de su obra varios otros conceptos contrapuestos, en relación con España y lo español. Los más importantes serían:

---

[3] Págs. 51-52.
[4] Véase *En torno al casticismo (O. C.,* III, 204-205).
[5] Así resume Laín Entralgo las características de la casta dominante (véase *Op. cit.,* pág. 108).
[6] El hecho de que Unamuno pase de la confianza absoluta en una «juventud europeizada», que salvaría a España, a una total defensa de la tradición española ha confundido mucho. Sobre la «europeización» y la «hispanización» de don Miguel creo que son muy acertados los puntos de vista de Ferrater Mora *(Op. cit.,* págs. 81-88).

España oficial frente a *España auténtica; España temporal* frente a *España eterna; España real* frente a *España soñada; España presente* frente a *España futura*... Acaso haya otros más; si destaco éstos es porque creo hallarlos también en la obra de Antonio Machado, aunque no siempre con idéntico significado que en la obra unamuniana.

Para Unamuno, la casta dominante —ya se señaló— es la misma que dominó en los siglos XVI y XVII; es decir, ha heredado sus características. Mas lo que en un tiempo tuvo sentido es hoy una ridícula farsa. Es la España oficial, que, de vez en cuando, creyéndose vivir aún en un pasado de gloria, pretende emprender hazañas nunca vistas y asombrar al mundo; intenta forjar una imagen falsa de sí misma y presentarla como verdadera; heredera de la «casta castiza», alimenta vanos sueños de antaño; se siente en la obligación de ser conservadora, católica a ultranza y dar «vivas a la muerte» con tal de defender la tradición. Ésa es la España oficial, que Unamuno considera inauténtica.

Frente a ésa, hay una España auténtica. Unamuno la ve con frecuencia representada en esos campesinos que son parte de la tierra y que la trabajan de sol a sol; en los que no participan de los «sucesos» de la historia, pero hacen la intrahistoria. Mas otras veces —recordemos los intrahistóricos personajes de *Paz en la guerra*— esos personajes mismos están precisamente defendiendo con su sangre lo más «castizo» de la «casta histórica»: el carlismo, por ejemplo, en el caso de los de la citada novela. No podemos, por tanto, establecer siempre un paralelo entre historia-España oficial e intrahistoria-España auténtica. A veces, esa España auténtica, que se opone a la oficial, es una España que, ahogada en germen al ser sofocado todo intento de reforma religiosa, vive a duras penas, en medio de una total hostilidad. Es la España liberal, en el más amplio sentido de la palabra. La que de vez en cuando sufre persecuciones y destierros. Es la que nadie mejor que el propio Unamuno ha representado.

Los conceptos de España temporal y España eterna podrían, acaso, identificarse con los de historia e intrahistoria. La España histórica es la que se desarrolla en el tiempo, la que pasa; la España eterna es la que queda: es la tierra —madre e hija, siempre la misma— con sus hombres —hijos y padres, siempre los mismos—, por debajo de la España que pasa, sustentándola.

Esa España eterna halla su símbolo en Gredos: su corazón. Gredos es lo que no pasa, lo que queda, lo que vence a las obras de los hombres. Por eso, ante la Torre Eiffel, Unamuno pensaba en Gredos, y sentía morriña de eternidad, «de lo que dura debajo de la historia, de lo que no vive, sino que vivifica. Porque Gredos es lo eterno; Gredos vio a los iberos llegar a España, y vio a los romanos, y a los godos, y a los árabes, y verá acaso pasar a otros bárbaros»... Mientras que la Torre Eiffel, como cualquier obra de hombre, se estrenó *(O. C.*, I, 939).

Con frecuencia, Unamuno llama *España celestial* a la España eterna. En boca del autor-personaje de *Niebla* pone estas palabras: «Pues sí, soy español, español de nacimiento, de educación, de cuerpo, de espíritu, de lengua, y hasta de profesión y oficio; español sobre todo y ante todo, y el españolismo es mi religión, y el cielo en que quiero creer es una España celestial y eterna, y mi Dios un Dios español» (*O. C.*, II, 980).

Esta identificación no es rara a través de la obra de Unamuno. Podríamos decir que, con frecuencia, el concepto de España celestial es equivalente al de la España eterna. Sin embargo, a veces lo hallamos con significado distinto y claramente contrapuesto a otro no mencionado aún: *España terrestre.*

Así, en un escrito de 1903, el cuento titulado *El maestro de Carrasqueda*:

«Mira, Ramonete —habla el maestro cuando se va a morir—: se me ha dicho mil veces que mi voz ha sido de las que han clamado en el desierto... ¡sermón perdido! Yo mismo os repetía en la escuela, cuando tú no me entendías: «¡Es como si hablase a la pared!». Pero, hijo mío, las paredes oyen; oye todo, y todo empieza, ahora que me muero, a hablarme a los oídos. Mira, Ramonete: nada muere, todo baja del río del tiempo al mar de la eternidad, y allí queda... El universo es un vasto fonógrafo y una vasta placa en que queda todo sonido que murió y toda figura que pasó; sólo hace falta la conmoción que los vuelva un día... Las voces perdidas y muertas resucitarán un día y formarán coro, un coro inmenso que llene el infinito... Me voy de esta España, de la terrestre, de la que fluye, a la otra España, a la España celestial... Ya sabes que el cielo envuelve a la tierra» (*O. C.*, IX, 187).

Nos hallamos esta vez ante un concepto nuevo, tan lejos del de historia como del de intrahistoria, que se convierten ahí —ambos— en pasajeros. Porque aun las piedras, y las tierras, y los hombres esos que, «como los vencejos», parecen inmortales, son «polvo y nada» al lado de la España de tras la muerte. Acaso el Unamuno que habla en este momento es un Unamuno religioso, casi místico, de un misticismo que no es precisamente cristiano. Acaso ese Dios de España, «que tiene su trono en Gredos» y que aparecerá más tarde en su lírica, tenga mucho que ver con esta España celestial, nada cristiana a pesar del cristiano calificativo.

Los conceptos de *España real* y su opuesto *España soñada* circulan constantemente por la obra de Unamuno. La España real es aquella en que le tocó nacer, y que, con su lucha, contribuyó a hacer. ¿Cómo era esa España? ¿Qué representó Unamuno dentro de ella? No son preguntas para responder aquí, y, además, están certeramente contestadas ya [7]. Tengamos en cuenta, sin embargo, que Unamuno, como todo ser consciente —escritor o no— a quien tocó vivir aquellos años, no sólo fue un disconforme con la realidad, sino que creyó uno de sus deberes primordiales el luchar con todas sus fuerzas para cambiar esa realidad. Luchó, y su labor, como la de todo el que lucha, acaso no se perdió.

Tuvo, sin duda, don Miguel momentos de hondo desaliento. Los hombres del 98, dice Laín Entralgo, aunque ven pasar los años sin que cambie la situación de su país, no pierden la fe; no caen, como podría suceder, en el resentimiento, «y se evadieron hacia el ensueño» [8]. Ensueño de España, que repetirá Unamuno con frecuencia.

Para comprender bien la creación unamuniana de la España soñada, en la que en sus últimos años se refugió casi constantemente, hay que tomar en cuenta el aspecto contemplativo de don Miguel, tan importante como el agónico [9]; de lo contrario, no llegaremos al fondo de gran parte de su obra ni entenderemos muchas de sus actuaciones.

---

[7] Entre lo mucho que sobre ello se ha escrito, vuelvo a referirme a *La generación del 98,* donde Laín Entralgo trata de profundizar en ese tema. El citado libro de E. SALCEDO, *Vida de don Miguel,* nos pone totalmente al corriente de la labor del Unamuno que vivió y luchó en España, o fuera de ella, por España.
[8] *Op. cit.,* pág. 178.
[9] Totalmente estudiado por C. BLANCO AGUINAGA en *El Unamuno contemplativo.*

La España soñada, esa España donde el poeta Unamuno se refugia cuando la España real le duele demasiado, es una creación del Unamuno contemplativo.

¿Cómo es esa España soñada? La respuesta está dada también [10]. ¿Podríamos resumirla como el reino donde el espíritu de Don Quijote ha triunfado y que, siguiendo a ese nuevo «caballero de la fe», está lista para conquistar el mundo? Para conquistar al mundo por el espíritu de Don Quijote.

Claro que el soñador sabe que se trata todo de un sueño: «No es tu reino, ¡oh mi patria!, de este mundo», le dice a España. La España soñada, que se acerca algunas veces a la «celestial» de *El maestro de Carrasqueda*, no es de este mundo.

En algunas ocasiones se contraponen *España presente* y *España futura*. Aquélla está bastante cercana a la España real, a la histórica del «presente momento histórico». El concepto de España futura creo, con Laín Entralgo, que no es el mismo a lo largo de la obra de Unamuno. Hay dos visiones de España futura que corresponden a distintos momentos. En una época —pongamos alrededor de 1895, fecha de *En torno al casticismo*—, Unamuno cree firmemente en una juventud, en unos hombres del mañana que, al descubrir el ayer intrahistórico, harán una verdadera España nueva [11]. Pero no siempre ha de durar esa visión.

---

[10] Laín Entralgo, en *Op. cit.*, penetra con acierto en ello.

[11] Cuando el presente trabajo fue redactado incluí en este lugar la nota siguiente: «¿Tendrá que ver su confianza en el hombre con su socialismo de ese momento? Me parece que el hecho hay que tomarlo en cuenta. Sobre las relaciones de Unamuno con el socialismo poco se había dicho antes de la aparición del citado libro de Elías Díaz. En la actualidad, Carlos Blanco Aguinaga estudia cuidadosamente el tema. Sabemos que en Bilbao colaboró don Miguel bastante tiempo en el periódico socialista *La Lucha de Clases*. Al mismo tiempo que se publicaban los ensayos que habían de integrar *En torno al casticismo*, y aun dos años más tarde, aparecen artículos políticos de Unamuno en importantes periódicos socialistas europeos. Su esperanza en la juventud del futuro se manifiesta plenamente en esta época; es de esta época también el descubrimiento de la intrahistoria. No pretendamos llegar a la conclusión de que descubre la intrahistoria por ser socialista, pero sí se podría sugerir que acaso el ideal humanitario de ese momento haya contribuido a hacerle pensar en esos hombres, padres e hijos de la tierra, que, silenciosamente, trabajan de sol a sol y que son el sustento de los que bullen en la historia».

España intrahistórica frente a España histórica

En el conocido ensayo *¡Adentro!*, de 1900 —no sé si en algún escrito aun anterior—, ya expresa unos personalísimos puntos de vista sobre el futuro que no podemos pasar por alto: «Porque ten en cuenta que sólo el porvenir es reino de libertad; pues así que algo se vierta al tiempo, a su ceñidor queda sujeto. Ni lo pasado puede ser más que como fue, ni cabe que lo presente sea más que como es; el puede ser es siempre futuro»... «Puede creerse en el pasado; fe sólo en el porvenir se tiene, sólo en la libertad. Y la libertad es ideal y nada más que ideal, y en serlo está precisamente su fuerza toda. Es ideal e interior, es la esencia misma de nuestro posesionamiento del mundo, al interiorizarlo. Deja a los que creen en apocalipsis y milenarios que aguarden que el ideal les baje de las nubes y tome cuerpo a sus ojos y puedan palparlo. ¡Tú créelo verdadero ideal, siempre futuro y utópico siempre, *utópico*, esto es, de ningún lugar, y espera!» (*O. C.*, III, 422-423).

Pocos años más tarde, en 1905, con su *Vida de Don Quijote y Sancho*, da su visión del español futuro: es el que impondrá a todos los espíritus el espíritu quijotesco. La España futura, por tanto, a partir de este momento, es una España utópica. Estamos de nuevo ante la España soñada. La real en un futuro real, más o menos lejano, ha desaparecido.

No creo, repito una vez más, que Machado deba a Unamuno el descubrimiento de España como problema, pero acaso muchas de las ideas de Unamuno sobre España le hayan ayudado a poner en claro las propias.

Como dije ya, tenemos que ir a *Campos de Castilla* para encontrar en la poesía de Machado el tema de España[12]. Tanto en este libro como

---

Parte de las investigaciones que Carlos Blanco Aguinaga llevaba a cabo —y a las que en la nota aludo— han salido a la luz en el citado ensayo *El socialismo de Unamuno*.

Me alegra profundamente el ver claramente demostradas por Blanco Aguinaga algunas de las conjeturas que yo aventuraba hace algunos meses. Considero que el trabajo de Blanco Aguinaga es imprescindible para conocer mejor al Unamuno preocupado por la condición social de los «silenciosos», de los «intrahistóricos»; al Unamuno marxista.

[12] Así como muchos de los poemas de *Campos de Castilla* aparecieron antes de la publicación del volumen, muchos otros no figuran en la edición

en la obra posterior parece aceptar el concepto unamuniano de intrahistoria y su oposición al de historia; al aceptarlo, acepta de paso parte de los otros conceptos relacionados con España.

Sería absurdo el buscar en un poema un concepto de historia o intrahistoria expuesto como en un ensayo. No habría entonces poesía, sino ensayística rimada, y Antonio Machado es poeta siempre. Cuando digo que el poeta acepta alguno de estos conceptos unamunianos, afirmo tan sólo que a través de su poesía podemos intuirlos.

El concepto de la intrahistoria frente a la historia está claramente presente en algunos poemas de *Campos de Castilla*. *A orillas del Duero* es un buen ejemplo; acaso el más claro, aunque no el único [13].

Se abre el poema con una descripción de un paisaje visto y sentido en un paseo. El lugar ya está dado en el título; en el primer verso se indica el mes: «Mediaba el mes de julio»; más tarde, la hora (primero, plena tarde: «Sobre los agrios campos caía un sol de fuego»; después: «El sol va declinando». Casi, casi podríamos medir el tiempo cronológico que duró el paseo); otros detalles —«romero, tomillo, salvia, espliego», «cárdenos alcores», «serrezuelas calvas», «un monte alto y agudo», verdes álamos en las márgenes del río— son pequeñas notas que acentúan lo concreto de la situación: nada inventado, nada que no pueda verse, tocarse, olerse.

En ese concretísimo paisaje hecho de montes, y rocas, y tierra, y aves, y animales que pacen —siempre otros y los mismos—, habitan hombres: hombres que nacen y mueren, y que son, sin embargo, tan eternos como las rocas y las tierras en que viven. Todo ello —paisaje y paisanaje— es intrahistórico. Lo histórico, no obstante, hace pronto su aparición: se sugiere por vez primera en el verso 18, separado por guiones del anterior y del siguiente: «—harapos esparcidos de un viejo arnés de guerra—»; vuelve un poco más adelante, separado otra vez por el mismo procedimiento: «—Soria es una barbacana/hacia Aragón, que

---

de 1912; se incorporan a la sección *Campos de Castilla*, de *Poesías completas*, en 1917 (ver *O. P. P., Algunas variantes y notas*, págs. 971-975).

[13] En *O. P. P.*, págs. 126-128. Carlos Blanco Aguinaga ha hecho un análisis de este poema, destacando su carácter histórico (*La Torre*, núms. 45-46, enero-junio 1964). También ha hecho de él un detenido análisis HELEN GRANT (*Ibíd.*).

tiene la torre castellana—». El pasado, en contraste con el presente, se va adueñando del pensamiento del poeta, y adueñándose también del poema, que, desde los versos 51 a 60, se convierte en una evocación histórica:

> Castilla no es aquélla tan generosa un día,
> cuando Myo Cid Rodrigo el de Vivar volvía,
> ufano de su nueva fortuna y opulencia,
> a regalar a Alfonso los huertos de Valencia;
> o que tras la aventura que acreditó sus bríos,
> pedía la conquista de los inmensos ríos
> indianos a la corte, la madre de soldados,
> guerreros y adalides que han de tornar, cargados
> de plata y oro a España, en regios galeones,
> para la presa cuervos, para la lid leones...

(O. C. O., 127-128)

Antes y después de esa irrupción de la historia —de lo que pasó—, a manera de estribillo, unos conocidos versos que no por serlo pierden fuerza y belleza:

> Castilla miserable, ayer dominadora,
> envuelta en sus andrajos desprecia cuanto ignora [14].

Lo histórico está ahí... «aún el fantasma yerra / de un pueblo que ponía a Dios sobre la guerra». Lo absurdo es que ese fantasma, el de la «casta», haya permanecido en esa tierra «de campos sin arados, regatos ni arboledas».

Tras la meditación de lo que Castilla fue y sigue siendo —lo intrahistórico— en contraste con lo que fue y pasó —la historia—, el paseo —y el poema— se acaba con el oscurecer de los campos.

---

[14] La segunda vez el estribillo tiene una variante en el segundo verso:

> envuelta en sus *harapos* desprecia cuanto ignora.

(El subrayado indica la variante).

Personalmente, veo la captación de la intrahistoria más lograda que la de la historia. Acaso sea un recurso para poner en relieve la auténtica superioridad de lo intrahistórico sobre lo histórico.

Pero, además, es que Antonio Machado es siempre más poeta de lo intrahistórico que de lo histórico.

Así se capta en alguno de los poemas más conmovedores de *Campos de Castilla*, llenos de figuras intrahistóricas, que se mueven en el escenario del campo soriano:

> ¡Las figuras del campo sobre el cielo!:
> dos lentos bueyes aran
> en un alcor, cuando el otoño empieza,
> y, entre las negras testas doblegadas
> bajo el pesado yugo,
> pende un cesto de juncos y retama,
> que es la cuna de un niño;
> y tras la yunta marcha
> un hombre que se inclina hacia la tierra,
> y una mujer que en las abiertas zanjas
> arroja la semilla.
> Bajo una nube de carmín y llama,
> en el oro fluido y verdinoso
> del poniente, las sombras se agigantan.

(O. P. P., 147)

Aunque acepta Machado —creo que conscientemente— los conceptos unamunianos de historia e intrahistoria, no coincide más que parcialmente con don Miguel en la aceptación de los otros conceptos relacionados con España.

Es claramente discernible en la obra de Machado el concepto de la *España oficial*. Para don Antonio, esa España viene de *ayer* y es el *hoy*. Un hoy que se identifica siempre con el «señoritismo», y con la mediocridad y el avulgaramiento.

Es la que dejó retratada en *Una España joven*, y en otros poemas de la misma época:

> ... Fue un tiempo de mentira, de infamia. A España toda,
> la malherida España, de Carnaval vestida
> nos la pusieron, pobre y escuálida y beoda,
> para que no acertara la mano con la herida.
>
> Fue ayer; éramos casi adolescentes; era
> con tiempo malo, encinta de lúgubres presagios,
> cuando montar quisimos en pelo una quimera,
> mientras la mar dormía ahíta de naufragios.
> ....
> Y es hoy aquel mañana de ayer... Y España toda,
> con sucios oropeles de Carnaval vestida
> aún la tenemos: pobre, escuálida y beoda;
> mas hoy de un vino malo: la sangre de su herida.
>
> (*O. P. P.*, 221)

Claro que Machado no se conforma con quedarse en ese triste hoy, que es el ayer, y cree —o al menos intenta creer— en un mañana, porque cree en el joven:

> Tú, juventud más joven, si de más alta cumbre
> la voluntad te llega, irás a tu aventura
> despierta y transparente a la divina lumbre,
> como el diamante clara, como el diamante pura.

Mas el peso de esa España oficial es muy fuerte. Es una España «moribunda» que mantiene en la semiconciencia —en el bostezo— a la otra parte de España: a la que podría y debía estar despierta. Y entre las dos Españas, la que muere y la que bosteza, tiene que moverse el joven que empieza a vivir:

> Ya hay un español que quiere
> vivir y a vivir empieza,
> entre una España que muere
> y otra España que bosteza.

> Españolito que vienes
> al mundo, te guarde Dios.
> Una de las dos Españas
> ha de helarte el corazón.
>
> (*O. O. O.*, 209)

Es ésta una de las ocasiones en que Machado pierde la confianza totalmente. Se trata de un momento «por ventura pasajero», empleando sus propias palabras.

En general, no quiere perder su fe en el hombre; quiere tenerla en el hombre español. Acaso necesita tenerla.

En cierta forma, Antonio Machado culpa a la España oficial de los males de la *España real,* o *España presente.* Estos dos últimos conceptos son claramente visibles, y a veces están empleados indistintamente en la obra del poeta.

La España *real* del *hoy* es tanto la del «señorito» como la del «atónito palurdo» que, envuelto en sus harapos, desprecia cuanto ignora. Machado la critica, pero —ya lo veremos— no quiere huir de ella: al contrario, la mira de frente, y de ella parte para soñar su futura España mejor.

A esa España *oficial, real, presente* y, podría añadirse un nuevo concepto, *vieja,* se opondrá la España *auténtica, soñada, futura, joven.*

Hay un poema que ilustraría plenamente las afirmaciones anteriores: se trata del titulado *El mañana efímero* [15]. Esa España que es la real,

---

[15] En las ediciones de *Poesías completas* lleva el número CXXXV. Está dedicado a Roberto Castrovido y fechado en 1913. Lo reproduzco para mayor facilidad del lector:

> La España de charanga y pandereta,
> cerrado y sacristía,
> devota de Frascuelo y de María,
> de espíritu burlón y de alma quieta,
> ha de tener su mármol y su día,
> su infalible mañana y su poeta.
> El vano ayer engendrará un mañana
> vacío y ¡por ventura! pasajero.
> Será un joven lechuzo y tarambana,
> un sayón con hechuras de bolero,

España intrahistórica frente a España histórica

la del presente, la vieja —tan vieja que está a punto de morirse desde hace mucho tiempo—, es la oficial: la que se quiere oficialmente mantener; no dará nada positivo en un futuro cercano, pero, en algún momento, tras un pasajero, efímero mañana, vendrá la joven España soñada.

Mas —y véase en esto una gran diferencia con Unamuno— esa España soñada puede y tiene que llegar a ser realidad en un futuro, cuando la juventud más joven descubra en el pasado lejano de su raza,

> a la moda de Francia realista,
> un poco al uso de París pagano,
> y al estilo de España especialista
> en el vicio al alcance de la mano.
> Esa España inferior que ora y bosteza,
> vieja y tahur, zaragatera y triste;
> esa España inferior que ora y embiste,
> cuando se digna usar de la cabeza,
> aún tendrá luengo parto de varones
> amantes de sagradas tradiciones
> y de sagradas formas y maneras;
> florecerán las barbas apostólicas
> y otras calvas en otras calaveras
> brillarán, venerables y católicas.
> El vano ayer engendrará un mañana
> vacío y ¡por ventura! pasajero,
> la sombra de un lechuzo tarambana,
> de un sayón con hechuras de bolero,
> el vacuo ayer dará un mañana huero.
> Como la náusea de un borracho ahíto
> de vino malo, un rojo sol corona
> de heces turbias las cumbres de granito;
> hay un mañana estomagante escrito
> en la tarde pragmática y dulzona.
> Mas otra España nace,
> la España del cincel y de la maza,
> con esa eterna juventud que se hace
> del pasado macizo de la raza.
> Una España implacable y redentora,
> España que alborea
> con un hacha en la mano vengadora,
> España de la rabia y de la idea.

(O. P. P., 197-198)

en el hombre que silenciosamente trabaja día tras día, a la España auténtica [16].

Hay que señalar que, aunque por sus convicciones políticas, por su educación y por su tradición familiar, Antonio Machado esté en todo momento con las causas del pueblo y llegue a decir que «en España lo mejor es el pueblo», no cae en la ingenuidad de dividir el mundo en «buenos y malos» y creer que es bueno todo trabajador o todo campesino por el mero hecho de serlo. Recordemos que el hombre del campo, ese que trabaja de sol a sol, puede ser capaz de cometer «crímenes bestiales», como veremos en algunos poemas de *Campos de Castilla*.

Machado creyó siempre en una juventud que pudiera ser verdaderamente española, sin dejar por ello de ser universal. Sin llegar al extremo —como el primer Unamuno— de decir que sólo españoles europeizados podrían descubrir España, Machado, se deduce de toda su obra, no defiende jamás un nacionalismo cerrado. Acaso así puede explicarse el sentido de un poema, no muy claro, dedicado a Ortega y Gasset [17].

En esa España soñada de Machado, la España que será realidad algún día, hacen falta figuras: figuras que enseñen al pueblo a buscarse y encontrarse. Unamuno es una de ellas; otra es Giner. Voces como ésas tienen que despertar a la España que bosteza, salvar la vida a una España que se muere. Por eso le dice a Azorín, en cuya voz quiere creer:

¡Oh tú, Azorín, escucha: España quiere
surgir, brotar, toda una España empieza!
¿Y ha de helarse en la España que se muere?
¿Ha de ahogarse en la España que bosteza?
Para salvar la nueva epifanía
hay que acudir, ya es hora,
con el hacha y el fuego al nuevo día,
oye cantar los gallos de la aurora.

(O. P. P., 220) [18].

---

[16] Como señalé, Unamuno lo creyó así en un momento; pero luego deja de creer en ese sueño, para forjarse otro.

[17] *Al joven meditador José Ortega y Gasset* (O. P. P., 215).

[18] Machado, que, al parecer, sentía gran admiración por Azorín, es muy posible que quiera creer en su voz. Sin embargo, los versos que aquí cito

Y esa España joven, esa España futura, ¿cómo ha de ser? Mucho hay que cambiar en la vieja. Machado lo sabía, pero era un poeta: por eso no hizo programas. Acaso lo más cercano a su «proyecto» sean aquellas prodigiosas palabras que dedica a don Francisco Giner de los Ríos en su muerte:

> ¿Murió?... Sólo sabemos
> que se nos fue por una senda clara,
> diciéndonos: Hacedme
> un duelo de labores y esperanzas.
> Sed buenos y no más, sed lo que he sido
> entre vosotros: alma.
> Vivid, la vida sigue,
> los muertos mueren y las sombras pasan;
> lleva quien deja y vive el que ha vivido.
> ¡Yunques, sonad; enmudeced, campanas!

—como muy bien me ha sugerido el profesor Lapesa— no indican que «crea» en ella; son una invitación a que deje la maravilla estética de su *Castilla* y una su voz a quienes quieren un futuro mejor, porque presiente cerca la luz del nuevo día.

Capítulo II

LA TIERRA DE ESPAÑA

Los llamados escritores del 98 aman profundamente la tierra de su patria, el suelo sobre el cual el hombre vive. De ahí su interés en el paisaje, que, en el caso del castellano, podríamos afirmar que es un «descubrimiento» de esta generación. En este descubrimiento, Unamuno se adelanta a los otros. Es muy posible que don Miguel haya contribuido a hacer que Machado se plantease el problema de la relación del hombre con el paisaje que le rodea, y es probable que influya también en la forma de acercarse a ese paisaje.

Descubrimiento y sentido de un paisaje

En el primer capítulo de *La generación del 98*, Laín Entralgo atribuye a los integrantes de ese grupo el «invento» de un paisaje: el castellano [1].

¿Es exagerado el término de «inventores» utilizado por el autor? El paisaje siempre está ahí; pero, como sucedió en este caso, a veces buscamos algo donde no está, y pasamos, sin ver, al lado de lo que miramos cada día.

---

[1] *Op. cit.*, págs. 15 y ss.

La tierra de España

Los hombres del 98 ven la tierra que pisan, la que recorren en sus paseos y en sus excursiones; la descubren. Y, tras el descubrimiento, la van llenando de sentido y —sin perder la realidad— la convierten en un símbolo. En símbolo de España. Así, si en el primer momento hallamos la mirada que descubre, pronto advertimos el ensueño de ese descubrimiento. El ensueño de España.

El sentimiento del paisaje no es punto fuerte de nuestra literatura. Ni aun en el Romanticismo, una de cuyas características es —en todos los países— el amor a la naturaleza, se destacan nuestros poetas en este aspecto [2].

Acaso sean dos postrománticos —que son los dos grandes románticos españoles— los que, antes que los hombres del 98, llegan a una profunda comprensión del paisaje: Bécquer, en su prosa, y Rosalía de Castro [3].

La poetisa gallega es, en mi opinión, uno de los maestros en el descubrimiento del paisaje español; algunas de sus visiones son, en cierto

---

[2] En el ensayo *El paisaje en la poesía* señala Azorín esta ausencia en nuestra poesía romántica, pero cree el ilustre escritor que el paisaje entra plenamente en nuestra literatura, en ese período, con una obra en prosa: *El señor de Bembibre*, de Enrique Gil (véase AZORÍN: *El paisaje de España visto por los españoles*, Obras Completas, t. III, Aguilar, págs. 1125-1131).

La opinión de Unamuno sobre el particular es distinta. Cree don Miguel que, aunque el campo —y se refiere, en concreto, al de Castilla— no aparezca en la literatura castellana, con frecuencia se le siente: «En no pocas obras de la más genuina literatura castellana se siente el campo de Castilla, aun cuando no esté en ellas expresado. Es como fondo oculto, cual profundo tono armónico, que sostiene a la abierta melodía. Sólo dejando que nos embeba el espíritu el alma del vasto páramo castellano se revive a Segismundo y se recogen con fruto las encendidas aspiraciones místicas de Santa Teresa o de San Juan de la Cruz» *(O. C.*, I, 49).

En su obra *España y Unamuno*, ARTHUR WILLS viene a dar, en este punto, la razón a don Miguel. Afirma Wills que, si es cierto que no podemos hallar en la literatura española un paisaje, tal y como lo hallamos en la inglesa, por ejemplo, no es menos cierto que «no se puede leer una obra clásica castellana —obra escrita antes de los tiempos modernos, en que hemos aprendido a apreciar la naturaleza por descripciones conscientes— sin darse cuenta de este fondo contra el cual está dibujada» (pág. 21).

[3] Los paisajes de Bécquer, que caen dentro del más auténtico romanticismo —el alemán o el inglés, por ejemplo—, son siempre reflejo de su estado de ánimo.

modo, precursoras de las de los escritores del 98. Veamos esta página: «Mais, eu qu'atravesei repetidas veces aquelas soidades de Castilla, que dan idea d'o deserto; eu que recorrín á feraz Extremadura e á extensa Mancha, dond'ó sol cai a promo alomeando monótonos campos, donde ó cor d'a palla seca prest'un tono cansado ó paisaxe que rinde e entristece ó esprito, sin unha herbiña que distraya á mirada que vai perderse nun ceo sin nubes, tan igual e tan cansado com'á terra que crobe...

»... esta Galicia donde todo é espontáneo na naturaleza e en donde á man do home cede ó seu posto á man de Dios.

»Lagos, cascadas, torrentes, veigas froridas, valles, montañas, ceos azues e serenos...

»... A terra cuberta en todaas estacións de herbiñas e de frores; os montes cheyos de pinos, de robres e salgueiros; os lixeiros ventos que pasan; as fontes e os torrentes derramándose fervedores e cristaiños, vran e inverno, xa pelos risoños campos, xa en profundas e sombrisas ondonadas...»[4].

Por un lado, destaquemos el hecho de que Rosalía capta como nadie antes que ella el paisaje castellano. No puede comprenderlo —tampoco lo comprendió Unamuno cuando lo vio por vez primera[5].

Por otro lado, no creo exagerado el decir que nunca antes de Rosalía habíamos visto con tal fuerza y realidad ese poder evocativo y ese sentimiento que se desprende de las cosas con sólo nombrarlas. La evocación de ciertas palabras nos coloca ante un paisaje, el gallego; más tarde, por el mismo procedimiento —el de dar a la palabra un pleno sentido— Machado nos situará ante el paisaje de Soria o ante los campos de Baeza[6].

---

[4] Prólogo a *Cantares gallegos*. *Obras Completas*, págs. 263-267.

[5] Unamuno es, en cierta forma, quien primero señala este descubrimiento de Rosalía al hablarnos de la impresión que el paisaje castellano le produjo. Señala la «incomprensión» por parte de la poetisa, mas trata de entender esa incomprensión, de justificarla, por venir de una persona criada en la tierra gallega, «que atrae como un nido entre dulces colinas, oyendo la melodía de las notas verdes de la gaita» («Discurso pronunciado en los Juegos Florales de Pontevedra» en 1912, *O. C.*, VII, págs. 812 y ss.).

[6] Las interesantísimas afinidades entre Machado y Rosalía no han sido estudiadas aún. Lo más importante, hasta la fecha, es el artículo de RAFAEL LAPESA: *Bécquer, Rosalía y Machado* (*Ínsula*, 100-101, Madrid, abril 1954).

Pero acaso lo más interesante de las páginas de Rosalía, así como el libro a que sirve de prólogo, es que, a través de la tierra, intenta la escritora captar el espíritu de los pueblos. La amarga visión del paisaje castellano está ligada a lo que Castilla significa para ella: la opresora. El contraste de esta tierra con los alegres y acogedores verdes de Galicia no tiene sólo una justificación estética.

A través del paisaje gallego quiere Rosalía penetrar en el espíritu de Galicia; para un Unamuno, un Baroja, un Azorín o un Antonio Machado, también el paisaje es una puerta hacia el alma de España. Mas no es ahora una sola región de España la que se intenta conocer: es España entera. Por los motivos que Unamuno señala en *En torno al casticismo* —mencionados ya—, el conocimiento de Castilla es fundamental para conocer a España. Porque la casta que hizo la España actual, la que conocieron los hombres del 98, es la castellana. Castilla impuso al resto de España sus formas de vida; esas formas —ve Unamuno— aún persisten.

En segundo lugar, esos pueblos solitarios —con sus viejas casas y sus iglesias viejas, y sus calles de siempre— y sus hombres —pobres y silenciosos— y los campos —secos, tristes, interminables— podrían muy bien ser tomados como un símbolo de la España en que vivían: pobre, cansada, sin futuro, soñando con un pasado definitivamente muerto.

Los escritores del 98 ven, como Rosalía, la monotonía de los campos castellanos, la sequedad, la sensación de soledad que esa tierra transmite, el cansancio que nos comunica el paisaje todo [7]. Pero no a pesar de

---

[7] Así describe BAROJA, en *Camino de perfección*, el paisaje que le rodea, las tierras cercanas a Madrid:

> «Y a medida que avanzaba la tarde calurosa, el cielo iba quedándose más blanco.
> Sentíase allí una solidificación de reposo, algo inconmovible, que no pudiera admitir ni la posibilidad del movimiento. En lo alto de una loma, una recua de mulas tristes, cansadas, pasaban a lo lejos, levantando nubes de polvo...
> ... El aire era cada vez más pesado y más quieto.
> ... Eran de una melancolía terrible aquellas lomas amarillas, de una amarillez cruda, calcárea, y la ondulación de los altos trigos» (págs. 104-105).

ello, sino precisamente por ello, llegan a amar la tierra castellana: su amor empieza, acaso, por compasión [8].

Con frecuencia, la tierra y las ciudades de Castilla traen al que las contempla recuerdos de tiempos pasados, es decir, de la historia. Sin embargo, si en un principio hallamos lo que Laín Entralgo llama un «ensueño histórico», poco a poco toda la historia se va fundiendo en el paisaje. Y queda éste. Quedan las tierras y los hombres, es decir, la intrahistoria. Tierra y hombres llegarán a ser el fin primordial de esa contemplación.

Unamuno descubre el paisaje castellano mucho antes que Machado. Y no sólo por ser mayor en edad. Hay varias razones. Acaso sea la principal el hecho de que para el vasco se trata de un paisaje completamente nuevo; no así para Machado.

Es verdad que —como se ha dicho muchas veces— Machado nació en la periferia de la península, como los otros escritores de su generación. Pero fue llevado a Madrid cuando contaba sólo ocho años. Desde muy joven hizo frecuentes excursiones por los alrededores de Madrid, y veía, desde pequeño, el Guadarrama perfilándose en el azul añil del cielo madrileño. Si bien es cierto que el sevillano «huerto claro donde madura el limonero» es un recuerdo de infancia, constante en su poesía, no lo es menos la sierra, el Guadarrama, el «viejo amigo» que en sus «tardes madrileñas» veía en el azul pintado.

Unamuno pasa en tierra vasca la niñez y primera mocedad. Su Bilbao, sus campos verdes y jugosos, no son cosas adormecidas en el fondo del mundo del recuerdo: son una presencia viva, un mundo, lejano en el espacio, con unos prados, y unos montes, y una llovizna, tan presentes, a pesar de la ausencia, como las sequedades del páramo castellano.

Es de suponer que, cuando un niño pequeño parte de una tierra a otra, lo nuevo se suma con lo dejado atrás, para convertirse después en un recuerdo único. ¿Cuáles son las tardes azules que evoca Machado en

---

[8] Compasión se refleja en estas palabras azorinianas:

«Estos labriegos secos, de faces polvorientas, cetrinas, no contemplan el mar: ven la llanada de las mieses; miran, sin verla, la largura monótona de los surcos en los bancales» *(El mar,* en *Castilla,* páginas 698-699.

La tierra de España

su vejez, las de Madrid o las de Sevilla? ¿No son más bien unas tardes únicas, madrileñas y sevillanas al mismo tiempo? Pero si el trasterrado ha dejado de ser un niño, la síntesis de paisajes no se produce: al contrario, se ven notablemente las diferencias. Y —quién sabe por qué— el paisaje presente es hostil siempre en las primeras aproximaciones. A todas horas tendemos a compararlo con el dejado atrás —irrecuperable ya, por más que luego intentemos volver a él—, y el nuevo puede parecernos un paisaje enemigo.

En el caso de Unamuno, en el primer escrito en que se refiere al paisaje castellano —*En Alcalá de Henares*, 1889— hallamos comprensión. Comprende ese paisaje, pero sus gustos personales se inclinan decididamente hacia el dejado atrás, hacia el vasco: «Prefiero mis encañadas frescas, mis paisajes de nacimiento de cartón, el cielo de nubes, los días grises»... «Este campo y este cielo me abruman y me parece que me arrancan de mí mismo» *(O. C., I, 154-155)*. Con estas rotundas palabras define el de Castilla: «El cielo es azul; todo lo demás, terroso» (pág. 151).

Las primeras impresiones, sin embargo, pueden variar mucho. En una afirmación sorprendente de 1908 hallamos este radical cambio de opinión: «Por mi parte, prefiero los paisajes serranos de Castilla y de Extremadura (a los del litoral cantábrico). Son más serios, más graves, menos cromo. Están, además, menos profanados por el turismo y por la banal admiración de los veraneantes» *(O. C., I, 481)*.

Declaraciones como ésta creo que no se repiten. Me parece, además, la citada una afirmación precipitada, producida por la aversión al turismo. La captación unamuniana del ambiente gris, lluvioso, capaz de adormecerlo como en los días de infancia, no es inferior a la del ambiente castellano. Si de su visión del paisaje castellano se ha hablado más, es sólo porque se trata de un descubrimiento, en parte, suyo. Pero tanta importancia tienen en su vida y en su obra los otros: «Aquellos paisajes que fueron la primera leche de nuestra alma; aquellas montañas, valles o llanuras en que se amamantó nuestro espíritu cuando aún no hablaba, todo eso nos acompaña hasta la muerte y forma como el meollo, el tuétano de los huesos del alma mía» *(O. C., I, 626)* [9].

---

[9] José Luis Abellán trata ampliamente el tema del paisaje vasco en la obra de Unamuno en su libro *Miguel de Unamuno a la luz de la psicología*.

Resulta evidente que para Unamuno existen dos queridos paisajes distintos, que jamás se funden: el que amó en la niñez —y sigue amando— y el que conoció y quiso luego. Los dos le son necesarios:

> Es Vizcaya en Castilla mi consuelo
> y añoro en mi Vizcaya mi Castilla,

ha de dejarnos dicho (*O. C.*, XIII, 528).

Esta situación nunca se produce en el alma de Machado, cuyos primeros recuerdos de Andalucía son sólo unos cuantos elementos concretos que a veces se le acercan, como se le acerca el niño que fue.

Si volvemos a evocar la primera visión que del paisaje de Castilla nos da Unamuno —la de Alcalá de Henares— y miramos luego páginas escritas años más tarde —pongamos por caso las de *En torno al casticismo*—, podríamos llegar a ver claramente que hay en don Miguel una voluntad de amar un paisaje: ése, el castellano, que es el *cielo azul*, y el resto *terroso*. Y esa voluntad, que se va afirmando cada vez más, nace cuando se comprende el sentido de Castilla y se convierte a Castilla —el corazón de España— en símbolo de la patria. Luego, como dije, el hombre —en este caso Unamuno— se queda a solas con el paisaje y llega a amarlo entrañablemente. A amarlo en su *intrahistoria* más que *por su historia*.

Llega a afirmar don Miguel que el amor al paisaje es tan importante para llegar a conocer a la patria que a ella se llega plenamente a través de él: «La primera honda lección de patriotismo se recibe cuando se logra conciencia clara y arraigada del paisaje de la patria, después de haberlo hecho estado de conciencia, reflexionar sobre éste y llevarlo a idea», escribe en 1915 (*O. C.*, I, 737).

Aventuré más arriba algunas afirmaciones acerca de Machado sobre las que quiero profundizar un poco.

Dije, en primer lugar, que descubre el paisaje bastante después que Unamuno —y que Azorín, y Baroja, podría añadirse—. Su confesión de

---

En su libro *Retrato de Unamuno*, LUIS GRANGEL estudia cuidadosamente el tema, tratando de ver las influencias del paisaje vasco en el carácter de Unamuno. La actitud unamuniana ante los dos paisajes —que ama y opone— está muy bien vista.

discípulo de la generación del 98, no de integrante de ella, podría ser una explicación, pero no es suficiente. Dije, además, que, aunque nacido en la periferia de España, por haber vivido gran parte de su infancia en Madrid y conocer la tierra castellana desde sus primeros años no se produce en él el choque que se produce en un Unamuno o en un Baroja [10].

En lugar de paisajes opuestos, de paisajes en lucha, por la poesía de Machado pasan —y van dejando su poso— una serie de paisajes que, lejos de ser irreconciliables, van sumándose unos a otros: acaso, más que opuestos, la Andalucía sevillana, Madrid, Soria y la alta Andalucía, sean complementarios.

Alguna excepción hay, es cierto. Pensemos en el poema *Recuerdos*, en el que hallamos dos paisajes opuestos, y hasta en lucha:

¡Oh Soria!, cuando miro los frescos naranjales
cargados de perfume, y el campo enverdecido,
abiertos los jazmines, maduros los trigales,
azules las montañas y el olivar florido;
Guadalquivir corriendo al mar entre vergeles;
y al sol de abril los huertos colmados de azucenas,
y los enjambres de oro, para libar sus mieles
dispersos en los campos, huir de sus colmenas;
yo sé la encina roja crujiendo en tus hogares,
barriendo el cierzo helado tu campo empedernido;
y en sierras agrias sueño —¡Urbión, sobre pinares!—
¡Moncayo blanco, al cielo aragonés erguido!
....
En la desesperanza y en la melancolía
de tu recuerdo, Soria, mi corazón se abreva.
Tierra de alma, toda, hacia la tierra mía,
por los floridos valles, mi corazón te lleva.

(*O. P. P.*, 173-174)

---

[10] ¿No podríamos ver en la consciente y constante oposición unamuniana de los dos queridos paisajes una manifestación más de su necesaria forma de pensamiento agónico?

Pero, curiosamente, en este caso se produce lo contrario que en el de Unamuno, o los otros; se diría un castellano llegado a Andalucía por primera vez y describiendo un paisaje que le es un tanto ajeno.

Hay otro poema, uno de los escritos poco después de la muerte de Leonor, en que hallamos el mismo fenómeno: Machado, nacido en Andalucía, mira las tierras andaluzas con ojos castellanos, aunque insista en hablarnos de sus recuerdos infantiles de Andalucía:

> Tengo recuerdos de mi infancia, tengo
> imágenes de luz y de palmeras,
> y en una gloria de oro,
> de lueñes campanarios con cigüeñas,
> de ciudades con calles sin mujeres
> bajo un cielo de añil, plazas desiertas
> donde crecen naranjos encendidos
> con sus frutas redondas y bermejas;
> y en un huerto sombrío, el limonero
> de ramas polvorientas
> y pálidos limones amarillos,
> que el agua clara de la fuente espeja,
> un aroma de nardos y claveles
> y un fuerte olor de albahaca y hierbabuena;
> imágenes de grises olivares
> bajo un tórrido sol que aturde y ciega,
> y azules y dispersas serranías
> con arreboles de una tarde inmensa;

(*O. P. P.*, 179)

Elementos vistos, unos; recordados en forma dispersa, otros. Remembranzas sueltas de una infancia más que de un paisaje.

Es que, para Machado, acaso el primer paisaje plenamente vivido y sentido —en forma consciente— es el castellano; el soriano, para hablar con más exactitud. El andaluz viene después. Y cuando llega —como paisaje plenamente sentido, quiero decir—, es el de la Andalucía de los interminables olivares, y los cortijos blancos, y la serranía, que no tiene mucho que ver con las «imágenes de luz y de palmeras» de la infancia [11]. ¿Cuándo se convierte el paisaje en elemento primordial de la poesía de Machado? ¿Por qué? La primera pregunta se puede responder con datos: no creo, ya lo dije, que podamos hablar de un paisaje anterior al de *Campos de Castilla* [12]. Por qué aparece en fecha tan tardía sí requiere explicación, y hay que buscarla.

Ya se ha señalado que, desde niño, Machado hacía frecuentes excursiones por los alrededores de Madrid, como todos los alumnos de la Institución; los profesores —ya lo sabemos— intentaban en esa forma inculcar en los niños el amor a la tierra [13].

Además de ese importante conocimiento directo, en Antonio Machado tienen que haber influido considerablemente las lecturas de algunas obras de Azorín, Baroja, y, muy especialmente, Unamuno, dada su enorme admiración por el gran vasco. Es de suponer que conocería y meditaría cuidadosamente sus visiones de los pueblos y campos castellanos, y nada extraño tiene que, cuando esté en continuo trato con esas tierras y con las gentes que las habitan, el conocimiento profundo de la obra unamuniana pese sobre su propia visión de esas tierras.

---

[11] Quiero advertir que no trato de negar el «andalucismo» de Antonio Machado ni intento catalogarlo como «poeta castellano». Creo más bien lo contrario, pero no es éste momento de discutirlo. Al decir del paisaje castellano que es el primer paisaje que vive y siente, he señalado —y quiero subrayar— *conscientemente*. Las «plazas» con sus «naranjos encendidos», el «patio donde madura el limonero»..., son cosas, objetos dispersos por entre los que un hombre maduro ha de buscar su infancia perdida. Puntos de referencia a que asirse en el pasado. De ello hablaré en otra parte.

[12] Téngase en cuenta la advertencia relativa a la aparición de los poemas que integran el volumen.

En *Soledades. Galerías. Otros poemas* hay un curioso poema, *A orillas del Duero*, en que el paisaje castellano aparece por vez primera. El paisaje de Soria, concretamente. En él figuran todos los elementos que han de reaparecer en paisajes posteriores. Aunque no está fechado, tiene que haber sido escrito en la primavera de 1907, época en que Machado visitó Soria para tomar posesión de la cátedra de Lengua Francesa del Instituto General y Técnico.

[13] José Luis ARANGUREN sostiene que es de Giner, en primer lugar, de quien Machado aprende a amar el paisaje *(Cuadernos Hispanoamericanos,* 11-12, pág. 385).

Pero Antonio Machado, siempre poeta de íntimas vivencias, necesitaba, además, y sobre todo, el convivir con las tierras y las gentes de Castilla para entender y sentir plenamente ese paisaje; para ver del todo el alma de esas tierras tristes.

Me parece, por tanto, que para que el poeta descubriese y llevase a su poesía el paisaje de Castilla, para que la poesía en que lo recoge y revive llegara a crearse, tuvieron que darse juntas las tres siguientes condiciones: un amor a los paseos por el campo y a las excursiones, nacido, sin duda, en los tiempos de la Institución; el conocimiento de unos paisajes vistos antes por los ojos de otros escritores: Unamuno, su gran admirado, especialmente [14]; y, sobre todo, el contacto directo y diario con las tierras y las gentes de Soria.

EL PAISAJE CONTEMPLADO

Unamuno y Machado descubren en los campos castellanos los mismos elementos y emplean para describirlos términos muy similares.

¿Cuáles son los elementos que llaman especialmente la atención de los dos escritores?

Vamos por partes.

1. *La configuración de la tierra.*—La primera vez que Unamuno se encuentre ante el campo castellano recibirá la impresión de hallarse ante una llanura interminable, amplia, ancha. «Ancha es Castilla», dirá en *En Alcalá de Henares* (O. C., I, 150) y repetirá incesantemente luego. «Recórrense a las veces leguas y más leguas desiertas sin divisar apenas más que la llanura inacabable»..., ha de escribir pocos años después en *En torno al casticismo* (O. C., III, 210).

Este paisaje monótono, donde todo es amarillento, produce una sensación de soledad y de melancolía tranquila. Los sustantivos y adjetivos que se emplean para describirlo van encaminados a producir esas sensaciones, no sólo de melancolía y soledad, sino también de sequedad y pobreza: estepa, páramo, pobre, seco, yermo, amarillez...

---

[14] La relación de Azorín y Machado, en lo que al paisaje castellano se refiere, es punto de gran interés que está aún por estudiar.

La llanura se ondula a veces en «colinas recortadas», que, con frecuencia, «muestran las capas del terreno resquebrajadas de sed». Porque la tierra de Castilla da la impresión de sequedad total. El campo es tierra, tierra seca.

Pero no es en la llanura propiamente dicha donde Unamuno ha de fijar mayormente su atención. Si al principio le impresiona, sobre todo, la enorme anchura de Castilla, al compenetrarse más con esa tierra, ha de fijarse, sobre todo, en las interrupciones, en lo que corta, por así decir, la llanura. Ya en *En torno al casticismo* ha de ver cerca de sí, no la tierra llana, sino las huesosas y descarnadas peñas, y los riscos, y —posiblemente por vez primera— se da cuenta de que «en el fondo (de muchos paisajes castellanos) se ve muchas veces el espinazo de la sierra» (*O. C.*, III, 210-211). ¿Qué sierra? Acaso se refiera a Gredos, o a la sierra de Béjar, o a la Peña de Francia, cercanas todas a Salamanca. Pero lo mismo podría ser la que Machado llamará «mole del Moncayo», o la sierra madrileña, el Guadarrama. Porque la meseta, el gran llano, se interrumpe de vez en cuando; hondos ríos la surcan y peladas sierras —más grandes o más pequeñas— la cruzan.

Unamuno, que recorre toda Castilla y trata de captarla entera, ve, pues, todos los aspectos de su terreno: llano interminable a veces; colinas, sierras desnudas otras; mucha tierra y mucha roca siempre. Como luego veremos, es el de la roca, Gredos, el que ha de quedar más fijo en él, el que ha de hacer más suyo. En la roca, en Gredos, pondrá simbólicamente el futuro de España.

En 1914 escribe estas líneas que considero de importancia primordial para mejor adentrarnos en sus paisajes castellanos: «La idea general corriente se figura a Castilla como un vasto páramo donde amarillea el rastrojo, monótono, tendido, árido; apenas se tiene en cuenta que Castilla está llena de sierras bravas y que su espinazo central, entre las cuencas del Duero y del Tajo, esa cordillera que ensarta las sierras de Guadarrama, Gredos, Béjar, Francia y Gata, es de lo más hermoso que puede verse...

«Podría decirse que los castillos que le valen hoy a Castilla su nombre son, más que los viejos torreones que están por donde quiera de ella desmoronándose, los castillos de tormos y peñascos que forman las entrañas de su suelo al levantarse a buscar cielo y tomar la luz de su sol. Pues Castilla muestra, al sol, su azote y su caricia, no ya sus entrañas, sino sus huesos, unos huesos caldeados, que a las veces abrasan al toque» (*O. C.*, VII, 305-306).

Tampoco es la de la llanura la Castilla de Machado.

Machado llegó a Castilla a través de Soria, y Soria no es tierra de llanuras, sino de sierras altas.

En los paisajes que ve hay siempre colinas, cerros, alcores, roquedas... dando variedad al suelo.

De la tierra surgen con frecuencia «calvas sierras» en tierra que no se deshace —como la que Unamuno toca a veces—; es tierra esta que ve, y pisa y toca Machado, tierra de pedregal; «otra vez roca y roca, pedregales / desnudos y pelados serrijones»...

Si en algunas descripciones empleaba Unamuno una serie de palabras encaminadas a acentuar la sensación de soledad y pobreza de estos lugares, algo parecido podemos observar en el vocabulario machadiano, sobre todo en la adjetivación, donde, junto con algún rastro que quizá venga de *En torno al casticismo,* hallamos gran riqueza y originalidad. Yermo, monótono, grave, parda, triste, pobre, seca, son adjetivos empleados antes por Unamuno. Machado los acepta y hace suyos. Pero, con su enorme capacidad para utilizar siempre el adjetivo justo, la palabra exacta, a éstos añade muchos más: *raída* (tierra), *agrios* (serrijones), *sequiza* (tierra), *grisientos* (breñales), y otros, cuya enumeración no viene al caso.

He dejado intencionadamente para el final las que llamaré, empleando el término machadiano, «tierras altas».

Para los dos escritores, Castilla es siempre algo muy concreto. Pero es curioso notar —y creo que se trata de pura coincidencia— que para ambos adquiere la tierra castellana un valor simbólico. Partiendo del hecho real de la altura, apunta Unamuno ya en 1899 cómo «en Castilla el espíritu se desase del suelo y se levanta, se siente un más allá, y el alma sube a otras alturas a contemplar sobre esos horizontes inacabables y secos una bóveda azul y transparente, inmóvil y serena» *(O. C.,* I, 153).

Algunos años más tarde, en 1907, en *Poesías,* Castilla, casi tierra, casi cielo, se convierte, podríamos decir, en puente entre cielo y tierra.

La tierra de España

En el conocido poema que abre la sección *Castilla* captamos, ante todo, la sensación de altura, de elevación, de tierra entre tierra y cielo. Mas siempre —no lo olvidemos— partiendo de la tierra. Castilla, tierra que quiere trepar hacia el cielo, nos eleva:

> Tú me levantas, tierra de Castilla,
> en la rugosa palma de tu mano,
> al cielo que te enciende y te refresca,
> al cielo, tu amo.

El cielo es «tu amo»: el de Castilla. Mas el suelo no se olvida. La palma de la mano que Castilla es, es rugosa: está endurecida, trabajada por el tiempo y por los hombres. Es «tierra nervuda, enjuta, despejada»; tierra de «desnudos campos».

Pero es la sensación de altura, de tierras altas, cercanas al cielo, lo que Unamuno quiere, sobre todo, traernos. Y a esa tierra quiere dar sus cantos, para que, purificados por el aire casi celestial, bajen de nuevo a la tierra de todos:

> Ara gigante, tierra castellana,
> a ese tu aire soltaré mis cantos,
> si te son dignos bajarán al mundo
> desde lo alto!

(O. C., XIII, 213)

¿Cuándo aparece Gredos, altura de la altura, en los paisajes castellanos de Unamuno?

Ya en 1903, en *La Flecha*, escribe: «Quiebra el horizonte la sierra de Gredos, como si el llano, al acabarse, se alzara al cielo en gigantesca oleada de espuma petrificada» *(O. C., I, 50)*.

En agosto de 1911, al bajar de Gredos, según confesión propia, escribe el poema *En Gredos*. Solo, con su España, descubre don Miguel que en esa roca late el corazón de la patria. Es en «la soledad rocosa de la cumbre» donde se está con la España verdadera:

> Es la mía, sí, la de granito
> que alza al cielo infinito,
> ceñido en virgen nieve de los cielos,
> su fuerte corazón,

un corazón de roca viva
que arrancaron de tierra los anhelos
de la eterna visión.
Aquí, a la soledad rocosa de la cumbre,
no de tu historia, sino de tu vida,
toca la lumbre;
aquí a tu corazón, patria querida,
¡oh mi España inmortal!...
....
Éste es tu corazón de firme roca
—¡altar del templo santo!—,
de nuestra tierra entraña,
éste es tu corazón que cielo toca,
tu corazón desnudo,
mi eterna España,
que busca al sol.

(O. C., XII, 833-834)

Castilla, la tierra alta, era el corazón de España; una altura dentro de la altura es el símbolo de ese corazón. Más aún: es el altar por el que se comunican tierra y cielo.

Es, acaso, en la parte *Sonetos de París,* del libro *De Fuerteventura a París,* donde la ausencia y la nostalgia de Gredos se hace más patente. La cima de la cima castellana se añora más que nunca desde la ciudad del Sena. Gredos aparece, como añoranza y esperanza, en varios de esos sonetos.

En uno de ellos, el número LXXVI, a Gredos se le eleva —si se le puede elevar más— a trono del Dios de España. El soneto entero es una respuesta «a la llamada del Dios de España, que tiene su trono en Gredos».

«¡Miguel! ¡Miguel!» Aquí, Señor, desnudo,
me tienes a tu pie, santa montaña,
roca desnuda, corazón de España,
y gracias, pues que no me sigues mudo.

(O. C., XIV, 568)

La tierra de España

De la configuración de las tierras hemos llegado a Gredos: al símbolo, al corazón de España. Si nos alejamos un poco del punto de partida, hemos seguido, sin embargo, los pasos de don Miguel, que del simple hecho físico, del sencillo descubrimiento de que Castilla no sólo es llanura, sino sierra, y altas montañas, y piedra, llega a convertir una de esas alturas castellanas en símbolo de la patria.

La presencia de la altura es constante en las visiones sorianas de Machado. Señalé que la tierra que el poeta pisa en sus paseos es, muchas veces, piedra. Hay, con frecuencia, «roca y roca», siempre colinas, cerros, alcores, es decir, tierras que se elevan.

A veces, al fondo de los campos castellanos está el Moncayo en las visiones de Soria, el Guadarrama en las de Madrid. Mas estas altas sierras no llegan a significar para el poeta lo que Gredos para Unamuno. En los paisajes machadianos, el Moncayo es parte integrante de la visión de las «tierras altas», o del «alto llano», como llama a las tierras de Soria [15].

Así como Unamuno nos transmite la sensación de altura al hablar de la meseta castellana en general, y muy en particular al referirse a Gredos, así también Machado en sus visiones de las tierras sorianas.

Hay que hacer, sin embargo, una observación. La sensación que podemos sentir en Gredos —que comienza por ser puramente física— no la experimentamos en Soria, donde nos sabemos en tierras altas, pero no sentimos —o, mejor, no vemos— físicamente la altura, excepto cuando subimos a los «picos donde habita el águila». ¿Podríamos decir que, cuando Machado habla con insistencia de tierras altas, lo hace en forma un tanto intelectualizada? Al principio, como Unamuno en sus primeras descripciones de Castilla, y posiblemente un poco influido por él, creo que la respuesta podría ser afirmativa. Machado ve, siente en sus pies y en su cuerpo el suelo de roca y roca, el calor, el olor a romero o to-

---

[15] Un cierto simbolismo adquiere el Guadarrama en el poema dedicado a la muerte de Giner de los Ríos, que en algo podría recordarnos al que Unamuno pone en Gredos. Pero, si creemos a Machado, «el renacer de España» desde el Guadarrama es símbolo inventado por el propio Giner.

millo, pero no siente en la misma forma el alto llano, aunque sepa que está sobre él.

En los paisajes de la Soria en que vive, los términos «alto llano» o «tierras altas» aparecen algunas veces. Acaso la conciencia de saberse a muchos metros sobre el nivel del mar los suscita; acaso también la insistencia de Unamuno en hablar de la altura de Castilla le haya obsesionado un poco.

Pero más tarde notamos que se va operando una transformación en el sentido de los términos «alto llano» y «tierras altas», a los que podrían añadirse «alta paramera», «tierra fronteriza entre la tierra y la luna», «alto solar del romancero». Es que, cuando el poeta deja Soria, la ciudad se convierte para él en símbolo de lo inalcanzable; adquieren en este momento, por tanto, los términos que se refieren a la altura un valor simbólico.

Algunos elementos concretos que le habían impresionado en sus primeros contactos con tierra soriana —rocas, alcores, colinas...— quedan, a la hora de la partida, grabados en sus sentidos. Sin embargo, es curioso notar cómo se van borrando poco a poco; al ser contemplada la tierra de Soria desde el recuerdo, los detalles se pierden, y el poeta se queda, cada vez más, con el puro «alto llano», que tienen los montes —parte del conjunto— al fondo. «¡Cómo en el alto llano tu figura / se me aparece!»..., dirá muchos años después de dejar las tierras altas. Más recordado será el alto llano cuanto más alejado se sienta físicamente de él el poeta.

Poco antes de su muerte evocará esas tierras nombrándolas en forma distinta:

> En los yermos altos
> veo unos chopos de frío
> y un camino blanco,

ha de escribir, guardando así en su memoria la altura, el frío, y el color de Soria. Elementos los tres reales, pero llenos, al mismo tiempo, de posibilidades simbólicas.

2. *Los colores de Castilla.*—Entre los rasgos «físicos» que Unamuno y Machado destacan en el paisaje de Castilla, el color tiene un lugar

predominante. Castilla, aunque sea tierra «de alma toda», entra por los sentidos. Y por la vista se percibe el color.

Desde su primera visión, Unamuno habla de la ausencia de color, que es una forma de hablar de él: «El cielo es azul, todo lo demás terroso», escribía, como vimos ya, en 1889. Y, como contraste lejano, atrás quedaban los montes verdes de su tierra vasca.

En las páginas de *En torno al casticismo*, en que va detallando cuidadosamente todo lo que sus ojos ven, en cuanto a color se refiere no se añade mucho a lo observado algunos años antes. El cielo es azul, no sólo azul, sino de un azul intensísimo, pero las tierras son «como un mosaico de pobrísima variedad», diferentes tonos del mismo color terroso, o pajizo, interrumpido a veces por algunas «pardas encinas», o —«encinas de un verde viejo»— algunos «tristes pinos», y «unos pocos álamos».

La misma sensación de color único nos producen los extraordinarios versos escritos en 1913:

> Corral de muertos, entre pobres tapias
> hechas también de barro,
> pobre corral donde la hoz no siega;
> sólo una cruz en el desierto campo
> señala tu destino...
>
> (*O. C.*, XIII, 831)

El contraste entre el pobre color de la tierra y el cielo, de un azul intensísimo, es tan crudo que llega a veces a ser francamente violento.

Si el color uniforme de la tierra se interrumpe de vez en cuando por alguna oscura encina, por alguna amapola, por el trigo que, acaso, verdea, o por el rastrojo, el cielo puede adquirir, con la luz del atardecer, variados tonos: el azul intensísimo a la hora del crepúsculo puede cambiar mucho. A veces, el sol «se hincha al tocar el horizonte como si quisiera gozar de más tierra, y se hunde, dejando polvo de oro en el cielo y en la tierra sangre de luz».

Si Unamuno ve estas tierras pobres en matices y fuertes en sus contrastes de luz y sombra, Machado, por el contrario, ha de descubrir en el paisaje soriano una gama insospechada de matices y tonos que se complementan.

La tierra es parda vista de cerca; al elevarse un poco —en cerros, roquedas, alcores— suele ser gris; cuando la elevación es mayor, la coloración es gris, azul o blanca. Siguiendo una técnica impresionista, los tonos cambian de acuerdo con la hora, o, mejor dicho, con la luz. Por eso, al atardecer, una roqueda o un color pueden adquirir tonos cárdenos —«y cárdenos alcores sobre la parda tierra»—, o violeta a la hora del amanecer —«Tras los montes de violeta / quebrado el primer albor»—.

La luz crepuscular añade siempre colorido a las tierras. El cielo adquiere también tonalidades variadísimas a esa hora: cárdenos o violeta —o ambos al tiempo— unas veces —«el cárdeno cielo violeta»—, o anaranjados —«una franja de sol anaranjado»—, o dorados —«una tarde dorada está dormida»—. A veces, las nubes crepusculares son «de carmín y llama»...

Aunque el gris —o grisáceo— domina en las visiones machadianas del suelo de Castilla, ve el poeta —como dije— matices que, lejos de contrastar —como los colores que capta Unamuno—, se complementan. Gris, o algún matiz de gris, se acusa no sólo en los «llanos plomizos», sino también en los «grisientos breñales», en los «plomizos» peñascales, en los cerros «de plomo y ceniza». El plateado, otro matiz del gris, suele reservarse algunas veces para ciertas lomas y colinas, mas, en general, para el agua del río: del Duero, de aguas plateadas.

Hay más verdes en la Soria de Machado que en los paisajes castellanos de Unamuno. Siempre, es cierto, verdes tímidos. Son verdes los álamos del río; lo es algún verde pradillo...

El blanco, que adquiere gran importancia más tarde, después de *Campos de Castilla* y de la muerte de Leonor, suele tener un valor simbólico. Aparece, sobre todo, en la Soria vista desde el recuerdo; luego estará muy presente en las visiones de Andalucía.

3. *El clima.*—Las temperaturas extremas, las grandes nevadas, el paso de las largas sequías a las lluvias torrenciales, es punto que Unamuno comenta ampliamente en *En torno al casticismo,* viendo en ellos las causas de la pobreza del terreno, de la configuración de la tierra y los colores —sin matices, dice él— de los campos.

La tierra de España

Ya en *En Alcalá de Henares* menciona «los campos secos», hace alusión al fuerte sol, cuyos rayos al caer borran los matices, dejando crudos contrastes de luces y sombras, y se los imagina —escribe en el mes de noviembre— «en los días ardientes de julio, sentado en las orillas del Henares, a la sombra de un álamo». Ese álamo y esa sombra, muy acertadamente puestos ahí, logran lo que el escritor se propone: librarnos del sol, que se nos hace imposible soportar.

En *En torno al casticismo*, lo que en el ensayo anterior sólo era una intuición se convierte en un minucioso análisis, que lleva a la conclusión de que las condiciones climatológicas hacen tal como es la tierra de Castilla [16].

Ese crudo invierno, con sus nieves, el fuerte calor —siempre con el ardiente sol de estío—, son elementos casi constantes en la Castilla que ve y siente Unamuno; lo es igualmente el viento, ya en toda su fuerza, ya dulcificado en brisa.

---

[16] La explicación de Unamuno, de carácter científico, es detalladísima. «Como todas las masas de tierra, se calienta e irradia su calor antes que el mar y las costas que éste refresca y templa, más pronta en recibirlo y en emitirlo más pronta. De aquí resulta un extremado calor cuando el sol la tuesta, un frío extremado cuando la abandona; unos días veraniegos y ardientes, seguidos de noches frescas, en que tragan con deleite los pulmones la brisa terral; noches invernales heladas en cuanto cae el sol brillante y frío, que en su breve carrera diurna no logra templar el día. Los inviernos, largos y duros, y los estíos, breves y ardorosos, han dado ocasión al dicho de «nueve meses de invierno y tres de infierno». En la otoñada, sin embargo, se halla respiro en un ambiente sereno y plácido. Deteniendo los vientos marinos, coadyuvan las sierras a enfriar el invierno y a enardecer el verano; mas, si bien impiden el paso a las nubes mansas y bajas, no lo cierran a los violentos ciclones que descargan en sus cuencas, viéndose así grandes sequías seguidas de aguaceros torrenciales.

... ...

Los grandes aguaceros y nevadas, descargando en sus sierras y precipitándose desde ellas por los empinados ríos, han ido desollando siglo tras siglo el terreno de la meseta, y las sequías que lo siguen han impedido que una vegetación fresca y potente retenga en su maraña la tierra mollar de acarreo. Así es que se ofrecen a la vista campos ardientes, escuetos y dilatados, sin fronda y sin arroyos, campos en que una lluvia torrencial de luz dibuja sombras espesas en deslumbrantes claros, ahogando los matices intermedios. El paisaje se presenta recortado, perfilado, sin ambiente casi, en un aire transparente y sutil» (*O. C.*, III, 209-210).

Es muy posible que las observaciones de Unamuno hayan impresionado a Machado. Las sensaciones de calor ardiente y de frío intenso son inseparables de su Castilla. Pero hay que repetir una vez más que no se introducen en su poesía hasta que no las experimenta con sus sentidos.

Primavera y otoño parecen ser las estaciones favoritas de don Antonio, si consideramos lo muy presente que están a lo largo de toda su obra. Sin embargo, las sensaciones de calor «de sol ardiente» y de «frío intenso» predominan en *Campos de Castilla*.

El sol fuerte, extenuante, casi como un castigo, es frecuente en los primeros paisajes de Soria: «sobre los agrios campos caía un sol de fuego», leemos en uno de los primeros versos de *A orillas del Duero*.

En contraste con los días ardientes, los inviernos son fríos en extremo. «Soria fría», «es la tierra de Soria árida y fría», dice el poeta.

Con frecuencia, la nieve va unida al invierno, a veces con el único propósito de contribuir a darnos la sensación de frío invernal [17].

---

[17] Muchas veces la nieve adquiere un valor simbólico; en los poemas escritos tras la muerte de Leonor tendrá el mismo simbolismo del color blanco: la muerte, o lo muerto. Pero aun antes de este momento la hallamos, con frecuencia como elemento capital.

Es muy interesante, en este aspecto, la parte V de *Campos de Soria*. En el poema, la nieve es tan importante como la familia que compone el interior del cuadro, si no más. Sobre esa blanca nieve se perdió el hijo. Esa blanca nieve que estaba antes, como ahora, fuera, haciendo cruel contraste con el mundo de dentro: con la escena que se desarrolla dentro de la cocina. Por otros motivos volveré más adelante sobre el poema. Por ahora quiero señalar que, aparte del valor simbólico —causa de la muerte del hijo e imagen de la tierra muerta, que puede ser el presente de España—, la insistencia con que la palabra *nieve* se menciona —cinco veces casi seguidas en veinticinco versos— va encaminada a producir en nosotros la sensación física de frío. *La nieve*, con punto final, abre el poema, y, desde el principio, mediante una palabra evocadora el poeta logra situarnos en un ambiente que luego va enriqueciendo en los versos que siguen:

> La nieve. En el mesón al campo abierto
> se ve el hogar donde la leña humea
> y la olla al hervir borbollonea...

A veces, como en la Castilla de Unamuno, el viento acompaña al frío. Así en los versos que siguen a los que acabo de citar:

La nieve es inseparable de los altos picos; no es extraño tampoco sentir su silencio cayendo sobre la tierra. Así, cuando los hospicianos la contemplan, «de los cielos, como sobre una fosa, / caer la blanca nieve sobre la fría tierra, / sobre la tierra fría la nieve silenciosa».

4. *La flora.*—Tanto Unamuno como Machado fijan la atención en algunos árboles y alguna planta —humildes, pobres plantas silvestres— de los campos de Castilla.

Como señalé, Unamuno percibe, en primer lugar, la carencia de verde en el paisaje castellano: «En el fondo —dice sobre alguno de estos paisajes— se ve muchas veces el espinazo de la sierra, y al acercarse a ella, no montañas redondas en forma de borona, verdes y frescas, cuajadas de arbolado, donde salpiquen al vencido helecho la flor amarilla de la argoma y la roja del brezo. Son estribaciones huesosas y descarnadas peñas erizadas de riscos, colinas recortadas que ponen al desnudo las capas del terreno resquebrajadas de sed, cubiertas cuando más de pobres hierbas, donde sólo levantan cabeza el cardo rudo y la retama desnuda y olorosa, la pobre *ginestra contenta dei deserti* que cantó Leopardi»[18].

La insistencia en señalar la pobreza de las plantas que nacen del suelo castellano se repite posteriormente. Notemos que su olor nos llega aun antes de verlas: es un dato muy auténtico que Unamuno captó bien.

Como en otras ocasiones pudimos observar, Machado, que ve también —y, sobre todo, huele— las plantas campesinas, distingue entre aquéllas una mayor variedad que Unamuno. Las sentimos aún más cercanas que las de los campos que Unamuno describe; las tocamos con nuestros pies y las olemos intensísimamente, con el poeta, en la subida al monte, «hollando las hierbas montaraces / de fuerte olor —romero, tomillo, salvia, espliego—».

El cierzo corre por el campo yerto
alborotando en blancos torbellinos
la nieve silenciosa...
(O. P. P., 147-148)

[18] *En torno al casticismo (O. C.,* III, 210). Casi las mismas palabras había escrito en 1889, en el citado *En Alcalá de Henares* (véase *O. C.,* I, 150).

En algunos poemas, la maleza y yerbas montaraces están puestas para acentuar no sólo la pobreza, sino también el descuido, el abandono de la tierra.

En *A orillas del Duero,* la tierra rocosa y pobre aún lo parece más por estar llena de «malezas y jarales, / hierbas monteses, zarzas y cambrones» *(O. P. P.,* 132-133).

El mismo propósito parecen tener en *Un loco* los «sombríos estepares, / colinas con malezas y cambrones...» *(O. P. P.,* 139-140).

Cuando Unamuno contempla el paisaje castellano en Alcalá de Henares, apenas ve árboles. Ve, «a lo lejos, el festón de árboles de la carretera, amarillos ahora» *(O. C.,* I, 150).

¿Qué árboles? Notemos que no especifica. Ello no es común en los paisajes de Unamuno, gran conocedor —como también Machado— de los árboles, que suelen figurar con su nombre particular. Un poco más adelante añora la sombra de un álamo en el mes de julio; unos párrafos antes había dicho que el Henares tiene «frondas riberas festoneadas de álamos negros y álamos blancos». ¿Serán álamos también los que forman el festón de la carretera?

Por lo visto es éste el único árbol que Unamuno distingue al enfrentarse por vez primera con el paisaje castellano. Luego verá otros; al principio no, apabullado por el cielo azul intenso y la tierra terrosa de Castilla.

Seis años más tarde, en la llanura amarillenta, ha de hallar algunos árboles. Pocos, pero precisará cuáles. De vez en cuando, «alguna procesión monótona y grave de pardas encinas, de verde severo y perenne, que pasan lentamente espaciadas, o de tristes pinos que levantan sus cabezas uniformes...» *(O. C.,* III, 210).

La encina es el árbol que impresionó a don Miguel más intensamente. *Mar de encinas* titula un poema de 1906. Mucho más tarde reaparecerá con frecuencia.

Antes del poema de 1906, en 1903 —*La Flecha*— aparece la encina en contraste con el álamo: «La grave encina, vestida siempre e inmóvil, se esparce por la llanura, mientras el álamo se recoge junto a los ríos, riberas y regatos, mirando en las aguas cómo tiembla al aire» *(O. C.,* I, 51).

Árboles totalmente humanizados estos que muestra. Recordemos que para Unamuno el árbol es casi hombre, como en una de sus últimas novelas queda claramente expresado: «Ayer anduve por el monte, conversando silenciosamente con los árboles. Pero es inútil que huya de los hombres: me los encuentro en todas partes; mis árboles son árboles humanos. Y no sólo porque hayan sido plantados y cuidados por hombres, sino por algo más. Todos estos árboles son árboles domesticados y domésticos» *(O. C.,* XVI, 633-634).

En Zamora está fechado el poema *Mar de encinas,* al que arriba hice referencia. En él la encina es ya un claro símbolo del pueblo de Castilla. Más: del pueblo de España; quizá de la intrahistoria de España:

> En este mar de encinas castellano,
> vestido de su pardo verde viejo
> que no ceja, del pueblo a que cobija
> místico espejo.

Así como, más tarde, Machado ha de ver en el roble el corazón de Castilla, Unamuno lo ve en la encina, que es corazón del corazón —piedra— de la tierra castellana:

> Es su verdura flor de las entrañas
> de esta rocosa tierra, toda hueso,
> es flor de piedra su verdor perenne,
> pardo y austero.
>
> Es, todo corazón, la noble encina
> floración secular del noble suelo
> que, todo corazón de firme roca,
> brotó del fuego
> de las entrañas de la madre tierra.
>
> *(O. C.,* XIII, 215) [19].

---

[19] Muchas de las ideas de este poema vuelve a recogerlas, en prosa, en 1911: «El follaje de estas pardas encinas de Castilla, de estos árboles solemnes que brotan de la roca misma, de las entrañas de la tierra, es inmoble al viento, es apretado y denso y es perenne. No cae en invierno, como cae el follaje más movedizo de los robles. La encina parece un árbol férreo; ni el

También Antonio Machado humaniza los árboles. En tierras de Castilla, los que más llaman su atención —aunque no sean los únicos— son el chopo —o álamo—, el roble y, coincidiendo con Unamuno, la encina [20].

El chopo —o álamo— pasa de mero elemento decorativo a ser una especie de símbolo afectivo, relacionado con el amor, primero; con el recuerdo de Leonor, después.

Figura ya en las primeras visiones del paisaje soriano, siempre al lado del río:

... las márgenes del río
lucir sus verdes álamos al claro sol de estío,

escribe pronto *(O. P. P., 127)*.

Poco después:

Estos chopos del río que acompañan
con el sonido de sus hojas secas
el son del agua cuando el viento sopla,
tienen en sus cortezas
grabadas iniciales que son nombres
de enamorados, cifras que son fechas.

(O. P. P., 149)

Ha de ser elemento constante en la Soria vista desde el rescuerdo, y, como señalé, en la memoria quedan, unidos a la imagen de Leonor.

Si al chopo se acercó Machado en sus paseos por las márgenes del Duero, solo primero, con Leonor después, acaso hacia la encina le llevó inicialmente don Miguel de Unamuno.

---

vendaval la dobla y la sacude, como hace estremecer al chopo la más ligera brisa» *(O. C., I, 624)*.

En 1913 ha de llamarla «símbolo y emblema secular de esta tierra», en un artículo que titula *Entre encinas castellanas (O. C., I, 1016-1019)*.

[20] El chopo es un tipo de álamo. Me parece ver que Machado habla indistintamente de unos y otros.

En *Campos de Castilla* y en los poemas escritos inmediatamente después, y más tarde —en los andaluces—, la encina ha de ser otro de los elementos inseparables de los paisajes que Machado vive y hace vivir. Si comparamos el antes citado *Mar de encinas* —de 1906— con *Las encinas* de Machado, escrito después de *Campos de Castilla*, podemos ver en el último algunas posibles influencias unamunianas:

> Encinares castellanos
> en laderas y altozanos,
> serrijones y colinas
> llenos de oscura maleza,
> encinas, pardas encinas:
> ¡humildad y fortaleza!...

Humilde, fuerte y parda la veía también Unamuno, naciendo de la «rocosa tierra, toda hueso».

Y volviendo a insistir en la sencillez y falta de brillo, en la monotonía y oscuridad del color:

> ¿Qué tienes tú, negra encina
> campesina,
> con tus ramas sin color
> en el campo sin verdor;
> con tu tronco ceniciento
> sin altivez ni altiveza,
> con tu vigor sin tormento,
> y tu humildad, que es firmeza?
>
> En tu copa ancha y redonda
> nada brilla,
> ni tu verdioscura fronda
> ni tu flor verdiamarilla...

Por un momento está a punto de aceptar el símbolo unamuniano:

> El campo mismo se hizo
> árbol en ti, parda encina,

dice. Y recordemos que Unamuno la había llamado «flor de las entrañas de la tierra».

Para Machado no llega a serlo, pero tiene otras virtudes, que había visto también Unamuno:

> Ya bajo el sol que calcina,
> ya contra el hielo invernizo,
> el bochorno y la borrasca,
> el agosto y el enero,
> los copos de la nevasca,
> los hilos del aguacero,
> siempre firme, siempre igual,
> impasible, casta y buena...

Y Unamuno:

> Cuando desuella estío la llanura,
> cuando la pela el riguroso invierno,
> brinda al azul el piélago de encinas
> su verde viejo...

Finaliza Machado con estos versos:

> Ya sé, encinas
> campesinas,
> que os pintaron con lebreles
> elegantes y corceles
> los más egregios pinceles,
> y os cantaron los poetas
> augustales,
> que os asordan escopetas
> de cazadores reales;
> mas sois el campo y el lar
> y la sombra tutelar
> de los buenos aldeanos
> que visten parda estameña,
> y que cortan vuestra leña
> con sus manos.

Para Unamuno era la encina misma la que vestía de pardo; tal vez la encina era el hombre, y el hombre, la encina.

Machado se acerca mucho en este poema a Unamuno, decía [21]. Para don Antonio, la encina es también un árbol humanizado y simbólico; pero, más que símbolo del corazón —es decir, de la intrahistoria— de España, es símbolo de una clase: la campesina —clase que, naturalmente, es intrahistórica—. Por eso, varias veces a través de la composición le llama a la encina «campesina».

Hay otro árbol que para Machado representa, al menos en un momento, el corazón de España: es el roble. «El Duero cruza el corazón de roble / de Iberia y de Castilla», dice en *A orillas del Duero*, y así, en la estrofa final de *El Dios ibero:*

> Mi corazón aguarda
> al hombre ibero de la recia mano
> que tallará en el roble castellano
> al Dios adusto de la tierra parda.
>
> (*O. P. P.*, 132)

Sin embargo, a pesar de todo lo que en el roble pone, me parece más auténtico el Machado de los chopos y encinas. El roble es una abstracción; los otros son árboles vividos. Prueba de ello es que le han de acompañar más a través de toda su vida y poesía.

Queda aún algo por decir a propósito de las encinas.

En 1922, don Miguel publicó un artículo titulado *Flor y corazón de encina* (*O. C.*, V, 1111-1114), un comentario, en parte, a los versos de *El Dios ibero*, de Machado, que acabo de citar. No sólo tiene interés el artículo por este motivo, sino por todo lo que a continuación iremos viendo. «Decíamos, al comentar unos versos de nuestro poeta preferido, Antonio Machado, que mejor que tallar en roble al dios hispano, al dios adusto de la tierra parda, es tallarlo en el corazón de encina, de que se hacen dulzainas». Unos párrafos más adelante repite ideas dadas ya en el poema de 1906: «¡La encina inmoble al viento, como si fuese un árbol metálico, robusta y recia, de hoja perenne y de corteza que es

---

[21] Véase completo el poema *Las encinas,* en *O. P. P.*, 134-137.

como una armadura; la encina de crecer lento, la encina que arraiga en las rocas, en las entrañas pedernosas de la tierra...»

Pero en el poema de 1906 había pasado por alto un elemento importante de la encina que Machado vio: la flor verdiamarilla, que, sin brillo alguno, pasa casi inadvertida.

Ahora, en 1922, Unamuno dedica algunos párrafos a esa flor, en la que Machado se había parado un momento, para decirnos que no brilla. «A la flor de la encina —escribe—, llamada «candela», no la conocen todos; no salta a los ojos. Un profano, un urbano —y no decimos ciudadano—, un hombre de calle y de plaza pública, puede recorrer un encinar con los árboles en flor sin reparar en ésta, sin percatarse de la floración. Y es que la candela, que cuelga como un pobre carambanito verde, se esconde entre las hojas, de cuyo color se diferencia muy poco. Es su verdura algo más tierna que la del follaje, lo mismo que el leño del corazón es melodioso y más denso que el de las ramas y el del exterior del tronco».

Y, al mismo tiempo que el de la encina sigue haciendo el corazón de España, vemos cómo en cierta forma la acepta también, al modo de Machado, como símbolo de los hombres que a su sombra viven, del campesino: «Y había que ver si ese corazón, esa flor y ese fruto no son símbolos del corazón, de la flor y del fruto del pueblo que entre los encinares se ha formado».

Así, pues, si al principio Unamuno le descubre a Machado una serie de posibilidades encerradas en este árbol-hombre, las visiones primeras de Unamuno se enriquecen con las de Machado, produciéndose una vez más un fenómeno de reflujo.

Creo innecesario ahondar en más detalles o dar una relación más completa de los árboles que pasan y quedan en la Castilla vista por los dos escritores. Si he insistido en este tema es porque me parece importante esa experiencia directa de la naturaleza, ese sentido del valor del árbol. Al pueblo español —cosa curiosa— no le preocupan mucho los árboles; los escritores no suelen ser excepción. Esa experiencia directa, ese conocimiento auténtico que hallamos en Unamuno y en Machado es cosa rara entre nosotros.

5. *Otros elementos*.—Creo que en los elementos analizados es donde se dan las mayores aproximaciones entre lo que contemplan Unamuno y Machado en el paisaje de Castilla. Dejo fuera elementos que figuran sólo en la poesía de uno de ellos, porque son aproximaciones, no diferencias, lo que buscamos.

Al llegar a este punto no puedo dejar de hacer una observación: asombra la poca o ninguna importancia que en los paisajes castellanos de Unamuno tiene la fauna. Asombra mucho más si pensamos que nos ha dejado uno de los mejores poemas de nuestra poesía inspirado en un animal, la *Elegía en la muerte de un perro* [22]. Pero se trata en este caso, y en otros semejantes, de un animal específico, humanizado.

Lo que no hallamos —o hallamos escasísimamente— es el animal —como la planta, o el árbol, o el hombre— parte de la tierra, tan frecuente en los paisajes de Machado.

En los pocos momentos en que alguno aparece —y no en el campo, sino en las ciudades—, se trata casi siempre de aves; entre éstas, coincidiendo con Machado, cigüeñas y vencejos. Aun así, le interesan —el vencejo sobre todo— por lo que el pueblo ve en él: símbolo de la inmortalidad, pues, según una vieja tradición popular, los vencejos que se van y retornan cada año son siempre los mismos.

En los campos y ciudades que describe Machado, las aves son un elemento primordial. No hay apenas torre sin cigüeña o cielo azul sin águila. Águilas y cigüeñas son, a partir de *Campos de Castilla*, casi inseparables de su poesía. Y el pobre y feo vencejo —¿conocía Machado la leyenda popular?, ¿la aprendió a través de Unamuno?— que revolotea por las plazas de Soria ha de revolotear mucho más tarde, en torno al campanario, en *Muerte de Abel Martín*.

No me detuve en ciertos elementos, como el camino o el río, por varias razones.

---

[22] No olvidemos tampoco al «Orfeo» de *Niebla*, que es un perro totalmente humanizado.
Hay otros animales —la vaca del poema dedicado a Paul Valéry, por ejemplo— humanizados también.
Otras veces el animal tiene un sentido puramente simbólico, como el águila, el león y el toro de *El Cristo de Velázquez*.

En el primer caso —el del camino— porque, a pesar de las apariencias, no es —el camino o el caminar— en la obra de los dos escritores elemento que forme parte de un paisaje concreto, sino siempre elemento simbólico [23].

Por razones parecidas, tampoco me detengo en los ríos. Son parte del paisaje —además de llevar siempre un simbolismo— en la obra de los dos escritores. Pero no creo ver en ello intercambio alguno de influencias.

Los ríos aparecen constantemente en la obra de Unamuno; están también muy presentes en la de Machado, en la que, aunque el Duero es el primero que hallamos con nombre concreto, hay ríos desde antes de que el paisaje castellano fuese descubierto por el poeta. Como toda agua, habría que relacionar los ríos machadianos más con el tema del tiempo que con el paisaje [24].

---

[23] El camino en la obra de Antonio Machado se ha estudiado ya. Véanse, entre otros, los estudios siguientes: EMILIO OROZCO DÍAZ: *Machado en el camino* (Universidad de Granada, 1962); CONCHA ZARDOYA: *Los caminos de Antonio Machado* (*La Torre, Revista General de la Universidad de Puerto Rico*, núms. 45-46, enero-julio 1964); RAMÓN F. RUIZ: *El tema del camino en la poesía de Antonio Machado* (*Cuadernos Hispanoamericanos*, LI).

[24] CARLOS BLANCO AGUINAGA, en su *Unamuno contemplativo*, estudia muy bien el símbolo del río en la obra unamuniana.

Para Unamuno, dice, «que busca la quietud bajo todo movimiento, los ríos significan precisamente la posibilidad de sentir y comprender la 'inmovilidad en medio de las mudanzas': a lo largo de toda su obra, los ríos significan la armonía de los contrarios —que tanto angustia al agonista—, tiempo y eternidad, cambio y permanencia...» (pág. 173).

En la misma página, en una importante nota, afirma que, «en un sentido más elemental y tradicional, los ríos significan también para Unamuno el correr de la vida hacia la muerte. Haciéndose eco de Manrique (y en *un tono no poco machadiano*), dice, por ejemplo: 'los ríos a la mar... es la costumbre, / y con ella pasamos'». (El subrayado es mío.)

Acaso, como afirma Blanco Aguinaga, algo haya de machadiano en el tono. Pero, sobre todo, creo que en ambos ha influido Manrique, no sólo con el conocido símbolo, sino también con su acento intensamente temporal.

Me parece que los simbólicos ríos de Jorge Manrique están muy presentes en la obra de los dos escritores. Nada de extraño tiene, pues sabemos que el autor de las *Coplas* era poeta favorito de ambos, como manifestaron en diversas ocasiones [25].

[25] Después de terminado el presente estudio vi el libro de ADELA RODRÍGUEZ FORTEZA *La Naturaleza y Antonio Machado*, publicado en 1965. Constituye una aportación valiosa a los estudios machadianos.

Muchos de los aspectos que analizo en mi trabajo, en relación con los paisajes vistos por Machado y con los elementos naturales que los integran, están profundamente estudiados en el libro de Adela Rodríguez Forteza. Coincido con ella en muchos puntos de vista, en muchas apreciaciones. El estudio que hace de algunos «elementos naturales» —tierra y agua, entre otros— es completísimo. Uno de los aspectos más importantes del trabajo es, en mi opinión, todo lo referente al estudio del paisaje andaluz en la poesía de don Antonio, tema que se había mencionado con frecuencia, pero donde no se había penetrado apenas.

Capítulo III

PUEBLOS Y CIUDADES DE ESPAÑA

Las ciudades y pueblos de España son parte integrante de los paisajes de Unamuno; mejor dicho, son paisaje, y como paisaje están recogidos en sus libros de viaje y en sus numerosos artículos.

El caso de Machado es distinto. Si exceptuamos a Soria, poco sabemos de los detalles, podríamos decir, «externos» de las ciudades en que vive, o visita: sólo alguna que otra nota, relacionada casi siempre con alguna circunstancia, concreta o soñada. Viajero constante, no se dejó llevar —como Unamuno y Azorín hicieron hasta la exageración— por la un tanto fácil manía de pasar al papel todo lo que su mirada registró.

Al hablar de Soria, algo de ella nos describe; poco nos dice de Baeza o Segovia, ciudades ambas, sin embargo, presentes en su obra.

No voy a referirme al pueblo o ciudad como paisaje, aunque a veces lo veamos en esa forma; cómo son por dentro esos pueblos y ciudades, cómo se desarrolla en ellos la vida, según Unamuno y Machado, es lo que intentaremos ver.

Veámoslo, en primer lugar, en la vida provinciana; en segundo, en la vida de la capital, o, mejor, de una capital: Madrid.

PUEBLOS Y CIUDADES DE PROVINCIA

En repetidas ocasiones, Unamuno ha dejado claramente expresadas sus preferencias por la ciudad chica. En 1902 dice concretamente que prefiere las ciudades de veinte a cuarenta mil habitantes, y, añade, «tanto mejor cuanto de más profunda naturaleza estén rodeadas». Ni ciudad grande ni lugarejo o aldea, porque «las individualidades potentes suelen ahogarse en los lugarejos y en las grandes ciudades; en aquéllos por sobra de vida nutritiva y falta de relación, y en éstos por la inversa» *(O. C., III, 547).*

Las contraposiciones entre la agradable vida de la ciudad chica con la desagradable y agitada de Madrid son frecuentes en su obra [1]. Ni aun la vida cultural se salva en la Corte, donde los escritores, que lo son de «cotarro, de los que aspiran a cabezas de ratón», sólo ambicionan una gloria cortesana; toda verdadera ambición está en ellos muerta.

Las posibilidades de estar más cerca del mundo cultural, de poder leer revistas y periódicos, son mayores, es cierto, en la ciudad grande; mas don Miguel no está convencido de que de ello se deriven ventajas. «Aquí, en Salamanca —dice en el mismo ensayo de 1902 a que ya aludí—, atenido a los pocos libros modernos que me puedo procurar con mis escasos recursos pecuniarios y a los no muchos que la biblioteca y los amigos pueden ofrecerme, lo que leo lo leo con calma y hasta apurarlo; pero allí, en Madrid, llego al Ateneo, empiezo a revisar revistas, y dejo la una, y tomo la otra, y nada saco de provecho... Y así, empezando a leer libros, se pasa a leer revistas, y luego revistas de revistas y catálogos al cabo...» *(O. C., III, 541).*

---

[1] Como muestra, véase la siguiente página: «Suelo experimentar en Madrid un cansancio especial, al que llamaré cansancio de la Corte. Cuando en esta tranquila ciudad de Salamanca salgo de paseo, carretera de Zamora adelante, se me cansan las piernas seguramente, pero descansa y se refresca mi sistema nervioso. El camino está franco y despejado, no encuentro en él detención alguna, nada me distrae, mi paso es igual, sin que haya de menester variarlo, y mi vista reposa en la contemplación, ya de la lejana y ahora nevada sierra, que parece un esmalte del cielo, ya de la vasta llanura de la Armuña...»

En Madrid, sin embargo, hay que variar constantemente la marcha, porque «una pareja que está en la acera charlando y me obliga a ladearla», o hay «un transeúnte delante que va más despacio», o «un coche que se me cruza cuando voy a atravesar una calle»... Y «a cada momento rostros nuevos, conocidos y desconocidos»... Y estas variaciones, que parecen no tener importancia, son, al cabo de algún tiempo, «como una descarga continua que acaba por llevarme a cierto estado de fatiga sobrexcitante, casi de irritabilidad» *(O. C., III, 535-536).*

Algunos años más tarde, 1908, vuelve a insistir en las ventajas de la ciudad chica sobre la grande y sobre el lugarejo. De nuevo, Salamanca ha de ser el ideal. Recordando un libro del argentino Guillermo Ferrero sobre el tema, escribe: «Me acuerdo que la conclusión de Ferrero en vista de Grecia, de la Italia del Renacimiento, y la Alemania de hace un siglo y de otros datos, era que para la vida del espíritu lo mejor son las pequeñas ciudades de una población como la de ésta, y no los pueblecitos y las grandes ciudades que pasan de cien mil almas» (*O. C.*, I, 535).

Y profundizando más en el ensayo de 1902 en el «tedio urbano», señala: «Ese ajetreo de gran ciudad, ajetreo de que tanto gustan los que necesitan llenar su fantasía con algo, sea lo que fuere, tiene que molestar a los que buscan que no se la vacíen. Para mi gusto, nada hay más monótono que un bulevard de París. Las personas me parecen sombras» (pág. 536).

El tópico de que en las grandes ciudades se hace lo que se quiere no le parece a don Miguel razón convincente para vivir en ellas. Cree, sobre todo, que no es tan fácil el hacerlo como el decirlo. Y en cuanto a una de las críticas que se suele hacer a las pequeñas, la de la existencia de esos grupos que dividen a los habitantes, «de esos irreconciliables bandos en que con tanta frecuencia están divididas», lejos de ser perjudiciales, «son mucho más favorables para el desarrollo de una poderosa personalidad que no la blanda comedia de las grandes metrópolis, donde se abrazan entre bastidores los que en el tablado representan la escena del duelo a muerte» (págs. 538-539).

Pero recordemos que si las grandes ciudades le desagradan, hacia la aldea, el lugarejo, el pequeño poblado, no son mayores sus simpatías. No son habitables, llega a decirnos; en ellos falta «aquel mínimo de sociedad orgánica sin la cual nuestra personalidad corre tanto riesgo como puede correr en el seno de la metrópoli» (pág. 540).

Aunque en 1902, en *La Flecha*, habla don Miguel de las virtudes del campo abierto, reino de los pastores, de los herederos de Abel, en contraste con los vicios de la ciudad, donde moran los herederos de Caín, los que acotaron la tierra y fundaron la ciudad de Henoc, muy pronto ha de cambiar de parecer en este sentido: uno de los males de la ciudad española —que se refleja en el hombre que la habita— es que, lejos de tener espíritu urbano, el espíritu rústico, aldeano, domina en ellas, ha de decirnos más tarde. Como más adelante se verá, es en el hombre del campo —piensa— donde se dan los más repulsivos vicios y donde podemos hallar los más terribles crímenes.

Su antialdeanismo se va agudizando con el tiempo. De un texto de 1912 sobre Salamanca —al que luego es preciso volver— entresaco el siguiente párrafo: «Porque la ciudad, lo he dicho antes de ahora, la ciudad, que debe ser fuente y asiento de civilización, ya que la civilización es civil y ciudadana, la ciudad aquí, lejos de influir en el campo, en el pobre campo, esclavo de latifundios y de usuras, se deja influir por él. Todos los años, en la época de la recolección, cruzan nuestras calles carros cargados de mieses, camino de las paneras en que depositan el amargo tributo de la renta, dejando las urbanas vías oliendo a tamo» (*O. C.*, VII, 846-847).

En 1922 escribe: «El campo no hace la Historia. Los valores culturales, las artes, las ciencias, las industrias, el Derecho, la religión misma, son valores elaborados por ciudadanos; por gentes desprendidas de la tierra, por gentes que pueden, puesto que andan con los dos pies, con las manos libres, mirar al cielo...». Y el mal de las ciudades españolas es, precisamente, que no han dejado de ser campo, porque el campo se ha apoderado de ellas (*O. C.*, VII, 967).

La superioridad de los valores de la ciudad sobre los del campo ya se pone de relieve en *Paz en la guerra*, donde Bilbao, en su resistencia contra el carlismo, representa, entre otras cosas, a la civilización urbana defendiéndose del aldeanismo.

Creo que precisamente de los recuerdos infantiles de su Bilbao arranca la preferencia de Unamuno por la ciudad chica: el Bilbao de su niñez lo era, como dice en el ensayo de 1902, arriba comentado. Era el tipo de ciudad desde donde se contempla, no lejos, la naturaleza, y, siendo muy ciudadana, está —estaba en el pasado siglo— lo bastante cercana a ella como para poder con ella comunicarse sin dejar de estar en la ciudad: «He nacido y me he criado en una villa de no mucho vecindario, y, cuando yo era mozo, de mucha menos población que hoy, en Bilbao, y puedo asegurar que, en la incubación de mi espíritu, tanto o más que cuanto allí pude leer o aprender del trato y conversación con mis amigos entraron mis frecuentes paseos por aquellos contornos, mis subidas a Archanda o al Pagazarri o aquellos internamientos en la espesura de Buya, entre las robustas y sosegadas hayas» (*O. C.*, III, 548).

Sin embargo, no siempre pensaba Unamuno lo mismo con referencia a la vida en la ciudad chica y a la superioridad de ésta. Si bien es cierto que en varias ocasiones defiende, incluso, las pequeñas luchas y rencillas, tan frecuentes en esas provincianas ciudades, en otras critica las mismas cosas y mucho más. Así, en un discurso dado en el Círculo Mercantil de Salamanca en 1912, las críticas que hace a la Salamanca de aquel momento son tan fuertes como las que en muchas ocasiones hiciera a Madrid [2]. Ciertas formas de vida, ciertas pequeñeces del vivir ciudadano de la provincia española, se ven y expresan sin rodeos: «Vivimos, señores, en una ciudad henchida de recuerdos de espiritualidad, de arte y de gloria; pero que ha venido a ser parte hospicio, parte mesón, parte timba.

»Vivimos en una ciudad llena de fundaciones que se llaman caritativas, de hospicios de Juan de Robres, donde aún es una institución la sopa boba, donde hasta oficinas del servicio público acaban por convertirse más o menos en asilos de inválidos, y donde la clase adinerada, la burguesía del terruño, del comercio o de la industria, cuando no tiene que defenderse del proletariado no es que se enmohezca, se ¡degrada! Y bien venida será, dependientes del comercio de Salamanca, vuestra asociación, aunque sólo sirva, unida y asociada, a su vez, a las de otros asalariados de la fortuna, para impedir que esos pequeños rentistas se vayan tranquilos a sus círculos a matar el tedio y la ociosidad de espíritu en la brutalizadora tarea de pelarse los bolsillos los unos a los otros con el juego —ocupación de los cortos de inteligencia—, o en murmurar, despellejándose mutuamente las honras, o en quejarse, como inválidas vejezuelas, de no sé qué pavorosas perspectivas...

»Una terrible paz modorrienta, una paz de osario moral, pesa sobre nuestra ciudad, víctima de un triste compadrazgo de donde ni siquiera un eficaz y arrollador cacique surge. En todos los órdenes, acabando por el político, la consigna es no alterar lo que hay; es el sigilo, es la quietud» (*O. C.*, VII, 837-839).

---

[2] Algunas de las críticas que Antonio Machado ha de hacer poco después a la vida de Baeza están expuestas en este discurso de Unamuno con relación a la vida salmantina. Sin embargo, es probable que Machado no conociese este texto, publicado en un periódico local en el justo momento en que el poeta se hallaba en el clima de sus propias preocupaciones.

Hay, además, un fuerte matiz político en este discurso: «En los círculos, centros y casinos donde nuestra clase media se reúne, murmúrase de continuo contra la indisciplina e ineducación de nuestra masa popular, y son, sin embargo, esas clases, las que debían ser directoras, las que murmuran y, en caso de conflicto, piden a las autoridades un rigor de que son incapaces para sí ni para los otros», dice en otra parte del mismo.

Emilio Salcedo, que comenta la actitud que en este discurso se refleja, señala que «el viejo socialista dormido en Unamuno despierta con su indignación contra el achabacanamiento y la injusticia». Y añade estas palabras muy aclaradoras: «Está próximo el recuerdo, y él no lo olvida en sus palabras, de una huelga de albañiles contra la libertad de contratación. Don Miguel quiere mejorar la ciudad, pero ha perdido la esperanza de lograrlo desde la universidad. Acude por esto al hombre de la calle»... [3].

En este momento, la crítica a la amada Salamanca está teñida de una gran amargura; hay en ella mucho de desahogo personal, y mucho de crítica a situaciones —y quizá hasta a personas— concretas. Sin embargo, no es ésa la primera vez que muestra su descontento hacia el ambiente salmantino.

En la correspondencia personal hallamos pruebas de este descontento, que no muestra —creo— públicamente hasta el año 1912, y, movido por una serie de circunstancias, ya en el año 1907. Es decir, al mismo tiempo que en escritos públicos habla de las ventajas de la vida en las ciudades de provincia no demasiado grandes [4].

Sus críticas no se quedan en Salamanca. En 1908, precisamente el mismo año en que fecha uno de sus más duros ataques a la vida de Madrid y defiende la provinciana, escribe el poema *Cáceres*, que considero importante por diversas razones [5].

---

[3] *Vida de don Miguel*, pág. 171.
[4] Varios testimonios de su descontento hacia el ambiente salmantino están recogidos por GRANGEL en *Retrato de Unamuno*. Señala especialmente una carta a Azorín (14 de mayo de 1907) y una a Maragall (15 de mayo de 1907). Véase el estudio que Grangel hace de la actitud de Unamuno hacia Salamanca en el cap. VIII de *Op. cit.*
[5] Inédito hasta 1956, en que lo exhumó M. García Blanco (en *O. C.*, tomo XIV, págs. 176-177).

Cáceres —¿cómo no habrá captado don Miguel en Cáceres más que monotonía y modorra?— es, me parece, el tipo de ciudad que Unamuno podría encontrar ideal por su tamaño: una capital de provincia que pasa de pueblo y no llega, con mucho, a los cien mil habitantes. Sin embargo, le impresiona tan desfavorablemente que ni siquiera ve su gran belleza. Quiero detenerme en este poema porque presenta para mí un punto de máximo interés: el enorme parecido que tiene con varios de Antonio Machado que giran en torno al mismo tema de la monotonía y de la modorra de la ciudad de provincia. Es esa monotonía lo primero que capta Machado en las ciudades en que le tocó vivir.

Las tangencias entre esta visión de Unamuno y las visiones machadianas son, al parecer, puramente casuales. El poema de Unamuno fue escrito, según reza al pie del texto, en 1908, mas permaneció inédito hasta hace pocos años: Machado, pues, no lo conocía; los machadianos a que me referí, es decir, aquellos en que el poeta nos da una visión parecida a esta que hallamos en *Cáceres*, son posteriores a 1908. Si comparamos este poema con las «meditaciones rurales» de *Poema de un día*, pongo por caso —podríamos compararlo con otros de la misma época—, el parecido —sensación de monotonía, de aburrimiento, el Casino como único refugio— es tan notable que el intento de perseguir quién influyó en quién es una verdadera tentación. Se trata, sin embargo, al parecer, de una coincidencia total: una coincidencia que revela un acercamiento espiritual que asombra. Sobre ello volveré.

Lo que podríamos denominar «sensación de vida provinciana» —como todo lo que la frase trae de negativo— se siente más en la poesía que Machado escribe en Baeza que en la escrita en Soria. Su cansancio, su hastío, que llega a ser total, se revela no tan sólo en la poesía, sino, y muy señaladamente, también en las cartas escritas a Unamuno.

No hay razón alguna para que pensemos que Machado amase la vida de las pequeñas ciudades, como se ha venido diciendo con insistencia. Es cierto que en sus cartas a Unamuno afirma haber aprendido más por los pueblos y provincias de España que en París; es innegable su amor por Soria; es verdad que en sus últimos años prefirió el pueblecito de Rocafort a la ciudad de Valencia, y para su muerte eligió quedarse en

Collioure, en vez de trasladarse a París. Todo ello, sin embargo, no autoriza a afirmar preferencia alguna por la vida provinciana.

Muy rara vez hallamos en algún momento, como en este corto párrafo de Juan de Mairena, alguna declaración de su «ausencia de superstición de la corte»: «La vida de provincias —decía mi maestro, que nunca tuvo la superstición de la corte— es una copia descolorida de la vida madrileña; es esta misma vida vista en uno de esos espejos de café provinciano, enturbiados por muchas generaciones de moscas. Con un estropajo y un poco de lejía... estamos en la Puerta del Sol» (*O. P. P.*, 355).

Si no hallamos aquí gran admiración por la vida de la capital, ninguna hay, desde luego, por la provinciana. Antonio Machado vivió en ciudades pequeñas, en ciudades de provincia, porque en la capital no le era posible hacerlo; lo hizo tan pronto como tuvo oportunidad.

En una carta personal dirigida desde Baeza a Juan Ramón Jiménez se ve claramente su deseo de vivir en Madrid y su clara actitud ante la vida en provincias: «Yo sigo en este poblacho —escribe en 1915— trabajando lo que puedo; pero, en verdad, deseoso de volver a Madrid. Llevo ocho años de destierro y ya me pesa esta vida provinciana en que acaba uno por devorarse a sí mismo. Muchas veces pienso en abandonar mi cátedra e irme ahí a vivir de la pluma. Pero esto sería la miseria otra vez» (*O. O. O.*, 905).

Su amor hacia Soria no es, desde luego, amor al ambiente provinciano y estrecho de la ciudad; Soria representa en su vida unos cortos años de plenitud: cinco, que son una historia completa; no sabemos cuáles serían sus reacciones ante el ambiente soriano de no coincidir esos años con una experiencia vital definitiva.

Después de dejar las tierras sorianas, las sueña tan intensamente, que no se atreve a volver a verlas para que el sueño no se termine [6].

---

[6] Mariano Granados nos cuenta una anécdota reveladora: «No logramos jamás —dice— que don Antonio regresara a Soria. Se complacía en recordar amigos y paisajes, momentos y emociones; pero era evidente su deseo de soslayar cualquier invitación a visitar de nuevo las tierras numantinas. En 1933 (creo que fue ese año), un grupo de amigos de Soria decidió colocar una lápida conmemorativa en el camino de San Saturio...

... La obra escultórica, salida de las manos de Barral, sería colocada en el lugar más adecuado, en íntima y sencilla ceremonia, a la que había de asistir el propio don Antonio. Ya se había dejado convencer: fijado el día y todo

Las primeras impresiones de Soria que Machado recoge en sus poemas —no ya de los alrededores, sino de la ciudad misma— son de soledad: se le siente, ser solo, vagando en la noche por un bello pueblo viejo. En un «viejo pueblo paseando / solo, como un fantasma».

La segunda imagen de la ciudad recogida en *Campos de Castilla*, y también vista a la luz de la luna, como la primera, es la parte VI de *Campos de Soria:* la belleza es, en estos versos, hermana gemela de la pobreza; la ciudad es una bella tristísima ruina, que simboliza un poco la decadencia de un pueblo: Castilla, con su pasado y sus viejos valores.

En el mencionado *Cáceres* de Unamuno hallamos una serie de elementos en común con los que apreciamos en esta machadiana Soria nocturna. Don Antonio, en forma muy concisa, da una visión del pasado y presente de la ciudad; con su campanada final —que nos saca de la contemplación— pone la nota temporal. En ambos poemas —éste de Machado, y *Cáceres*, de Unamuno— se acentúan los contrastes entre gloria pasada y pobreza presente, haciendo para ello referencia a la historia:

> con su castillo guerrero
> arruinado, sobre el Duero;
> con sus murallas roídas
> y sus casas denegridas,

en Machado. Y

> ... el viejo palacio
> de escudos y rejas
> antaño boyante y ogaño ya lacio,

en Unamuno.

---

preparado, me presenté en su casa de Madrid para llevarlo a Soria en mi automóvil. Pero el intento resultó baldío.

—No voy; no puedo ir —nos dijo don Antonio—. He meditado mucho sobre esto. No voy; no, no me atrevo... Llevo dentro de mí la emoción de Soria; tengo en los ojos su paisaje... ¿Y si resulta que no es así?... Explíquenles esto a los amigos de Soria; denles las gracias y un abrazo... Ellos comprenderán» (*Evocación sentimental de Antonio Machado*. Suplemento de la *Revista de las Españas*, 1948).

> Muerta ciudad de señores,
> soldados o cazadores;
> de portales con escudos
> de cien linajes hidalgos
> y de famélicos galgos,
> de galgos flacos y agudos
> que pululan
> por las sórdidas callejas,
> y a la medianoche ululan
> cuando graznan las cornejas.

Casi despoblada de hombres y poblada a esa hora de animales hambrientos ve Machado a Soria en este desolado cuadro nocturno. En el Cáceres de Unamuno hay hombres aburridos que hablan

> de lo mismo que hablaban hace siglos
> los señores que habitaron con sus perros
> los palacios hoy vacíos.

La sensación de monotonía, de modorra, que Unamuno logra captar no está en el citado poema de Machado; no se proponía hacerlo. Lo ha de intentar y lograr plenamente en los escritos de Baeza. Como muestra, pensemos en el ya comentado *Poema de un día*, donde el ambiente de monotonía, de aburrimiento, está plenamente logrado. Lo está también en otros poemas de la misma época. Se refleja en la vida del «hombre del Casino provinciano / que vio a Carancha recibir un día», o en la de la mujer manchega, o en muchas otras vidas que vegetan en pueblos y capitales de España.

Entre la correspondencia a Unamuno, en la interesante carta en que don Antonio comunica a don Miguel sus primeras impresiones sobre Baeza, que tanto recuerdan —como vimos— a *Poema de un día*, hallamos estas frases: «Esta Baeza, que llaman Salamanca andaluza, tiene un instituto, un seminario, una escuela de artes, varios colegios de segunda enseñanza, y apenas sabe leer un treinta por ciento de la población. No hay más que una librería donde se venden tarjetas postales, devocionarios y periódicos clericales y pornográficos. Es la comarca más rica de Jaén, y la ciudad está poblada de mendigos y de señoritos arruinados en la ruleta. La profesión de jugador de monte se considera muy honrosa»... (*O. P. P.*, 914)[7].

Las impresiones de Machado sobre la vida de provincia deben haber preocupado a Unamuno profundamente. Son las mismas cosas que él había visto antes. En el citado discurso de 1912, sin ir más lejos. Mas es posible que estas observaciones le hayan ayudado a confirmar ciertos puntos de vista al hallarlos ahora expresados en las palabras de Machado. Algunas opiniones, concretamente, parecen haberle llamado la atención.

Así, en un artículo publicado en *La Nación*, fechado en Salamanca en 1914, parece, en parte, recoger ideas propias anteriores a ese momento y, en parte también, glosar opiniones expresadas por Machado en la carta citada. Por ejemplo, en lo que se refiere a los estragos causados por el vicio del juego y la terrible haraganería que, si se da en toda España, es en Andalucía —o entre cierta clase de andaluces: los señoritos— más fuerte.

«Recorriendo esta mi querida tierra patria —dice don Miguel en el artículo mencionado, que titula *Horror al trabajo*—, he podido comprobar los terribles efectos en el alma del pueblo, en el espíritu de la casta, de ese innoble y embrutecedor vicio del juego, la principal causa del bajo nivel intelectual y moral de algunos de nuestros pueblos y alguna de nuestras regiones. Me atrevería a aseguraros que el jugador tiene la inteligencia más degradada que pueda tenerla el borracho, y en cuanto a lo moral, antes espero un acto de sacrificio de un alcoholizado que no de un jugador»... «Y sin duda que más homicidios hay que cargar a los dados, o a la baraja, o a la ruleta, que no al aguardiente o al vino» (*O. C.*, VIII, 935). Un poco más adelante, tratando de buscar la razón, el porqué de esta pasión por el juego, concluye que es la haraganería la causa primordial: «El jugador de monte, de ruleta, de bacarrá, de carreras de caballos, de Bolsa, de lotería, de minas inexplotadas, de terrenos, no es sino un haragán» (pág. 937).

---

[7] Reproduzco otros fragmentos de la carta en el cap. IV de la *Primera parte*. La carta completa en *O. P. P.*, 913-914.

La haraganería. Y el ambiente de la pequeña ciudad, habría que añadir. Porque, aunque diga preferirlas a las grandes, a veces se da cuenta de que, como en Cáceres, en muchas pequeñas ciudades «sólo queda como abrigo / contra el sol que escalda el suelo», o contra las lluvias, y, en general, contra el aburrimiento, el Casino.

MADRID

La visión unamuniana de Madrid es, en general, negativa. Se ha citado con frecuencia el párrafo que abre el ensayo *Ciudad y campo*, que lleva como subtítulo «De mis impresiones de Madrid», como ejemplo de la tristísima que dejó en el joven el primer encuentro con la capital [8].

La misma triste impresión, el mismo profundo desagrado, se refleja en escritos posteriores.

En los últimos años, sin embargo, la visión se dulcifica un poco. Si bien es cierto que Unamuno no estuvo en Madrid más que de paso —me refiero a su madurez y vejez—, no deteniéndose mucho tiempo ni aun cuando le tocó tomar parte en la elaboración de la Constitución en los primeros meses de la República, en los escritos de esos años empieza a ver en Madrid una belleza y una personalidad que no había podido

---

[8] «Cada una de mis estancias (nunca largas) en Madrid restaura y como que alimenta mis reservas de tristeza y melancolía. Me evoca la impresión que me causó mi primera entrada en la Corte, el año 80, teniendo yo dieciséis; una impresión deprimente y tristísima, bien lo recuerdo. Al subir, en las primeras horas de la mañana, por la cuesta de San Vicente, parecíame trascender todo a despojos y barreduras; fue la impresión penosa que produce un salón en que ha habido baile público cuando por la mañana siguiente se abren las ventanas para que oree y se empieza a barrerlo. A primeras horas apenas se topa en Madrid más que con rostros macilentos, espejos de miseria, ojos de cansancio y esclavos de espórtula. Parece aquello un enorme búho que se prepara a dormir; aquellas auroras parecen crepúsculos vespertinos. Fui a parar a casa de Astrarena, donde viví el primer curso, allá, en sus alturas, y recuerdo el desánimo que me invadió al asomarme a uno de los menguados balconcillos, contiguos al tejado, que dan a la calle de Hortaleza, y contemplar desde allá arriba el hormigueo de los transeúntes por la Red de San Luis, calle de la Montera y de Hortaleza. Estas emociones reviven en mí cada vez que entro en Madrid» *(O. C., III, 533).*

hallar en su juventud: «¡Ay, aquellos años de las melancolías estudiantiles de uno, hace medio siglo —en la llamada Restauración—, en este Madrid que ya uno, en la puesta de su vida, empieza a descubrir! Fuera de los bulevares y su bullicio mecánico y de esas grandes vías americanizadas, en viejas plazuelas provincianas y municipales, lugareñas, va uno espiando miradas de niños —¡cosas de abuelo!— por si columbra en ellas algo del misterio quijotesco de Alonso Quijano el Bueno, el del lugar de la Mancha. Y el otro mayor misterio: el de la niñez de Don Quijote, que también la tuvo. Y piensa uno si el pastor que conduce su rebaño por la cañada de la meseta que es el Paseo de la Castellana, al rayar el alba de Castilla, no descenderá en linaje de aquellos cabreros que oyeron encantados al caballero», escribe don Miguel en 1932 (*O. C.*, I, 980-981).

Madrid, no lo olvidemos, es también «un lugar de la Mancha», como el mismo don Miguel nos había dicho en su ensayo de 1917. Sólo que, en aquella ocasión, la visión de ese desagradable lugar, convertido por capricho de un rey en capital de España, era desoladora y desesperanzada. Entonces, en ese lugar de la Mancha «cuyo nombre es Madrid», estaba asentada la capital de España. Pero en él «no alienta ya, no sólo ningún Quijote, mas ni siquiera ningún Sancho. Sólo persiste en él Sansón Carrasco y el cura y el barbero y otros de la misma calaña» (*O. C.*, XI, 393). Eso sí, en 1917. Pero en 1932, para el viejo don Miguel, para el desilusionado don Miguel, la esperanza —por lo menos, en el niño; por un momento, al menos— parece no haber aún muerto del todo [9].

---

[9] De ese mismo año —1932— quedan otras bellas páginas, llenas de comprensión no hacia la gran ciudad, sino hacia lo eterno que en algunos viejos rincones de la gran ciudad podemos hallar, como en cualquier pueblo o ciudad provinciana: «Puertas de portalada, con dinteles de roca castellana, adovelados. Y allí (en la calle del Sacramento) se respira sosiego y se reposa el cielo luminoso de Madrid, con Dios y sin polvo. ¿Polvos?; se posa polvo de luz celeste y se debe de oír mejor, sin estrépito de bocinas, la voz de la campana parroquial que toque a ánimas y a oración...» «Allí ha respirado más a sus anchas mi ánimo y sentido mayoría, anchura y grandeza ciudadanas soñando el pasado que es y no el que sólo fue...» «Lo que habrá escuchado en atento silencio esa calle del Sacramento, sin tranvías y casi sin autos; esa fila de viviendas ciudadanas, recogido remanso de historia. ¿Del viejo Madrid? No, sino del Madrid intemporal, del Madrid —oso y madroño— que soñaba, vivía y revivía don Benito, su evangelista» (*O. C.*, I, 958).

La reacción es normal; la ciudad que en un principio le disgustó, trae ahora evocaciones de adolescencia; está unida a unos años decisivos en su vida.

Y ¿por qué sus primeras violentas reacciones? En parte creo haberlo explicado en las páginas anteriores: se trata, sobre todo, del choque experimentado por un joven provinciano, acostumbrado a la vida de la ciudad chica, ante la gran urbe, que representa lo desconocido, lo extraño. Es fácil deducir esto de la lectura de las páginas en que narra sus primeros encuentros con Madrid, o de las que expresan sus preferencias por las ciudades chicas.

Por otra parte, para Unamuno, como en menor grado para Machado, y para otros escritores de su tiempo, Madrid llega a convertirse en símbolo de España: de la España oficial y de la España real de su momento; la síntesis de lo que esa España es: «ese gran patio de vecindad en que las comadres y los compadres hablan del perro *Paco*, del Bombita, del Garibaldi, o del crimen de la calle de Fuencarral» (*O. C.*, III, 548-549)[10].

El Madrid —como ciudad— que ve Machado es radicalmente distinto al que ve Unamuno, acaso porque su niñez es, en parte, madrileña. Sus recuerdos de infancia, ya lo señalé, son una síntesis de la «Sevilla infantil» y las «tardes madrileñas», con el Guadarrama al fondo.

Madrid aparece de vez en cuando formando parte de un paisaje que tiene su centro en el Guadarrama. Pero, en términos generales, no podemos decir que la ciudad en sí —como paisaje urbano— ocupe un puesto importante dentro de la obra machadiana: acaso ello se deba precisamente al hecho de tratarse para él de un mundo demasiado conocido, de su mundo.

---

[10] En *La evolución del Ateneo de Madrid* —ensayo de 1916, en que vuelve a hablar del momento de su llegada a la capital—, la crítica que le hace a Madrid es crítica que podría ir dirigida a cualquier ciudad de España, acaso a España entera: Madrid es «una gran aldea», como lo son casi todas las capitales españolas. Madrid, con su espíritu aldeano, se divertía «con la comidilla de sus chismes y murmuraciones». Su vida espiritual se reducía a «vida de cafés y tertulias». En ellas se discutía casi siempre sobre «alguna de las tres parejas que tenían por aquel entonces divididos a los españoles: en política, Cánovas y Sagasta; en teatro, Vico y Calvo; en toreo, Lagartijo y Frascuelo» *(O. C.,* X, 347).

Lo mismo que para Unamuno, Madrid es con frecuencia para Machado símbolo de España. Creo que en esto la influencia de don Miguel es innegable. Mas para don Antonio no es siempre símbolo y síntesis de valores negativos —como sucede en el caso de don Miguel—. Además, «esa España inferior que ora y bosteza» puede estar en Madrid, pero lo mismo, o más aún, lo está en las capitales de provincia.

En la parte tercera del poema titulado *En la fiesta de Grandmontagne* hallamos unas palabras sobre Madrid que posiblemente fuesen muy del gusto de Unamuno:

> En este remolino de España, y rompeolas
> de las cuarenta y nueve provincias españolas
> (Madrid del cucañista, Madrid del pretendiente)
> y en un mesón antiguo, y entre la poca gente
> —¡tan poca!— sin librea, que sufre y que trabaja,
> y aun corta solamente su pan con su navaja...

(O. P. P., 277)

Pero en general —y muy notablemente durante la guerra civil— se hace de Madrid el símbolo de todos los valores positivos de España.

Son muchas las páginas en prosa que don Antonio dedicó a Madrid en sus últimos años. No es necesario mencionar cada una de ellas.

La prueba de su admiración y amor por la ciudad quedó magistralmente grabada en estos cuatro versos, fechados el 7 de noviembre de 1936:

> ¡Madrid, Madrid!, ¡qué bien tu nombre suena,
> rompeolas de todas las Españas!
> La tierra se desgarra, el cielo truena,
> tú sonríes con plomo en las entrañas.

(O. P. P., 674)

CAPÍTULO IV

EL HOMBRE DE ESPAÑA

Detrás del pasado histórico, de la vida de pueblos y ciudades, del paisaje, está siempre el hombre como preocupación máxima de los escritores del 98.

Penetremos, con Unamuno y Machado, en algunas facetas del alma de esos hombres, analizando algunas de sus características esenciales, ya colectivas, ya individuales.

Características que —parece deducirse del pensar de nuestros dos escritores— a veces arrancan de la raza misma; en otras ocasiones —casi siempre—, situaciones sociales y económicas las han conformado.

EL HOMBRE DE LA TIERRA

«Hombre de la tierra», o quizá «héroe de la tierra», como dijo Unamuno, vamos a llamar al campesino, al que cultiva el terruño en que vive, al que lo trabaja de sol a sol. Montañas y ríos forman su sencillo espíritu, «tan asentado e inmóvil como aquéllas, tan lento y continuo como éste», como don Miguel escribió (*O. C.*, I, 81).

El descubrimiento del hombre —o «héroe»— de la tierra está, naturalmente, ligado al descubrimiento de la intrahistoria [1]. De hecho, es él el protagonista de la intrahistoria.

---

[1] El término «héroe de la tierra», al que en otros momentos llama «hombre de la tierra» u «hombre del campo», está recogido en el ensayo *Humilde*

El hombre del campo, como figura un tanto folklórica, podríamos decir, está ya presente en los primeros escritos de Unamuno; como ser de carne y hueso, que sufre y trabaja la tierra, creo que no aparece hasta que lo ve de cerca, en el campo castellano. Lo vemos ya en el primer escrito de Unamuno sobre Castilla, *En Alcalá de Henares;* a partir de ese momento será inseparable de la tierra que le sustenta [2].

Es en *En torno al casticismo* donde Unamuno ha de recoger y sintetizar todas sus observaciones acerca del hombre de la tierra. Cómo vive, cuáles son sus costumbres, cuáles son las aficiones, los entretenimientos, la pasiones, los vicios de ese hombre, del intrahistórico, del que hace a España cada día, está profundamente analizado en uno de los ensayos que integran la citada obra [3].

El hombre de la tierra castellana, si no se agrupa en ciudades, se agrupa siempre en pequeños lugarejos, formando siempre «grupos compactos», pero aislados de los otros grupos; siempre «como si se agrupa-

---

heroísmo, de 1902. Refiriéndose a uno de esos hombres, dice: «Es uno de esos héroes humildes —humiles— de la tierra —humus—; es uno de los héroes del heroísmo vulgar, cotidiano y difuso; de todos los momentos. Es su ideal la realidad misma. Viene de la piedra, por camino de siglos, que se pierde en el pasado; va al ángel, que alboreará en un porvenir inasequible».

Este héroe del heroísmo vulgar es el protagonista de la intrahistoria: «Terremotos sociales han levantado con fogosa fe montañas enteras, dislocado a los pueblos; pero es él, el que cava junto al río y frente a la sierra, quien ha esculpido, minuto a minuto y gota a gota, a golpes de azadón, las montañas de la fe y quien ha dejado en sus avenidas silenciosas el mantillo de que todo ideal se nutre» *(O. C.,* I, 82).

[2] En este escrito es, en realidad, el habitante de un pueblo, de una pequeña ciudad —un tanto aldeanizada, eso sí—, el que se describe; no es el campesino propiamente dicho. En esta su primera visión de Castilla, Unamuno ve así al hombre: «Un lugareño parece a las veces un rey destronado. Si los franceses entendieran por español habitante de la meseta central de España, no les faltaría razón al atribuirnos una gravedad entre estoica y teatral. Este carácter es complemento del suelo, suelo que ha producido estos cuerpos en que el espíritu se moldea» *(O. C.,* I, 151).

[3] *La casa histórica. Castilla.* Véase especialmente parte IV *(O. C.,* III, 213-217).

Me refiero en este apartado casi exclusivamente al hombre castellano, ya que, tanto en el caso de Unamuno como en el de Machado, el descubrimiento del hombre de la tierra se hace a través del de la tierra de Castilla.

sen en derredor de la iglesia para prestarse calor y defenderse de la naturaleza, como si las familias buscasen una segunda capa, en cuyo ambiente aislarse de la crueldad del clima y la tristeza del paisaje».
En el campo trabajan aislados unos de otros; con frecuencia, lejos del pueblo. A veces «tienen que recorrer no chico trecho hasta llegar a la labranza, donde trabajan, uno aquí, otro allá, aislados, y los gañanes no pueden hasta la noche volver a casa a dormir el reconfortante sueño del trabajo sobre el escaño duro de la cocina».

Al atardecer, tras la ininterrumpida jornada, suelen recogerse entonando monótonos cantos: «¡Y que es de ver —anota Unamuno— verlos a la caída de la tarde, bajo el cielo blanco, dibujar en él sus siluetas, montados en sus mulas, dando al aire sutil sus cantares lentos, monótonos y tristes, que se pierden en la infinita inmensidad del campo lleno de surcos!»[4].

Sobre el tipo racial del castellano señala que es «una casta de complexión seca, dura y sarmentosa, tostada por el sol y curtida por el frío».

Tres notas típicas del carácter de estos hombres son: sobriedad, calma y socarronería. Las dos primeras —con otra expresión: «gravedad entre estoica y teatral»— están ya vistas en el ensayo *En Alcalá de Henares*.

A esas tres viene a añadirse otra muy saliente: tenacidad. El castellano de la tierra «es tan tenaz como lento, yendo lo uno emparejado con lo otro». «Diríase —añade Unamuno— que es en él largo lo que

---

[4] Sobre este aspecto de los cánticos y de los bailes insiste mucho Unamuno. En los párrafos siguientes al citado escribe: «En las largas veladas invernales suelen reunirse amos y criados bajo la ancha campana del hogar y bailar éstos al compás de la seca pandereta y al de algún viejo romance no pocas veces...»

«Si es día festivo, después de la comida asistís al baile, a un baile uniforme y lento, danzando al son de monótono tamboril o pandereta, o la chillona dulzaina»... «Y les oiréis cantares gangosos, monótonos también, de notas arrastradas, cantares de estepa, con que llevan el ritmo de la labor del arado. Revelan en ellos un oído poco apto para apreciar matices de cadencias y semitonos» *(O. C.*, III, 215-216).

Destaco toda esta parte porque creo en la posibilidad de que Machado la tuviese presente, consciente o inconscientemente, e incluso haya dejado en él alguna huella, cuando se refiere a los «atónitos palurdos, sin danzas ni canciones».

llaman los psicofisiólogos el tiempo de reacción, que necesita de bastante rato para darse cuenta de una impresión o de una idea, y que una vez que la agarra no la suelta a primeras, no la suelta mientras otra no la empuje o expulse».

En general, este hombre es silencioso y taciturno «mientras no se le desata la lengua».

Unamuno, que entiende tan profundamente a los hombres de la tierra, cree y afirma en varias ocasiones que éstos, tan parte de ella, no pueden amarla porque no la ven; no ven en ella a la madre; no se sienten sus hijos, sino sus esclavos. Y ello es así porque el campo dista mucho de ser un paraíso. En 1902, en *La Flecha*, escribe: «Hasta que el hombre no se emancipe de su madre material, la tierra, que le rechupa sudor y sangre; hasta que no se sacuda las cadenas con que la historia le ha adscrito a la gleba; hasta que no movilice la propiedad territorial y haga de la agricultura una libre industria; hasta tanto, no llegará a ver por completo el campo con ojos del alma que bebe su reposo y en su sosiego se mete, no la llegará a ver como madre...» (*O. C.*, I, 47).

El hombre de la tierra es, por tanto, un esclavo de la tierra. Y, en gran medida, un esclavo de una sociedad que quiere mantenerlo «sumido en la ignorancia, en la incultura, en la degradación y en la avaricia», señala en un escrito de 1907.

En el mismo pinta a ese hombre con tintes terribles: «La característica de nuestros campesinos —acaso de los campesinos todos, por lo menos en Europa— es la sordidez. El aldeano es codicioso y avaro»... «Los crímenes más brutales, más propios de bestias, de que he podido enterarme desde que vine a esta región —una de las que acusan mayor criminalidad de España— han sido crímenes cometidos en el campo y por campesinos, no en la ciudad, ni por ciudadanos»... (*O. C.*, IV, 448-450) [5].

---

[5] Como puede observarse, son notables las coincidencias entre este párrafo y algunos versos de Machado escritos en la misma época. Creo, sin embargo, que no se trata de influencias: se trata de hechos que los dos escritores perciben al vivirlos de cerca.

En el artículo a que pertenece el citado párrafo —publicado en *La Nación* en 1907, como dije—, don Miguel acusa directamente al Gobierno de fomentar la falta de cultura en el campesino para mejor poder utilizarlo como masa. Con esto, en cierto modo, disculpa a esta clase, víctima de las clases dirigentes.

En esta y en otras ocasiones, Unamuno señala el problema de la incultura del hombre del campo, causa principal de gran parte de sus vicios y de su brutalidad casi infrahumana. De esta incultura es culpable, cree, la sociedad.

De este problema, así como de otro del cual los gobiernos son culpables, el del mal reparto de la tierra, estuvo consciente don Miguel durante toda su vida. Recordemos que este último le preocupó tanto, que en más de una ocasión le llevó a tomar parte en la política activa: el tratar de ayudar a solucionarlo fue una de las razones que le impulsó a aceptar su nombramiento de diputado a Cortes [6].

Caso especial, aunque no raro, entre la clase campesina es el del emigrante. Don Miguel se preocupó en varias ocasiones del que forzosamente tiene que dejar su tierra para ir en busca de mejor fortuna.

En 1913 le envió a Machado el poema *Bienaventurados los pobres*, que don Antonio —en la primera carta de Baeza— dice haberle conmovido profundamente [7].

En el poema, el tema de la emigración está íntimamente enlazado con el del mal reparto de la tierra: es, desde luego, aquélla consecuencia de éste.

El problema de la emigración, que aparece pronto en la prosa de Unamuno, no creo verlo en poesía hasta este momento, un año después, precisamente, de la publicación de *Campos de Castilla*, algunos de cuyos poemas sobre el mismo tema impresionaron profundamente a don Mi-

---

[6] Sobre ello puntualiza ELÍAS DÍAZ en *Op. cit.*: «En las cuestiones económicas y sociales, en el problema del campo y de la reforma agraria, preferentemente tratados por él, su actitud se acerca más a un cierto paternalismo, concretado institucionalmente en formas cooperativas, que a soluciones realmente democráticas» (pág. 34).

[7] «Acabo de recibir —escribe Machado— su hermosa carta, tan llena de bondad para mí, y su composición «Bienaventurados los pobres», que me ha hecho llorar. Ésta es la verdad española, que debiera levantar a las piedras...» «En esta tierra —una de las más fértiles de España, el hombre emigra con las manos *libres* a buscarse el pan en condiciones trágicas en América y en África» (*O. P. P.*, 913-914).

El poema de Unamuno se publicó en *Los lunes de El Imparcial* (Madrid, 14, VII, 1913). Según M. García Blanco, hay entre la versión publicada y la enviada a Machado algunas variantes, que recoge en *Don Miguel de Unamuno y sus poesías*, págs. 198-200 (véase en *O. C.*, 887-888).

guel. No digamos que se trate de una influencia de Machado en Unamuno, pero sí de uno de esos fenómenos curiosos que se observan en esta relación literaria. Acaso *Campos de Castilla* remueva en don Miguel un problema antiguo. Y acaso *Bienaventurados los pobres* —enviado precisamente a don Antonio— no hubiese nacido sin el estímulo de *Campos de Castilla*.

De la lectura de los párrafos antes citados —y de la que podríamos hacer de otros escritos que creo innecesario traer aquí— se deduce que la visión unamuniana del que hemos llamado «hombre de la tierra» es totalmente realista. Le ve sin idealizarlo, con todos sus defectos, que, lejos de esconder, saca el escritor a la luz. Hay, sin embargo, compasión hacia ese hombre que es, sin él mismo saberlo, una víctima; y, al serlo, en gran medida queda disculpado.

El mismo realismo hemos de ver en los hombres que pasan por la poesía de Antonio Machado.

Muchos de los comentaristas que han fijado su atención en la aparición del tema de España en la obra del poeta han señalado que es el último de los escritores del 98 que se acerca al problema. Ya señalé la opinión del propio escritor sobre el particular y expuse mi punto de vista: la preocupación por España está ya en sus primeros escritos; la visión de la tierra y la visión de los hombres que hallamos en *Campos de Castilla* es, indudablemente, muy posterior a la de los otros. No podemos negar en ella la presencia del pensamiento de Unamuno, y tal vez de otros escritores [8]. Pero, lo mismo que cuando me referí al paisaje, quiero aclarar que creo que nunca hablaría Machado del hombre de la tierra si no lo conociese personalmente y muy a fondo.

Como arriba decía, la visión machadiana del hombre de la tierra es profundamente realista. Pensemos, como buen ejemplo, en el conocido poema *Por tierras de España* [9].

El protagonista, ese hombre de la tierra de España, es, hoy como ayer, un ser ignorante que, ahora como en el pasado, destruye lo poco que

---

[8] No olvidemos, sin embargo, tampoco que en algunos poemas de *Soledades* hay ya algunas gentes sencillas, intrahistóricas, vistas con simpatía por el poeta.
[9] Véase el poema completo en *O. P. P.*, págs. 128-129.

El hombre de España 187

su pobre tierra le ofrece. Es hijo de una raza fuerte y ruda; tiene unos rasgos físicos bien definidos: pequeño, ágil, de ojos hundidos y movibles, cejas muy pobladas —y cargadas de posibles amenazas, como arco de ballesta—. En su semblante seco se destacan sus pómulos salientes. Junto con estos rasgos, otros que el poeta intuye: sufrido —tras verlo pequeño y ágil—; ojos no sólo hundidos y movibles, sino, además —o por ello precisamente—, recelosos; ojos de hombre astuto. Ojos, hay que añadir, turbios por la envidia o la tristeza: tristeza que es envidia o recelo...
Entre estos hombres abunda la criminalidad. Abundan también toda clase de vicios. Y —destacando el acaso más característico— termina el poema con estos versos que tanto impresionaron a Unamuno:

> Veréis llanuras bélicas y páramos de asceta
> —no fue por estos campos el bíblico jardín—:
> son tierras para el águila, un trozo de planeta
> por donde cruza errante la sombra de Caín.

(O. P. P., 129)

La relación entre la tierra y el hombre queda establecida desde el primer verso: «El hombre de estos campos que incendia los pinares»... El de *éstos,* y no de otros. En la estrofa segunda, ese hombre «en páramos malditos trabaja, sufre y yerra». Hijo es de tierras de las que hay que huir: ya como emigrante, ya, en ciertas épocas del año, hacia Extremadura, en busca de mejores pastos.

A partir de la penúltima estrofa, la fusión entre hombre y tierra es total. El hombre está hecho a imagen y semejanza de Caín porque la tierra, esa tierra de llanuras bélicas y páramos de asceta, no puede dar otro tipo de hombre.

En éste, como en otros varios poemas de *Campos de Castilla,* Antonio Machado nos produce la impresión de no creer en la posibilidad de un hombre mejor mientras esté unido a esa tierra, yendo más lejos que Unamuno en ese punto: para don Miguel, el hombre de la tierra no puede verla como madre mientras no se emancipe de ella; para el Machado de estas primeras visiones parece que el hombre está tan hecho a ella y tan hecho de ella que difícilmente llegue un día en que pueda admirarla: es un hombre incapaz de objetivar el mundo que le rodea; ese páramo terrible es él mismo.

Señalemos que, como Unamuno, Machado intenta presentarnos aquí, en un poema corto, unas cuantas características definitorias del hombre de la tierra: las arriba anotadas. Se limita a apuntar rasgos físicos y, sobre todo, psicológicos; mas en el fondo de todo ello vemos, además, un problema: el de la pobreza de la tierra y de sus hombres.

Como consecuencia de la pobreza, viene la necesidad de la emigración. Se dijo ya que ello constituyó siempre una preocupación para Unamuno; también para Machado. Ya hablé de la gran impresión que a éste le causó el poema *Bienaventurados los pobres;* no menos le impresionaron a Unamuno ciertos versos machadianos que giran en torno al mismo problema. En un ensayo a que antes hice referencia, *La estrella Ajenjo* [10], hace don Miguel comentarios en extremo interesantes. Es curioso que en esas notas de 1919 —escritas, al parecer, en un momento de amargura total— rebata su idea anterior, de siempre, idea también machadiana, de la pobreza como causa de la emigración.

Veamos en forma más completa los párrafos unamunianos que en otro capítulo, y con distinta intención, cité parcialmente: «El profeta español que mejor ha sentido el amargor actual de la casta, nuestro Antonio Machado; el que en algún verso nos habla de la «tierra amarga»; el que vio aquí

> un trozo de planeta
> por donde cruza errante la sombra de Caín,

diciéndonos del «corazón de roble de Iberia y de Castilla», nos dice otras sentencias apocalípticas:

> «¡Oh, tierra triste y noble,
> la de los altos llanos y yermos y roquedas,
> de campos sin arados, regatos ni arboledas;
> decrépitas ciudades, caminos sin mesones,
> y atónitos palurdos sin danzas ni canciones
> que aún van, abandonando el mortecino hogar,
> como tus largos ríos, Castilla, hacia la mar!»

---

[10] En el capítulo V de la *Primera parte*.

¡Y aún más allá! —sigue don Miguel—: y van a curar con la salobrez de la travesía ultramarina el amargor de ajenjo de sus almas. Y esto aunque no lo sepan ni lo sospechen. Sus almas, como los largos ríos de su patria, están «enajenadas», amargadas con ajenjo de la estrella. No van huyendo de la falta de arados, regatos y arboledas, y de la falta de mesones en los caminos; no huyen de la decrepitud de las ciudades, ni aunque así lo crean, sino que huyen del ajenjo, del amargor de la vida española de nuestro tiempo, aun para el que no pasa hambre, ni mucho menos» (*O. C.*, IV, 1167)[11].

Los desagradables vicios del hombre de la tierra están vistos por Machado no sólo en el comentado *Por tierras de España*, sino también en varios otros poemas de *Campos de Castilla*. Un parricidio es el tema central de *La tierra de Alvargonzález* —con la envidia, la avaricia y, una vez más, el emigrante—; es el tema también de la prosa del mismo título, que, además, en sus primeros párrafos relata otros crímenes; es el tema del impresionante poema *Un criminal*[12].

---

[11] Como se ve, el poema aquí comentado por Unamuno es *A orillas del Duero*.
[12] He aquí algunos fragmentos del poema:

> El acusado es pálido y lampiño.
> Arde en sus ojos una fosca lumbre
> que repugna a su máscara de niño
> y además de piadosa mansedumbre.
>
> Conserva del oscuro seminario
> el talante modesto y la costumbre
> de mirar a la tierra o al breviario.
> ....
> Quiso heredar. ¡Oh guindos y nogales
> del huerto familiar, verde y sombrío,
> y doradas espigas candeales
> que colmarán los trojes del estío!
>
> Y se acordó del hacha que pendía
> en el muro, reluciente y afilada,
> del hacha fuerte que la leña hacía
> de la rama de roble cercenada.
> ....
> Frente al reo, los jueces en sus viejos
> ropones enlutados;

Ese criminal es un hombre concreto, con rasgos bastante parecidos a los del hombre que se describe en *Por tierras de España*. Rasgos físicos que revelan mucho de su alma: los ojos, sobre todo. Pero ¿qué diferencia hay entre esos ojos —mansos ahora porque busca el perdón— y la mirada oscura —«oscuros entrecejos»— de los que van a juzgarle? Y ¿qué diferencia entre el «joven cuervo» y ese pueblo dispuesto a linchar al que, de entre ellos, se adelantó a cometer el crimen? Crimen cometido —no por casualidad— con el hacha de roble castellano.

Mas las visiones de Machado no han de ser siempre tan desoladoras, tan desesperanzadas. En general, lo son las primeras de *Campos de Castilla*, que, en parte, podríamos verlas como una respuesta, una reacción a un primer choque con una realidad que el habitante de Madrid desconocía.

En esas primeras impresiones, cuando el hombre de la tierra no es un criminal o un envidioso, es, por lo menos, el atónito palurdo sin danzas ni canciones que hallamos en *A orillas del Duero*. En este pobre palurdo creo hallar una respuesta a Unamuno: los lugareños que don Miguel veía entonaban aquellas monótonas y gangosas canciones, y danzaban al son de la pandereta o la chillona dulzaina; los de Soria, parece responder Machado, ni siquiera tienen eso.

¿Qué esperanza, qué posibilidad de salida halla don Antonio en este momento? No hay duda de que su visión en estos años es desoladora. Una de las pocas soluciones que parece encontrar es la emigración. El emigrante, como Miguel, el hijo menor de Alvargonzález, se salva, se libera de esos páramos malditos. Pero ¿no habrá otra solución?

Naturalmente, Machado no puede admitir que ello tenga que ser así necesariamente.

---

y una hilera de oscuros entrecejos
y de plebeyos rostros: los jurados.
....
Dice un ujier: «Va sin remedio al palo.»
El joven cuervo la clemencia espera.
Un pueblo, carne de horca, la severa
justicia aguarda que castiga al malo.

(O. P. P., 141-142)

Como varias veces señalé, el poeta tiene con frecuencia momentos de duda, pero son —o se empeña en que sean— pasajeros. Por ello, acaso, nos damos cuenta de que, al mismo tiempo que está viendo al hombre de las tierras sorianas como un ser lleno de vicios y capaz de llevar a cabo crímenes bestiales, en las «jóvenes madrecitas en flor» que invita a celebrar el domingo claro de la *Pascua de Resurrección* ve la posibilidad de dar vida a unos hombres que mañana labrarán la tierra. ¿Cómo serán? El poeta no lo dice, pero el futuro queda abierto [13].

El poema *Campos de Soria* es el máximo intento de penetrar hasta el fondo, sin detenerse en lo que a primera vista se percibe. En penetrar en lo que está en las profundidades del hombre de la tierra, más allá de lo que a la primera mirada se nos presenta en forma espectacular: el escándalo o el crimen monstruoso.

Una vez más, hombre y paisaje se unen hasta identificarse, en algunos momentos, plenamente.

Hace el hombre su aparición en el verso 10 de la parte I:

... el caminante lleva en su bufanda
envueltos cuello y boca, y los pastores
pasan cubiertos con sus luengas capas...

(*O. P. P.*, 146)

Son éstas figuras intrahistóricas, de las que hacen a España día tras día.

Figuras semejantes reaparecen en la parte III:

Es el campo ondulado, y los caminos
ya ocultan los viajeros que cabalgan
en pardos borriquillos,
ya al fondo de la tarde arrebolada
elevan las plebeyas figurillas
que el lienzo de oro del ocaso manchan.

(*O. P. P.*, 146)

---

[13] Véase el poema en *O. P. P.*, pág. 145.
El título del poema es tan real que se refiere, según me ha informado Heliodoro Carpintero, a un Domingo de Pascua concreto: 11 de abril de 1909. Es, sin embargo, claramente simbólico al mismo tiempo.

Como los campesinos que Unamuno describía, las figuras del campo que Machado nos presenta en la parte IV trabajan de sol a sol sobre la tierra [14].

Y también un poco como Unamuno, que con frecuencia entra en el hogar castellano, Machado ofrece una imagen muy realista de la vida diaria de uno de esos hogares. La hallamos en la parte V, que transcribí parcialmente antes y doy ahora completa:

> La nieve. En el mesón al campo abierto,
> se ve el hogar donde la leña humea
> y la olla al hervir borbollonea.
> El cierzo corre por el campo yerto,
> alborotando en blancos torbellinos
> la nieve silenciosa.
> La nieve sobre el campo y los caminos
> cayendo está como sobre una fosa.
> Un viejo acurrucado tiembla y tose
> cerca del fuego; su mechón de lana
> la vieja hila, y una niña cose
> verde ribete a su estameña grana.
> Padres los viejos son de un arriero
> que caminó sobre la blanca tierra
> y una noche perdió ruta y sendero,
> y se enterró en las nieves de la sierra.
> En torno al fuego hay un lugar vacío,
> y en la frente del viejo, de hosco ceño,
> como un tachón sombrío
> —tal el golpe de un hacha sobre un leño—.
> La vieja mira al campo, cual si oyera
> pasos sobre la nieve. Nadie pasa.
> Desierta la vecina carretera,
> desierto el campo en torno de la casa.

---

[14] Véanse las primeras páginas del presente capítulo.

> La niña piensa que en los verdes prados
> ha de correr con otras doncellitas
> en los días azules y dorados,
> cuando crecen las blancas margaritas.
>
> *(O. P. P., 147-148)*

No es momento de analizar todas las posibilidades simbólicas que este poema —al que llamé realista— encierra. Cuadro cotidiano que es lo que es: una pintura de hombres de la tierra, recogidos ahora, en la noche de invierno, al calor del hogar, y —como vimos ya— resguardados de la nieve [15].

En la última parte del poema se concreta un algo que se venía preparando a través de las partes anteriores: la actitud del poeta ante el paisaje de tierras pobres y hombres pobres es de admiración ahora. Ese paisaje le ha llegado al alma. Le han entrado al alma las tierras; le han entrado también las gentes que las habitan. A esas gentes van dirigidos los versos que cierran el poema:

> ¡Gente del alto llano numantino
> que a Dios guardáis como cristianas viejas,
> que el sol de España os llene
> de alegría, de luz y de riqueza!
>
> *(O. P. P., 149)*

---

[15] Dejando a un lado otros posibles simbolismos que no me interesa destacar aquí, veo uno que sí quiero señalar: en las figuras humanas, incluyendo al hijo desaparecido, hay algo del pasado, del presente y del futuro —un futuro sin hacer— de los hombres de España. Los viejos —el ayer—, esperando la muerte; la niña —el mañana—, esperando la vida. Todo lo que con la niña se relaciona es la vida: el verde ribete que cose a la estameña, el campo florido en primavera...; es muerte, por el contrario, lo que se relaciona con los viejos: él tiembla y tose; ella hila, como una Parca... Viejos y niña son hombres de España, pero podrían serlo de cualquier otra parte. La nota española, podríamos decir, la pone el hijo perdido, el que tuvo que salir de su casa —como sale el emigrante—, perdiendo su propia tierra. Ese hijo perdido ¿no podría, acaso, ser símbolo de una clase de españoles, los que se pierden al tener que buscarse fuera de España?

Diríamos, pues, que la visión machadiana del hombre de la tierra en *Campos de Castilla* tiene dos vertientes: de un lado nos presenta Machado al terrible cainita, capaz de cometer crímenes bestiales; de otro, al labrador, o pastor, o arriero, o quizá al emigrante, que tiene que sufrir en esa tierra —o fuera de ella— de que es parte. Aunque no se puede trazar un límite temporal entre ambas visiones, me parece que las primeras son más cercanas a los primeros contactos con tierras de Soria; luego viene, a veces, la comprensión, y hasta el amor, hacia esos hombres [16].

La línea esperanzada —con esperanza en el hombre— que se inicia en *Campos de Soria* se desarrolla y concreta en poemas posteriores: prueba de ello son los que, por primera vez, se incorporan a *Poesías completas* en 1917.

Las figuras intrahistóricas que hace poco pasaron ante nosotros, han de quedar en esos nuevos poemas. Son las / «buenas frentes sombrías / bajo los anchos sombreros» de los olivares andaluces; son los «labriegos transmarinos y pastores / trashumantes»..., «labriegos con talante de señores», de un poema dedicado a Azorín.

No intento decir que después de la publicación de *Campos de Castilla* desaparezca de la poesía de Machado la vertiente cainita a que me referí, tan notable en ciertos poemas de ese libro; lo que sí parecería es que, después de 1912, Machado quiere ver en el hombre de la tierra una posibilidad de superación.

Si comparamos el poema *Por tierras de España* con *El Dios ibero* —de fecha posterior—, entenderemos mejor la anterior aseveración [17].

---

[16] No olvidemos, sin embargo, que *La tierra de Alvargonzález* es de los poemas más tardíos de *Campos de Castilla*.

El profesor Lapesa, comentando mis puntos de vista, hizo estas interesantes observaciones: «Ese distinto modo de ver una realidad ¿no responderá a una tensión o polaridad espiritual de Machado? En un polo, el poeta político, tribuno, con gotas de sangre jacobina, que querría cambiar la historia de España, es decir, que el futuro español no fuese como el pasado; en el otro polo, el poeta intimista, ensimismado, de alma bondadosa y comprensiva, ganado por lo humilde y los humildes».

[17] *Por tierras de España* se publicó en 1910; *El Dios ibero* no aparece hasta 1917, en *Poesías completas*. Véanse en O. P. P., págs. 128-129 y 130-132, respectivamente.

El hombre de España

El hombre de la tierra es hoy igual que ayer: la España de hoy y de ayer. Por eso éste —el de hoy—, como el de la cantiga de Alfonso el Sabio, lanza la flecha al cielo, ve al Señor como una fuerza terrible y hostil casi siempre, y su máximo deseo sería, si pudiese, vengarse de ese Dios a quien ve como una fuerza enemiga: es el amo al que se adora si da, y se odia casi siempre.

Quizá no sea muy lejana la fecha de composición de *El Dios ibero* de la carta en que le dice a Unamuno, en relación con la religión del pueblo español, que es, más que religión, «una superstición milagrera», idea que repite, como vimos, en un artículo.

Ese hombre —*éste* del hoy de Machado— es el mismo de ayer; el que insulta a Dios porque necesita vengarse de algo y de alguien, es el mismo que ponía «a Dios sobre la guerra»; el pueblo que contemplaba impávido la «santa hoguera» —hecha con los árboles de Castilla— es el que hoy acusa al criminal... Pero eso es hoy. Mas si en otros momentos se quedó el poeta en la desesperanza del hoy, en *El Dios ibero* esas figuras terribles pertenecen al ayer y a un hoy que es sólo supervivencia del ayer. Pero el mañana queda abierto al infinito:

> Mas hoy... ¡Qué importa un día!
> Para los nuevos lares
> estepas hay en la floresta umbría.
>
> Aún larga patria espera
> abrir al corvo arado sus besanas;
> para el grano de Dios hay sementera
> bajo cardos y abrojos y bardanas.
>
> ¡Qué importa un día! Está el ayer alerto
> al mañana, mañana al infinito;
> hombres de España, ni el pasado ha muerto,
> ni está el mañana —ni el ayer— escrito.
>
> ¿Quién ha visto la faz al Dios hispano?
> Mi corazón aguarda
> al hombre ibero de la recia mano,
> que tallará en el roble castellano
> el Dios adusto de la tierra parda.

(*O. P. P.*, 131-132)

El «Dios hispano» no ha sido todavía. El Dios que algún día se revelará y hará crecer los frutos en la tierra pobre. Pero será un dios hecho por el hombre cuando aparezca ese hombre capaz de crear el verdadero Dios. Es decir, capaz de dar su verdadero sentido a la vida española de mañana, surgida del roble castellano que viene de ayer. Del ayer no escrito en los papeles, sino auténticamente vivido y simbolizado en ese roble que viene del pasado y quedará en el futuro.

Podemos, pues, deducir que en la que llamamos preocupación por el hombre de la tierra coinciden Unamuno y Machado. Aunque en la obra de Unamuno se manifiesta antes, no podríamos asegurar que a don Antonio le venga por influencia de don Miguel; le viene, más bien, cuando ve de cerca a ese hombre. Sin embargo, acaso el influjo unamuniano se deja sentir en la forma de ver a ese hombre y en la importancia que da a ciertas características, o a ciertos problemas, vistos antes por don Miguel.

El señorito

Si tanto en la obra de Unamuno como en la de Machado hallamos una visión realista del hombre de la tierra y, con frecuencia, una fuerte crítica de sus vicios, la crítica hacia «el señorito», y hacia la actitud que podemos denominar «señoritismo» de una clase social española, es mucho más fuerte. Unamuno disculpa con frecuencia las torpezas del campesino, viendo la culpa de muchas de ellas en las clases dirigentes; Machado, aparte de algunos momentos de pesimismo total, cree —o intenta creer— en un futuro en el que «el hombre de la recia mano» tendrá mucho que hacer. La actitud de los dos escritores hacia el señorito —el señorito de «profesión», cabría decir— es la misma.

La crítica del señorito español aparece antes en la obra de don Miguel que en la de don Antonio. En la de éste, aunque encontremos algunas muestras anteriores, se intensifica y cobra verdadera importancia en los años de Baeza: precisamente en la correspondencia a Unamuno, así como en un buen número de poesías de este momento, hemos de hallar con frecuencia su crítica al señorito español, descubierto a través del señorito andaluz.

El hombre de España

El rasgo más notable acaso que, en relación con el tema, encontramos en la obra de Unamuno es la identificación del «señoritismo» con el «donjuanismo» español. Don Juan es en una época para don Miguel simplemente eso: un señorito español; y, más específicamente, andaluz [18]. A veces, ese don Juan señorito se pone en contraste con otro símbolo: Don Quijote. Éste representa la España auténtica; aquél es el vulgar señorito, que ha logrado imponerse —con todos sus defectos— porque no se ha topado con Don Quijote [19].

Una de las características del señorito español es, por tanto, para don Miguel, el donjuanismo. Pero ese don Juan, que es un señorito cualquiera, «después de pasados los años de su ardiente mocedad, suele casarse y se convierte en un respetable burgués, lleno de achaques y de prejuicios, conservador y hasta neo. Oye misa diaria, pertenece a varias cofradías y abomina de cuantos no respetan las venerables tradiciones de nuestros mayores» (*O. C.*, IV, 487).

En esta visión de don Juan vuelve a insistir Unamuno en otras ocasiones. Si no le hubiera llevado a tiempo el comendador, escribe otra vez, «le habríais visto anciano respetable, defendiendo el orden, las veneradas tradiciones de nuestros mayores, la libertad bien entendida y el «pan y catecismo», y asistiendo piadoso a las solemnidades de su cofradía» (*O. C.*, IV, 429).

Y otra vez: «Si, como el gran poeta portugués Guerra Junqueiro, escribiese yo una *Morte de don João*, le pondría al que fue seductor de oficio muriendo entre dos frailes, después de haberse confesado y comul-

---

[18] La actitud de Unamuno hacia Don Juan ha de cambiar luego radicalmente. Como testimonio de ello nos queda *El hermano Juan*. Comentando este cambio, escribe Zubizarreta: «Sin embargo, no sabemos exactamente cuándo cesó el desprecio que Unamuno sentía por Don Juan...»
«... En abril de 1915 —dentro de la época de su antigermanismo— lo consideraba superior a Fausto en el artículo *Sobre el paganismo de Goethe*. En 1923, en *Pirandello y yo*, Unamuno reconocía una personalidad propia a Don Juan, y lo citaba, en *San Quijote de la Mancha*, entre los seis grandes hombres de la historia española» (*Unamuno en su «nivola»*, págs. 312-313).

[19] Así, en el siguiente párrafo: «Yo sólo sé una cosa, y es que, por desgracia para España, no se vinieron a las manos (Don Juan y Don Quijote), no acierto a adivinar por qué, pues de haberse venido a ellas, no me cabe duda de que Don Quijote, el Burlado, habría acabado con Don Juan, el Burlador, siendo la primera y única vez que acababa con un hombre» (*O. C.*, IV, 489).

gado devotamente, y legado su fortuna, no a los hijos de sus desvaríos, que pudieran andar por ahí perdidos y sin padre, sino a cualquier convento o para que se digan misas en sufragio de su alma» (*O. C.*, IV, 487). Don Juan, y «nuestros don Juanes», son, en el fondo, unos seres vacíos, totalmente vacíos. Acaso, cree Unamuno, «se dedican a cazar doncellas para matar el tiempo y llenar un vacío de espíritu, ya que no encuentran otra manera como llenarlo» (*O. C.*, IV, 488). Cuando se cansa, o, mejor, cuando ya no puede seguir a la caza de doncellas, normalmente se casa; y si busca en el matrimonio quien le cuide en su vejez, «tampoco descuida la dote» (*O. C.*, IV, 490).

Entre los señoritos que tienen realidad viva en el mundo poético de Machado hay un personaje que recuerda en forma notable a esos don Juanes arrepentidos que Unamuno imagina. Se trata de don Guido, sobre cuya vida y muerte quedan unas conocidas coplas [20]:

> Murió don Guido, un señor
> de mozo muy jaranero,
> muy galán y algo torero;
> de viejo, gran rezador.
> Dicen que tuvo un serrallo
> este señor de Sevilla.
> ....
> Cuando mermó su riqueza,
> era su monomanía
> pensar que pensar debía
> en asentar la cabeza.
>
> Y asentóla
> a la manera española,
> que fue casarse con una
> doncella de gran fortuna
> y repintar sus blasones,
> hablar de las tradiciones

---

[20] Véase *Llanto de las virtudes y coplas por la muerte de don Guido* (*O. P. P.*, págs. 192-194).

> de su casa,
> a escándalos y amoríos
> poner tasa,
> sordina a sus desvaríos.
>
> Gran pagano
> se hizo hermano
> de una santa cofradía;
> el Jueves Santo salía
> llevando un cirio en la mano
> —¡aquel trueno!—,
> vestido de nazareno...

Es este don Guido un don Juan que la muerte no se ha llevado a tiempo. Un don Juan español, como los que Unamuno veía en los señoritos de España.

Este machadiano don Juan en decadencia —que es creación de los años de Baeza— parece influido por las visiones unamunianas, citadas arriba [21]. Sin embargo, se trata de un caso tan típico de la España de don Antonio, que no podemos descartar la posibilidad de que algún don Guido de Baeza sea el inspirador directo del poema.

En la correspondencia con Unamuno, como ya apunté, es el señoritismo uno de los temas en que Machado se detiene. García Blanco compara la primera carta de Baeza con el poema *Del pasado efímero* —que, por cierto, le fue enviado a Unamuno en la misma ocasión con el título provisional de *Hombres de España (Del pasado superfluo)*—. Algunos de los versos del mismo son, como ve García Blanco, muy similares a ciertos párrafos de la carta:

> Este hombre del casino provinciano
> que vio a Carancha recibir un día,
> tiene mustia la tez, el pelo cano,
> ojos velados de melancolía;

---

[21] Los citados párrafos de Unamuno pertenecen a dos ensayos: *Ibsen y Kierkegaard* y *Sobre Don Juan Tenorio*, incorporados a *Mi religión y otros ensayos*. Fueron publicados en 1907 y 1908, respectivamente.

bajo el bigote gris, labios de hastío,
y una triste expresión, que no es tristeza,
sino algo más y menos: el vacío
del mundo en la oquedad de su cabeza...

(*O. P. P.*, 188-189)

Es, como los aburridos don Juanes que pinta Unamuno, un señorito gastado que ya no tiene mucho que hacer. Es uno de los muchos señoritos arruinados por el juego, como los que se mencionan en la carta. Su cabeza, en la vejez, guarda tan poco como en la juventud.

García Blanco relaciona, además, el poema machadiano con uno de Unamuno, de fecha posterior, en el que, indudablemente, influyó en forma notable: el que lleva por título *El hombre del chorizo* [22].

---

[22] Por razones que explicaré, me parece imprescindible dar completo este poema, no muy conocido:

Este hombre del chorizo y de la siesta,
que va de fiesta en fiesta,
el de la buena hembra y la bandurria,
el que ahoga su murria
jugando al monte;
este hombre del chorizo,
el que adora en Belmonte
es el castizo.

Es hombre de calzones,
aunque su voluntad es la desgana,
y saca en ocasiones
filosofía, como ellos, de pana
y no de terciopelo,
y así como el chorizo le arde el pelo.

Sobre todo aborrece
a los que dar que hablar procuran sólo,
y no más se perece
por no pensar. El bolo
que tiene por cabeza
—¡qué lástima de hito!—
para dormir le sirve; es una pieza
en que sólo está escrito

El hombre de España

Para ambos escritores, el señorito es una especie de plaga que no acaba de desaparecer. «Una fruta vana / de aquella España que pasó y no ha sido, / esa que hoy tiene la cabeza cana», como dice Machado. Podríamos llegar a la conclusión de que las características más destacadas del señorito, según Unamuno y Machado, son las siguientes:

> que escrito está que de este mundo sacas
> lo que metes no más. Son alharacas
> de locos de remate
> todo eso de la historia;
> lista de reyes godos, ¡disparate!,
> y no hay, si es que la hay, más cierta gloria
> que volver al chorizo y a la siesta,
> y buena hembra, y bandurria, y monte y fiesta.
>
> Hombre de orden el hombre del chorizo,
> después de este negocio,
> el de soñar la vida pasajera,
> con un sueño castizo
> y alimentar el bocio
> en que infartada lleva su quimera,
> sólo piensa, cuando entra ya en capilla,
> comprar en la taquilla
> del coso de los curas
> un billete de entrada a talanquera
> para colar calzones y asaduras
> a la postrera fiesta,
> que es la que nunca acaba, eterna siesta.
>
> Cree en Mella o en Lerroux, le da lo mismo;
> mas le rompe el bautismo
> —es un decir— en salva
> la parte, ¡claro!, al lucero del alba,
> si, atreviéndose a irle contra el pelo,
> le quiere hacer tragar algún camelo.
>
> A él que no le toquen la marina,
> marina de secano,
> lo demás es pamplina
> —el mar de su marina es un pantano—;
> a él que no le toquen en lo vivo,
> es decir, en lo muerto,
> ni le hurguen la galbana,
> ni le cambien de estribo,

la vaciedad: «Nuestro español bosteza. / ¿Es hambre? ¿Sueño? ¿Hastío? / Doctor, ¿tendrá el estómago vacío? / —El vacío es más bien en la cabeza», escribe Machado (*O. P. P.*, 208); el «horror al trabajo», como titula Unamuno un artículo; la afición a «matar el tiempo», ya

> que en su macho le dejen a su gusto,
> sin irle con lo cierto o lo no cierto,
> que no le den el susto
> de darle media vuelta a su desgana.
>
> El hombre del chorizo tiene un alma
> llena de pimentón, y aun de guindilla,
> y endulza nuestra calma
> soltando al aire alguna seguidilla
> de esas en que se mienta al cementerio
> y «¡ay, ay, ay, madre, madrecita!»,
> u otra alegría así de nombre serio
> que cantando sin fin se desgañita.
>
> Este hombre del chorizo, al fin, ¿existe?
> Este hombre del chorizo es sólo triste
> pesadilla de nuestra alma española,
> que va casi en ayunas
> con un trago y un soplo de aceitunas
> a dormirse sin ropa, fría y sola,
> bajo un cielo sin fin que la tortura,
> bajo un cielo acerado e implacable
> que las flores nos hiela en primavera,
> apedrea las mieses en estío
> para menguar la era
> o en venganza feroz las achicharra
> al sol de la justicia contra el frío,
> y en sobarnos no marra.
>
> ¡Oh cielo todo luz, oh cielo amigo!,
> que doras el limón de las Españas,
> ¿qué te hemos hecho para tal castigo
> con que nos emponzoñas las entrañas?

(O. C., XIV, 889-891)

Las influencias de Machado no se limitan a los primeros versos, vistas ya por García Blanco. Pueden hallarse en otros momentos, y no sólo del citado *Del pasado efímero,* sino de otros poemas. La penúltima estrofa, por ejemplo.

sea con las mujeres, con el juego o con algún otro entretenimiento: los toros, por ejemplo, que suelen ser muy de su gusto; total ausencia de interés en asuntos serios, como el religioso, aunque por tradición sea católico, o lo que concierne a los destinos de su patria, aunque se diga conservador o liberal «en el buen sentido», según la moda. Es siempre hombre de orden.

En la obra machadiana, a partir de los años de Baeza, el señorito, el «tipo señorito» —se podría decir— se convierte en una figura que simboliza todo lo negativo de la sociedad. Así ha de verse en *Juan de Mairena* en repetidas ocasiones; y así, más tarde, a través de los escritos de los últimos años.

En uno de ésos deja claramente expresada su definición del señorito, o, como explica bien, del «señoritismo», que, más que con una clase social, tiene que ver con una actitud vital: «Cuando una gran ciudad —como Madrid en estos días— vive una experiencia trágica, cambia totalmente su fisonomía, y en ella advertimos un extraño fenómeno, compensador de muchas amarguras: la súbita desaparición del señorito. Y no es que el señorito, como algunos piensan, huya o se esconda, sino que desaparece —literalmente—, se borra, lo borra la tragedia humana, lo borra el hombre. La verdad es que, como decía Juan de Mairena,

---

recuerda no poco algunos versos de *Campos de Castilla* —véase *El Dios ibero* y *Por tierras de España*, por ejemplo— citados ya.

Quiero advertir, además, que si hasta aquí, para simplificar las cosas, he hablado de «influencia», es éste precisamente uno de los casos en que podríamos hablar más propiamente del fenómeno de reflujo. Si bien es cierto que las influencias de los poemas nombrados no son difíciles de hallar aquí; si es verdad que, mirado a simple vista, *El hombre del chorizo* podría sonarnos como una réplica de «este hombre del casino provinciano» —la mera comparación de textos es suficiente para comprobarlo—, no es menos cierto que todo cuanto Unamuno expresa en esos versos lo había escrito en prosa mucho antes. Acaso lo más nuevo en este Unamuno —y lo más machadiano del poema— sea el hacer andaluz a ese hombre provinciano; andaluz, como los desocupados señoritos del casino de Baeza, de los que Machado le había hablado en su correspondencia. El «hombre del chorizo», que podría ser de cualquier lugar, que don Miguel había visto en otras partes, ahora endulza nuestra calma soltando alguna seguidilla. Si tenemos en cuenta que *El hombre del chorizo* está fechado en 1916, no tenemos por qué rechazar la presencia de las observaciones de Machado sobre los provincianos andaluces en este poema.

no hay señoritos, sino más bien «señoritismo», una forma, entre varias, de hombría degradada, un estilo peculiar de no ser hombre, que puede observarse a veces en individuos de diversas clases sociales, y que nada tiene que ver con los cuellos planchados, la corbata o el lustre de las botas».

Y estableciendo una contraposición entre «señorito» y «señor», que podría recordarnos un poco la establecida por don Miguel muchos años antes entre don Juan y Don Quijote, continúa: «Entre nosotros, españoles, nada señoritos por naturaleza, el señoritismo es una enfermedad epidérmica, cuyo origen puede encontrarse, acaso, en la educación jesuítica, profundamente anticristiana y —digámoslo con orgullo— perfectamente antiespañola. Porque el señoritismo lleva implícita una estimativa errónea y servil, que antepone los hechos sociales más de superficie —signos de clase, hábitos e indumentos— a los valores propiamente dichos, religiosos y humanos. El señoritismo ignora, se complace en ignorar —jesuíticamente— la insuperable dignidad del hombre. El pueblo, en cambio, la conoce y la afirma, en ella tiene su cimiento más firme la ética popular. «Nadie es más que nadie», reza un adagio de Castilla... «Nadie es más que nadie», porque —y éste es el más hondo sentido de la frase—, por mucho que valga un hombre, nunca tendrá valor más alto que el valor de ser hombre. Así habla Castilla, un pueblo de señores, que siempre ha despreciado al señorito» (*O. P. P.*, 677-678).

LA MUJER ESPAÑOLA

El tema, que es importantísimo en la obra de Unamuno, es casi insignificante en la de Machado. Por ello, se tratará aquí muy superficialmente. No puedo, sin embargo, pasarlo por alto, ya que me parece, al menos en una ocasión, hallar puntos de contacto en la visión de la mujer española mirada por Unamuno y Machado.

De Unamuno podríamos decir que no pierde jamás oportunidad de hablar de la mujer. Sobre todo de la mujer española. De hablar en una forma profunda, claro está, huyendo, por el contrario, de todo lo que pudiese sonar a galanteo, y condenando constantemente tal actitud, que denigra, cree, a la mujer. De ahí que en todos los discursos pronunciados en los diversos juegos florales celebrados en provincias, en los que fue orador, en lugar de la tradicional alabanza de la belleza de la reina de la fiesta, dedique siempre unas palabras «en serio» a lo que la mujer española es y debía ser [23].

Muy claramente ve y condena don Miguel la ñoñez, la tontería de la mujer española; ve, como característica muy destacada, su espíritu ramplón, capaz de matar el espíritu aventurero de cualquier hombre —si aún en algún español quedase tal espíritu—; ve, además, y critica constantemente el estado de ignorancia en que se la mantiene. No hallo en la actitud de don Miguel desprecio hacia la capacidad intelectual de la mujer [24].

---

[23] Sobre el tema de la mujer en la sociedad, al que pretendo acercarme, un poco superficialmente, aquí, dedica unas páginas muy bien documentadas LUIS GONZÁLEZ SEARA en un artículo reciente (La relación sociedad-individuo en Unamuno. Revista de la Universidad de Madrid, núms. 49-50, 1964).

[24] Sé que esta afirmación es controvertible, ya que se podrían presentar algunos textos en que parece afirmar lo contrario. Sin embargo, bien analizado el asunto, tales textos serían escasos. Los más representativos de tal actitud, los que han sido citados hasta la saciedad, son dos conocidos artículos: A una aspirante a escritora y A la señora Mab (O. C., IV, 711-719, y O. C., IV, 120-127, respectivamente). De ellos, además, se citan sólo algunos párrafos. El tono un poco irritado y agresivo de algunas frases puede inducirnos a pensar que se trata de precipitados comentarios u observaciones dirigidas a alguna mujer en particular que por algún motivo no era muy de su agrado. Sabemos que tuvo gran amistad con algunas escritoras, como doña Emilia, o investigadoras, como doña Carolina Michaelis de Vasconcellos, a las que en ningún momento menospreció, sino, por el contrario, alabó siempre.

Es importante destacar el hecho de que don Miguel tenía verdadero interés en entender a la mujer a fondo. Prueba de ello serían sus personajes de ficción femeninos. En un curioso escrito poco citado llega don Miguel a reconocer la falta de comprensión, por parte del hombre, de la verdadera personalidad de una mujer. En un sincerísimo párrafo se expresa en los siguientes términos: «Le cuesta tanto a la mujer, en efecto, que le reconozcan personalidad, ¡verdadera personalidad! ¡Nos cuesta tanto a los hombres persuadirnos de que sea más que un niño grande!» (O. C., VIII, 910).

Cree, sí, don Miguel que la mujer española de su tiempo, debido a la educación que ha recibido, no puede competir con el hombre. No se ha desarrollado lo bastante como para llegar a eso. Mas no dice que no pueda llegar a desarrollarse. En 1912 afirma que «el tipo de mujer fuerte y libre norteame-

La incapacidad de la mujer española de su momento es lo que sí ve y condena.

En 1907, en un ensayo titulado *Nuestras mujeres*, escribía: «Y yo creo que es la mujer lo que en España tiene que cambiar más.

»Una mujer puede ser fiel y amante esposa, muy ama de casa, muy señora de su hogar, muy devota de sus hijos, y ser, sin embargo, una muy imperfecta ciudadana y un elemento de estancación social. Entre las mujeres más honradas y más revestidas con todas las virtudes que el confesor les inculca es donde suelen encontrarse los espíritus más mezquinos y más lastimosamente apegados a la tierra.

»De nada hay que desconfiar más que de la supuesta religiosidad de la mujer. Va a misa como al teatro, y rige sus devociones por la ley de la moda. Es en los países católicos por buen tono» (*O. C.*, IV, 704).

El blanco de la crítica unamuniana es, sobre todo, la mujer de clase media o alta, es decir, la llamada «señora» o «señorita». «Las señoras —escribe en 1912—, en efecto, o, si se quiere, las damas, son una variedad de mujeres que, junto a muchas cualidades de su sexo, ocultan otras no menos buenas y muestran algunas decididamente perniciosas. Una de las capitales preocupaciones de las señoras es ocultar la espontaneidad nativa de la mujer y es aparentar no ya virtud como pudibundez. Y si la vanidad es algo que hace estragos en nuestro pobre linaje humano, ya en el hombre, ya en la mujer, en nadie se ceba más que en la señora. La señora es esclava de la vanidad, y del *comme il faut*, de las conveniencias, de lo que estrictamente quiere decir la palabra decencia» (*O. C.*, XI, 506).

La ramplonería es una de las más salientes características de la mujer española. Unamuno toma como símbolo del espíritu ramplón a Antonia, la sobrina de Don Quijote. «Hay un sentido común —escribe en una ocasión—, y junto a él un sentimiento común también; junto a la ramplonería de la cabeza nos embarga y embota la ramplonería del corazón. Y de esa ramplonería eres tú, Antonia Quijana, lectora mía, la

---

ricana no ha llegado aún a nuestros países», refiriéndose a España e Hispanoamérica (*O. C.*, XI, 506).
El que no haya llegado a nuestros países no significa que no pueda llegar a desarrollarse en ellos; el «aún» indica, desde luego, que no descarta la posibilidad de que llegue algún día.

guardiana y celadora. La alimentas en tu corazoncito mientras espumas la olla de tu tío o mientras meneas los palillos de randas» (*O. C.*, IV, 223).

También Antonio Machado ha visto ese espíritu ramplón en algunas mujeres. Muy acertadamente lo retrata en el poema *La mujer manchega*, que puede ser una mujer de cualquier pequeño pueblo de España:

> Devota, sabe rezar con fe
> para que Dios nos libre de cuanto no se ve.
> ....
> Y es del hogar manchego la musa ordenadora;
> alinea los vasares; los lienzos alcanfora;
> las cuentas de la plaza anota en el diario,
> cuenta garbanzos, cuenta las cuentas del rosario...
>
> (*O. P. P.*, 194-196)

No llega Machado, sin embargo, a expresar sus opiniones sobre esta mujer tipo; se limita a retratarla. Es una de tantas Antonias Quijanas, como diría Unamuno, que vive su vulgar existencia en un pueblo cualquiera.

Los dos escritores —adelantándose una vez más don Miguel— ven en esa provinciana, ramplona y vulgar, y en la mujer española en general, una fuertísima voluntad de dominio. Va al matrimonio con la intención de hacer lo que quiera del hombre, y lo consigue las más de las veces.

En la *Vida de Don Quijote y Sancho*, sobre las Antonias Quijanas dice don Miguel: «¡Y pensar que esta rapaza de Antonia Quijana es la que domeña y lleva hoy a los hombres de España! Sí, es esta atrevida rapaza, esta gallinita de corral, alicorta y picoteadora, es ésta la que apaga todo heroísmo naciente»...

«Y aunque tan simplona y casera y de tan corto alcance de corazón como de cabeza, si se atreve contigo, su tío, ¿no se ha de atrever con los que la solicitan para novia o la poseen como maridos?» (*O. C.*, IV, 222-223).

Y continúa más adelante: «Tu testamento se cumple, Don Quijote, y los mozos de esta tu patria renuncian a todas las caballerías para poder gozar de las haciendas de tus sobrinas, que son casi todas las españolas, y gozar de las sobrinas mismas. En sus brazos se ahoga todo heroísmo. Tiemblan de que a sus novios y maridos les dé la ventolera por donde le dio a su tío. Es tu sobrina, Don Quijote, es tu sobrina la que hoy reina y gobierna en tu España; es tu sobrina y no Sancho. Es la medrosica, casera y encogida Antonia Quijana»... «apenas sabe menear doce palillos de randas, y menea a los hombres de hoy en tu patria» (págs. 374-375).

Muchos años más tarde, en la primera carta de Baeza, no podríamos decir si recordando lo que Unamuno había señalado en *Vida de Don Quijote* o recordando, acaso, algún comentario o conversación de ambos sobre el tema, hallamos las siguientes palabras de Machado: «En verdad extraña que en este país de los pantalones apenas haya negocio de alguna trascendencia que no resuelvan las mujeres a escobazos».

Y en versos, casi con las mismas palabras, dice:

> En esta España de los pantalones
> lleva la voz el macho;
> mas si un negocio importa
> lo resuelven las faldas a escobazos [25].

Ramplonería y voluntad de dominio son los dos rasgos que Machado, de refilón, ve y critica en el tipo medio de la mujer española. Una vez más coincide con Unamuno; una vez más, sin embargo, hay que apuntar que la coincidencia puede surgir de la observación directa.

UNA CARACTERÍSTICA NACIONAL: LA ENVIDIA

El tema de la envidia, y la aparición de Caín como símbolo del envidioso, surge muy pronto en la obra de Unamuno, y es, a través de toda ella, un problema esencial. Me limitaré aquí a estudiarlo como carac-

---

[25] M. García Blanco comparó ya el párrafo de la carta con los versos (véase *Op. cit.*, pág. 13).

terística del hombre español, no como pasión propia de la condición humana —así lo vemos en *Abel Sánchez*—, aunque, de vez en cuando, me extienda un poco y tenga que llegar a tocar el tema en su sentido más amplio, es decir, el segundo.

Es de suponer que el problema de la envidia como pasión del hombre —de todos los hombres— se le haya presentado a Unamuno antes que el problema de la envidia como característica nacional. Don Miguel ve el problema en todas sus posibles formas, e intenta penetrar por todos los medios hasta sus más oscuros fondos. La culminación de su búsqueda es, acaso, la creación de Joaquín Monegro, el personaje de *Abel Sánchez*[26].

El tema de la envidia relacionado con la tierra, y personificado en Caín, está, creo que por vez primera, en el ensayo *La Flecha*, del libro *Paisajes*[27]. Sin embargo, en un escrito de 1891, recogido de *De mi país*, parecería que el tema comienza muy remotamente a esbozarse en estas palabras: «Y tras esto, la alegría triste, la sangre de Abel enrojeciendo el cielo» (*O. C.*, I, 175).

Durante algunos años, el bueno y el malo, el envidiado y el envidioso, están simbolizados, en forma tradicional, en Abel y Caín, respectivamente. Éste es el hombre apegado a la tierra, el labrador, y el constructor de la primera ciudad: la ciudad de Henoc; Abel, el bueno, es el vencido, el muerto: los abelitas, los pastores, quedaron trashumantes,

---

[26] Se ha señalado con frecuencia el hecho de que es posible que hubiese un problema íntimo, personal, tras esa honda preocupación de Unamuno.
RICARDO GULLÓN, en la parte que dedica a *Abel Sánchez* en su libro *Autobiografías de Unamuno*, con penetrante sensibilidad apunta: «La decisión de escribir una novela dedicada a este tema revela decisión de enfrentarse con él desde dentro, sintiéndolo como enemigo interior. Necesitaba vivirlo, encarnarlo en el protagonista de una historia cuyo desarrollo le permitiera explicarse y entenderse. Para vencer al solapado adversario —o, más sencillamente, para curarse— sería útil, como siempre, purgarse del mal mediante persona interpuesta. Joaquín Monegro podría padecer la pasión detestada y así liberar a su creador de un destino amenazante» (pág. 118).
CARLOS CLAVERÍA, en su ensayo sobre el tema de Caín, en el libro *Temas de Unamuno* —cuyo conocimiento es imprescindible para el estudio del problema de la envidia en la obra de don Miguel— aporta datos biográficos de gran interés.
[27] Clavería señala la aparición del tema en este y otro ensayo incluido en el mismo libro: «Ciudad y campo».

discurriendo por las vastas praderas. Y así, «el pastor que guía sus rebaños por las extensas praderas lo espera todo del cielo: de la gracia de Dios; el labrador que suda sobre la tierra y la desgarra el seno estima el sol y la lluvia como debida recompensa a sus afanes»...

Un poco más adelante añade: «Corrieron los siglos, vino el Cristo y pastores le adoraron al nacer, mientras los ángeles cantaron gloria a Dios en las alturas y en la tierra paz, y en la ciudad, a cuyos hijos quiso tantas veces en vano reunir como reúne la gallina bajo sus alas a los polluelos, en la ciudad fue donde le dieron muerte afrentosa» (O. C., I, 59-60).

La ciudad es obra de Caín. Cristo —cree Unamuno en 1903, como Fray Luis de León, que sugiere el ensayo *La Flecha*, que vengo citando— vive en los campos y goza del cielo libre, como los pastores. El espíritu de Cristo y el de Abel, pastores, vive en los que hoy pasan sobre la tierra de cara al cielo.

Notemos que, además de los opuestos Caín-Abel, ciudad-campo, labrador-pastor, hallamos otro par de conceptos en oposición: Caín-Cristo [28].

Más tarde, a medida que Unamuno vaya descubriendo otras cosas, el problema se irá haciendo más y más complicado.

Acaso estos tres descubrimientos sean los más importantes. Primero: que el pueblo español es «abelita» y no «cainita», ya que los abelitas expulsaron de España a los labradores, a los cainitas. Segundo: que, a pesar de ello, el pueblo español, como pueblo en su conjunto, y en todos sus grupos sociales, es profundamente envidioso. Tercero: que «si Caín no hubiese matado a Abel, éste mataría a Caín», frase que repite con frecuencia en la obra posterior a 1903, fecha del ensayo antes comentado.

En 1905 —es decir, dos años después de identificar campo-pastor-Abel y ciudad-labrador-Caín— escribe: «Hay un pecado capital genuinamente español y del que me propongo escribir con alguna extensión, y ese pecado es el de la envidia, nacido de nuestro especial individualismo, y ese pecado es una de las causas del kabilismo. La envidia ha estropeado y estropea no pocos ingenios españoles, sin ella lozanos y fructuosos»...

---

[28] La oposición Caín-Cristo reaparecerá en obras posteriores alguna otra vez. Lo veremos concretamente en *El Cristo de Velázquez*.

El hombre de España

«En el fondo de la expulsión de moriscos, pueblo agricultor y laborioso, de huertanos, apenas veo más que el tradicional odio de los que llamaré abelitas, de los descendientes de Abel, el pastor, contra los cainitas, los descendientes de Caín, el labrador, que mató a su hermano. Porque la leyenda hebrea de Caín y Abel es una de las más profundas intuiciones de los comienzos de la historia humana» (*O. C.*, III, 630-631).

En 1908, con tono verdaderamente angustiado, exclama: «La envidia es el terrible azote de estos pobres espíritus amodorrados; la envidia es la peor de las plagas morales de casi toda nuestra España» (*O. C.*, XI, 156).

Y el año siguiente: «¡La envidia! Ésta, ésta es la terrible plaga de nuestras sociedades; ésta es la íntima gangrena del alma española»... «Es la envidia, es la envidia, es la sangre de Caín más que otra cosa, lo que nos ha hecho descontentadizos, insurrectos y belicosos. La sangre de Caín, sí, la envidia» (*O. C.*, IV, 419).

En 1910, en *La Lectura*, Antonio Machado publica *Por tierras del Duero*, que, como sabemos, se titularía después *Por tierras de España*.

> Veréis llanuras bélicas y páramos de asceta
> —no fue por estos campos el bíblico jardín—:
> son tierras para el águila, un trozo de planeta
> por donde cruza errante la sombra de Caín,

dice en la estrofa final, ya citada anteriormente.

Creo que, además del recuerdo unamuniano en el tema mismo, captamos en las palabras de Machado un lejano eco de «la sangre de Caín», frase utilizada por Unamuno un año antes.

Con las mismas palabras de Unamuno alude Machado a la envidia poco después en *La tierra de Alvargonzález*:

> Mucha sangre de Caín
> tiene la gente labriega,
> y en el hogar campesino
> armó la envidia pelea...

(*O. P. P.*, 150-151)

¿Es la «sombra de Caín» un eco de la «sangre de Caín»? Podría serlo. Pero el hallazgo machadiano es mucho más poético, mucho más lleno de misterio. La sombra queda errante aún cuando desaparece la sangre. Queda en ese trozo de planeta, vagando como un fantasma, ensombreciendo esa tierra dejada de la mano de Dios.

Ya señalé cuán profundamente impresionó a don Miguel el verso de Machado que cita con frecuencia en muy diversas ocasiones [29]. Queda aún algo que añadir: ha hecho tan suyas las palabras machadianas, que llega —más allá de la constante alusión a ellas— a asimilarlas en forma realmente sorprendente.

Así, en el soneto XLIII del libro *De Fuerteventura a París*, sin aludir a Machado, utiliza Unamuno la imagen machadiana en la segunda estrofa:

> Aunque de flores Dios el suelo alfombre,
> a sus errores el mortal se aferra
> y por los yermos, Caín triste, yerra
> donde al hermano con su sombra asombre...
>
> (*O. C. C.*, XIV, 521)

Se trata de una glosa —surgida, acaso, impensadamente— a los versos de Machado. No sólo emplea las expresiones machadianas, sino que, además, acepta, comparte, la idea de un Caín cuya «sombra asombra» siempre; mas no sólo en los yermos castellanos, sino en cualquier lugar «donde su planta pone el hombre», parece añadir intencionadamente.

En otro soneto del mismo libro —el XCI—, Unamuno ha asimilado tan profundamente la imagen machadiana, la ha hecho tan suya, que la sentimos detrás de su propio decir, mezclada totalmente con ese decir:

> Tu voluntad, Señor, aquí en la tierra
> se haga como en el cielo; pero mira
> que mi España se muere, la mentira
> en su cansado corazón se aferra.

---

[29] Véase el capítulo V de la *Primera parte*.

> Sus entrañas desgarra triste guerra
> de hermanos enemigos; cese tu ira,
> el duro palo del pastor retira,
> tiende la mano al que perdido yerra...
>
> (*O. C.*, XIV, 584)

Síntesis prodigiosa del pensamiento machadiano —sobra aclarar que «el que perdido yerra» es, sin duda, la errante sombra de Caín— con su idea antigua: el pastor, que ha vencido en España al labrador, es tan implacable en la lucha como el labrador mismo: como el descendiente de Caín. No hay bueno ni malo: hay hermanos que luchan. Porque los hermanos —recordemos *El otro*— luchan siempre.

El tema de la envidia del hombre español —sobre todo, hombre del campo— está tratado —o esbozado— por Machado en varios poemas de *Campos de Castilla*, además del mencionado *Por tierras de España*. En *La tierra de Alvargonzález*, los hermanos mayores envidian al pequeño, aunque ello no constituya el problema central del poema; señalé también que la envidia es defecto que el poeta ve siempre en el hombre de estas tierras, que tiene «los ojos siempre turbios de envidia o de tristeza».

Todo ser humano, en mayor o menor grado, entiende este pecado capital típico del español, que diría don Miguel. No se puede pensar, desde luego, que a Machado se lo descubriese Unamuno, ni mucho menos. Mas creo que la preocupación de éste pesa considerablemente en el poeta, que probablemente lo captó con mayor claridad y le preocupó muy en serio cuando lo vio analizado, radiografiado, por don Miguel.

Sin embargo, el propio don Miguel afirma que, desde muy pronto, Machado siente «la obsesión de Caín». Y es ése uno de los temas machadianos que Unamuno comenta en su artículo sobre *Campos de Castilla*[30]. La aparición del tema de Caín en esta obra de Machado le sirve de base para replantearse una vez más el problema, mezclando sus propias ideas con las de Machado y haciendo una revisión del tema a través de la obra de éste. «Creo —escribe don Miguel— haberos recontado

---

[30] Véase capítulo V de la *Primera parte* del presente estudio.

alguna otra vez la vieja leyenda. Caín, el labrador del campo, tuvo envidia de la virtud de su hermano Abel, el pastor, o más bien de que Dios miraba con mejores ojos las ofrendas de éste que las de aquél. Y Machado, que parece tener la obsesión de Caín —trágica figura poética que obsesionó también a Lord Byron—, nos dice que «la envidia de la virtud — hizo a Caín criminal — ¡Gloria a Caín! — Hoy el vicio — es lo que se envidia más».

«Y este Caín, el labrador, envidioso de la virtud de su hermano Abel, el pastor, le mató. Mas yo abrigo la triste creencia —creo habéroslo dicho antes de ahora— de que, si Caín no mata a Abel, habría muerto a manos de éste.»

Pero, sin limitarse a encerrar el tema en un solo libro, continúa don Miguel: «Antonio Machado tiene, como Lord Byron, repito, la obsesión de Caín, la más trágica figura de la leyenda y de la historia. Ya en su otro tomo de poesías, el titulado *Soledades. Galerías. Otros poemas*, hay un recuerdo infantil en que nos dice:

«Una tarde parda y fría
de invierno. Los colegiales
estudian. Monotonía
de lluvia tras los cristales.
En la clase, en un cartel
se representa a Caín
fugitivo, y muerto Abel
junto a una mancha carmín».

Y la visión de Caín, el fugitivo, parece le persigue desde aquella su infancia sevillana, la del huerto claro donde madura el limonero» [31].

A pesar de las afirmaciones de Unamuno, no creo que este tema sea obsesivo en Machado; es, sin duda, materia de meditación, mas ni siquiera tema de primera importancia.

Por razones antes expuestas, no entraré en la gran novela unamuniana dedicada a la exploración del alma del envidioso, *Abel Sánchez;* señalé ya que es sólo la envidia hispánica el tema de estas observaciones. No

---

[31] M. García Blanco: *En torno a Unamuno*, págs. 286-287.

puedo, sin embargo, dejar de hacer algunas reflexiones sobre la citada novela, ya que en ella Unamuno no deja de aludir a este pecado capital como pecado español. En dos ocasiones, por lo menos, esta pasión universal se convierte en pasión hispánica [32].

Tampoco quiero pasar por alto un hecho fundamental en relación con el tema de este estudio: la impresión que la novela de Unamuno produjo en Machado.

El 16 de enero de 1918 fecha don Antonio una de las más interesantes cartas del epistolario que he venido comentando. Gira casi toda ella en torno a *Abel Sánchez*, acabado de leer en esa fecha. «Recibí su *Abel Sánchez*, su agrio y terrible Caín, más fuerte a mis ojos que el de Byron, porque está sacado de las entrañas de nuestra raza, que son las nuestras, y habla nuestra lengua materna. Bien hace V. en sacar al sol las hondas raíces del erial humano, ellas son un índice de la vitalidad de la tierra y, además, es justo que se pudran al aire, si es que ha de darse la segunda labor, la del surco para la semilla.»

Mas, como en seguida veremos, para Machado, según queda expresado en esta carta, la verdadera lucha no se establece entre Caín y Abel, sino entre Caín y quien sólo puede vencer al cainita: Cristo.

«Caín, hijo del pecado de Adán —continúa don Antonio—, desterró el páramo virgen, por él se convirtió el paraíso en tierra de labranza. La segunda vuelta la dio Jesús, el Sembrador. Aprendamos, no obstante, a respetar a Caín, porque sin él Jesús no hubiera tenido tierra

---

[32] En el prólogo, don Miguel escribe: «Y esta terrible envidia «phthonos» de los griegos, pueblo democrático y más bien demagógico como el español, ha sido el fermento de la vida social española. Lo supo acaso mejor que nadie Quevedo; lo supo Fray Luis de León. Acaso la soberbia de Felipe II no fue más que envidia» *(O. C., II, 1005)*.
Al final de la novela, Joaquín Monegro, en confesión casi pública, trata de buscar el porqué de su pasión, de la envidia que devoró sus entrañas: «¿Por qué he sido tan envidioso? —se pregunta—. ¿Qué hice para ser así? ¿Qué leche mamé? ¿Era un bebedizo de odio? ¿Ha sido un bebedizo de sangre? ¿Por qué nací en tierra de odios? En tierra en que el precepto parece ser: «Odia a tu prójimo como a ti mismo.» Porque he vivido odiándome; porque aquí todos vivimos odiándonos» (pág. 1117).
Vistas así, desde fuera, estas palabras suenan más a don Miguel que al personaje de su novela. La envidia de Joaquín, la pasión que envenena su vida, no es sólo hispánica; es mucho más lejana e, inevitablemente, eterna.

en que sembrar. Encuentro muy justificado que V., tan evangélico, torne a menudo al Viejo Testamento, y que un humanista como V. encuentre inspiraciones en el libro humano por excelencia. Su *Abel Sánchez* es libro precristiano que V. —el hombre del Cristo en el pecho— tenía que escribir para invitarnos a expulsar de nuestras almas al hombre precristiano, al gorila genesíaco que todos llevamos dentro» [33].

La carta —interesante en su totalidad— continúa discurriendo por las vías iniciadas en los párrafos citados: oposición entre Caín y Cristo, y marcha hacia un intento —el más profundo hasta ese momento en la obra machadiana— de aproximación hacia el Cristo. Sobre ese intento volveremos.

Tras los citados párrafos, las divagaciones de Machado se hacen más subjetivas, dejando el comentario a la obra unamuniana para convertirse en expresión de puntos de vista personales.

La oposición Caín-Cristo, como señalé, la establece Unamuno ya en 1903, en *La Flecha*. Aunque no me atrevería a asegurarlo, no recuerdo que reaparezca hasta *El Cristo de Velázquez*. El fragmento XVI de la primera parte, *Cordero*, comienza con estos versos:

> Cordero blanco del Señor, que quitas
> los pecados del mundo y que restañas
> la sangre de Caín con la que corre
> de tu hendido costado...

(*O. C.*, XIII, 678)

Y en el fragmento *Los clavos.-El arte* —XXXVII de la misma parte primera— hallamos:

> El arte que del árbol de la ciencia
> del bien y el mal, tomándolo entregara
> de Caín a la diestra Adán, su padre
> tus manos rescataron» ...

---

[33] Véase la carta completa en *O. P. P.*, págs. 922-925.

> Caín, el labrador, a su linaje
> legó el ingenio, hermano del arrojo
> del criminal envidia —es arte el crimen—
> civil, y Tú, Señor, lo sublimaste.
>
> (*O. C.*, XIII, 708-709)

Aunque *El Cristo de Velázquez* se publicó en volumen en 1920, Unamuno venía publicando fragmentos del poema desde 1914, y de él había hecho algunas lecturas públicas. Machado conocía —como afirma en su correspondencia— gran parte del poema, que admiraba profundamente. Podría pensarse que su punto de partida para establecer la oposición Caín-Cristo esté en Unamuno. Pero en este punto, como en otros muchos, el discípulo va mucho más lejos. Lo que en Unamuno no es más que un apunte, es para Machado la base de una serie de ideas —relacionadas con su cristianismo— que le llevará muy lejos.

Una característica de la España del momento: la ramplonería

No sólo Unamuno y Machado, sino todos sus contemporáneos acusan constantemente al español medio de falta de interés en los problemas vitales, de un deseo dañino de ser como los demás, de no diferenciarse, de no querer comprometerse nunca... Los términos uniformidad, mediocridad, trivialidad, junto con otros más fuertes aún, amodorramiento, agarbanzamiento, y, acaso más que ningún otro, ramplonería, circulan constantemente por la obra de Unamuno para describir las características más salientes de sus contemporáneos.

Me parece que el término *ramplonería* es para Unamuno resumen y síntesis de todos los demás. En la obra de Machado, más que nombrada, está la ramplonería sugerida como realidad que le rodea.

Ramplonería resume, creo, mejor que ninguna otra palabra este estado de mediocridad del que Unamuno y Machado quieren sacar al pueblo español.

En 1905 escribe Unamuno un ensayo titulado, precisamente, *Ramplonería*, mas bastante antes de esa fecha se había ocupado de ello.

Lo vimos ya con relación a la mujer. La ramplona Antonia Quijana, una vulgar señorita de la clase media, es la que gobierna, según don Miguel, a los hombres de España. Mas no se trata de una característica femenina; es una característica general de un período de la vida española; de un momento —que puede ser muy largo— de la vida de un pueblo.

En 1895, en *En el marasmo actual de España*, ve Unamuno que la sociedad española atraviesa una honda crisis: «Hay en su seno reajustes íntimos, vivaz trasiego de elementos, hervor de descomposiciones y recombinaciones, y por defuera un desesperante marasmo» (*O. C.*, III, 282).

En este tiempo aún persiste el viejo espíritu de casta, pero persiste como un Don Quijote retirado, que vive con el ama y la sobrina, aunque, de vez en cuando, «nos da un arrechucho e impulsos de hacer otra salida», y de vez en cuando «se toca la trompa épica, se habla textualmente de vengar la afrenta, haciendo una que sea sonada». Mas, «pasada la calentura, queda todo ello en agua de borrajas», aunque sigamos creyendo «en nuestra *valentía* porque sí».

Por este mundo que vive en pleno marasmo —interrumpido de vez en cuando por algún arrechucho de *valentía* y un impulso de hacer *algo sonado*— se extiende «una enorme monotonía, que se resuelve en atonía, la uniformidad mate de una losa de plomo de una ingente ramplonería» (*O. C.*, III, 284).

Esta España ha llegado a ser un pantano de agua estancada, donde nada se mueve, y donde es peligroso moverse: es peligroso diferenciarse. Es —cree don Miguel— un espectáculo deprimente el del estado mental y moral de nuestra sociedad española, sobre todo si se la estudia en su centro. Es una pobre conciencia colectiva, homogénea y rasa. Pesa sobre todos nosotros una atmósfera de bochorno; debajo de una dura costra de gravedad formal, se extiende una ramplonería comprimida, una enorme trivialidad y vulgachería» (pág. 287).

Algunos años después, en 1904, escribe: «La ramplonería es la peste del espíritu público español de hoy en día; de dondequiera se desprende un espeso vaho de vulgaridad enervadora»... «Esa ramplonería es un efecto de nuestra falta de intimidad, del rabioso celo con que ocultamos a las miradas del prójimo el fondo de nuestras almas, temerosas acaso de que descubran su vanidad» (*O. C.*, III, 803). Y en 1905 ve en la ramplonería ambiente el más poderoso enemigo de la personalidad individual: «Ahí tenéis, muchachos, el enemigo: la ramplonería. Forzaos y esforzaos a decir lo más personal que se os ocurra; hurgad y provocad los más recónditos fondos de vuestros espíritus; perseguid con paradojas, y embolismos, y extravagancias a todos esos viejos de almas y no les guardéis respeto alguno. A ver si provocáis el delirio en esta sociedad, agobiada por la ramplonería. Que estalle de una vez de puro ñoña» (*O. C.*, III, 864-865).

Me parece superfluo traer aquí más citas; podríamos hallarlas con poco esfuerzo. Las que he dado pueden servir, entre otras cosas, para apoyar mi elección del término *ramplonería* para designar el pobre ambiente de la España que encontraron Unamuno y sus contemporáneos.

Observemos que, lejos de la originalidad, y, sobre todo, personalidad, que comúnmente se atribuye al hombre hispánico, la visión de Unamuno y sus compañeros es completamente opuesta: el español es un pueblo de individuos indiferenciados, que lo que desean de todo corazón es ser como los demás, ser uno de tantos.

Los ejemplos del tipo de español vulgar, ramplón, amodorrado, abundan en la obra de Machado.

En *A orillas del Duero*, el español medio está descrito en los siguientes términos:

> Filósofos nutridos de sopa de convento
> contemplan impasibles el amplio firmamento;
> y si les llega en sueños, como un rumor distante,
> clamor de mercaderes de muelles de Levante,
> no acudirán siquiera a preguntar ¿qué pasa?
> Y ya la guerra ha abierto las puertas de su casa.
>
> (*O. P. P.*, 128)

Es el hombre sumido en el marasmo total, que podría ser uno de los españoles de quien Unamuno habla en *El marasmo actual de España*.

En general, fuera del citado y de algún otro, la ramplonería se refleja más en los poemas escritos en Baeza que en los de Soria, quizá porque en aquéllos es el señorito el protagonista; en los castellanos suele serlo el «hombre de la tierra», criminal, o bruto, o envidioso, o sencillo y resignado, pero no ramplón. En la obra de Machado, la ramplonería, la mediocridad, se asocian siempre a la burguesía: bien sea la mujer provinciana, señora del hogar manchego, bien el aburrido señorito del casino del pueblo.

Para Unamuno, la ramplonería no se limita a la burguesía media; ha invadido totalmente las llamadas clases intelectuales. Dentro del llamado mundo intelectual, la ramplonería se traduce en mediocridad y continuidad de lo establecido. Las voces nuevas no pueden ser admitidas dentro del concierto que dirigen las «ranas viejas», y sólo el joven «renacuajo» adulador tiene algo que hacer en «el pantano nacional de aguas estancadas, anidadoras de intermitentes palúdicas que sumen en dulce perlesía las almas de nuestra juventud» (*O. C.*, III, 464-467).

Esta visión unamuniana de España como un pantano donde nada, excepto la ramplonería, puede florecer creo que, sin duda, influyó en Machado, que, en algunos momentos, parece aceptarla.

EL SÍMBOLO DE «DON QUIJOTE»

P. Laín Entralgo, en su citada obra *La generación del 98,* afirma, con razón, que, entre los tantos que constituyen el haber histórico de esta generación, está el haber penetrado a fondo en la figura de Don Quijote y convertirla «en el más central de los mitos históricos españoles»[34].

Quien más contribuyó a la creación del mito fue, sin duda, don Miguel[35].

---
[34] Pág. 216.
[35] El tema está también estudiado por S. SERRANO PONCELA en *El pensamiento de Unamuno;* y por JOSÉ LUIS ABELLÁN en *Miguel de Unamuno a la luz de la psicología.*

En el quijotismo de Unamuno hay dos períodos radicalmente distintos, bien estudiados ya por Laín Entralgo en la mencionada obra: «En el primero, el de su juventud, el quijotismo de Unamuno es el de Alonso Quijano, el de Don Quijote muerto; en el segundo período, iniciado por la primera edición de *Vida de Don Quijote y Sancho* (1905), su quijotismo es el de Don Quijote de la Mancha, el de Don Quijote vivo. En aquél ha muerto el loco Don Quijote y vive el cuerdo Alonso Quijano el Bueno; en éste vive loco Don Quijote, y de su locura y para su locura vive» [36].

Acaso la división entre los dos períodos no sea, sin embargo, tan radical. A mi entender, el Don Quijote vivo vive, de vez en cuando, antes de *Vida de Don Quijote y Sancho* [37].

En 1902, en el epílogo a *Amor y pedagogía*, don Miguel declara: «Yo lancé hace algún tiempo el grito de ¡muera Don Quijote!, y este grito halló alguna resonancia, y quise explicarlo diciendo que quería decir ¡viva Alonso el Bueno!, esto es, que grité ¡muera el rebelde!, queriendo decir ¡viva el esclavo!, pero ahora me arrepiento de ello y declaro no haber comprendido entonces bien a Don Quijote, ni haber tenido en cuenta que cuando éste muere es que tocan a muerto por Alonso el Bueno» (*O. C.*, II, 583).

Pero aun mucho más atrás, mucho antes de lanzar el famoso «¡Muera Don Quijote!», antes de afirmar que éste tiene que morir para que nazca Alonso Quijano, en uno de los primeros escritos unamunianos —acaso el primero— en que Don Quijote aparece, el ya mencionado *En Alcalá de Henares* de 1889, la figura, que no tiene aún simbolismo definido, presenta características más cercanas a las del Don Quijote del segundo período que a las del primero: «Alcalá recuerda a Cervantes»... «Cervantes recuerda a Don Quijote, y Don Quijote a los ardientes, escuetos y dilatados campos de Castilla, tan ardientes, escuetos y dilatados como el espíritu quijotesco» (*O. C.*, I, 149).

---

[36] Véanse, sobre el tema, págs. 216-222 de *Op. cit.*
[37] El mismo Laín señala que apunta tenuemente el giro en *El caballero de la triste figura*, de 1896, anterior, por tanto, al famoso grito de ¡Muera Don Quijote!
Acaso los años en que triunfa radicalmente la actitud de rechazo sean 1897 y 1898. En éste publica dos famosos ensayos: *¡Muera Don Quijote!* y *Más sobre Don Quijote*.

¿No captamos, a través de estas pocas líneas, una visión del espíritu quijotesco mucho más cercana a las que hallaremos mucho más tarde que a los escritos del primer período?

En este que llamamos —aceptando la división establecida por Laín Entralgo— primer período, veo una oscilación, una duda, entre la aceptación o el rechazo del caballero, que en 1905 se convierte en el español ideal. El símbolo del hombre español del futuro: de un futuro que, para don Miguel, es siempre ideal y siempre utópico.

Tras una detallada rebusca en textos unamunianos, nos da Laín, en su citado libro, una imagen bastante clara de lo que ha de ser ese «hombre quijotizado», el hombre español del futuro, que Unamuno sueña: «Triste, grave, no pesimista, luchador, resignado, impávido ante el ridículo, hombre de voluntad, más espiritual que racional, poco griego y muy hijo del Medievo»... «el hombre quijotizado empeñará su existencia en dos empresas, una tocante a la vida, y atañedera la otra a la muerte, o a la inmortalidad allende la muerte, para decirlo con entera posición. En la primera luchará apasionadamente —porque sólo los apasionados llevan a cabo obras verdaderas y fecundas— a favor de la justicia y la verdad.» Pero en el fondo de todo ello está la sed de eternidad. «Morriña de eternidad.» Esa es la raíz última del quijotismo y el más secreto motor de todos los peregrinajes en busca del sepulcro de Don Quijote. No tendría sentido alguno la empresa del hombre quijotizado tocante a la vida, a esta vida, si él no sintiese como hondo imperativo la que atañe a la muerte y a la inmortalidad.

Don Miguel cree en ese español quijotizado como una meta, como un ideal, siempre futuro y siempre inalcanzable.

Este español quijotizado puede parecernos, a veces, una figura demasiado literaria. Una creación que aceptamos como aceptamos a cualquiera de sus personajes de ficción; en ningún momento como ideal posible —aunque sea inalcanzable— de un pueblo.

Si don Miguel vislumbró alguna remota posibilidad de cualidades quijotescas en algún español de carne y hueso, no hay duda de que ese español era él mismo; son quijotescas muchas de sus actuaciones, de un quijotismo deliberado.

De esa actitud, que llega a veces a la identificación con el héroe, pueden surgir dos peligros: uno, el de desfigurar con frecuencia al personaje cervantino, que, quisiera o no don Miguel de Unamuno, es hijo de don Miguel de Cervantes; otro, el de identificarse tanto, como persona, con la figura literaria, que a veces se ataca a los molinos de viento en el momento menos oportuno, cosa en que don Miguel de Unamuno cayó algunas veces.

De Antonio Machado sabemos que toda su vida hizo de la historia del hidalgo manchego uno de sus libros predilectos. En su juventud, en aquellos años madrileños de vida un poco desocupada, Machado pasaba muchas horas de lectura diaria, encerrado en las bibliotecas de Madrid, leyendo a los clásicos españoles; en sus últimos años, las páginas cervantinas eran lectura que se hacía en familia todas las noches, en la casita de Rocafort, o en la vieja torre Castañer, que habitó en Barcelona. Testimonio de su admiración por el *Quijote* son los diversos comentarios que andan dispersos por toda su obra.

De la figura de Don Quijote hace también, en cierto modo, un ideal, pero distinto del ideal que Unamuno sueña. En mi opinión, capta en la figura cervantina todo lo que su autor quiso poner en ella, sin tratar de acomodarla a su particular visión, cosa que Unamuno hace. Por eso, la visión machadiana de Don Quijote me parece más penetrante y más auténtica que la unamuniana.

A pesar del conocimiento profundo y directo de la obra cervantina, don Antonio, en un determinado momento, nos da la impresión de haberse dejado influir por la visión unamuniana. Es el momento de la lectura de *Vida de Don Quijote y Sancho*, que inspira, ya lo sabemos, un artículo y un poema que en otra parte comenté ya.

En ese momento —en la prosa y en los versos— acepta Machado a Don Quijote como representación máxima de todo lo español positivo, pero creo que ni aun en esas tan unamunizadas páginas llega a aceptar plenamente la visión unamuniana.

Es curiosa la identificación Don Quijote-don Miguel de Unamuno que Machado establece en la prosa y en el verso.

El don Miguel de Unamuno quijotizado que don Antonio ve es un español que lucha, contra viento y marea, por lo que cree. Lucha —jinete de quimérica montura— por un ideal. Lucha, con su irrisorio casco, sin miedo al ridículo. Su lucha tiene lugar en un pueblo de arrieros, lechuzos, tahúres y logreros. No hay una esperanza total en la victoria, y, sin embargo, este caballero de la fe no puede perder la que sostiene su brazo. Va hacia el futuro, pero viene del pasado: de ese pasado de una estirpe fuerte trae su aliento. Pero su quehacer no se limita a las batallas que en este mundo tenga que dar: «Él señala la gloria tras la muerte». Y ese «tras la muerte» es lo que, en último término, está en la base del pensamiento y de la vida de este don Miguel-Don Quijote que Machado retrata: el prototipo del «hombre quijotizado» que Unamuno sueña a través de la *Vida de Don Quijote y Sancho*, y ha de seguir soñando después.

Pero, a pesar de la admiración y comprensión del mito inventado por Unamuno, como señalé, no me parece que Machado lo acepte como tal, es decir, como aspiración del hombre español del mañana. Aunque, indudablemente, ese hombre del mañana tiene que tener mucho de Don Quijote, y aunque, de vez en cuando, el gesto quijotesco sea imprescindible para seguir viviendo con dignidad. Todo esto podemos verlo en algunos de sus escritos últimos —los de la guerra—, y acaso mejor aún en su actitud vital [38].

Acaso evitando la separación radical entre Alonso Quijano, el Bueno, y el loco necesario, que todos debemos llevar dentro, el ideal a que

---

[38] Entre esos escritos, uno de los que mejor ilustran el pensamiento de Machado sobre la necesidad de una dosis de donquijotismo en un pueblo es el siguiente párrafo, del artículo *Miscelánea apócrifa: Habla Juan de Mairena a sus alumnos*, incluido en el núm. 14 de *Hora de España:* «¿Qué te parece desto, Sancho?, dijo Don Quijote: ¿hay encantos que valgan contra la verdadera valentía? Bien podrán los encantadores quitarme la ventura, pero el esfuerzo y el ánimo será imposible». En el capítulo más original del *Quijote* así habla el Caballero de la Triste Figura, terminada su genial aventura de los leones. Claro se ve que es Don Quijote, nuestro Don Quijote, el verdadero antípoda del pragmatista, del hombre que hace del éxito, de la aventura, la vara con que se miden la virtud y la verdad. Es muy posible que un pueblo que tenga algo de Don Quijote no sea siempre lo que se llama un pueblo próspero. Que sea un pueblo inferior, he aquí lo que yo no concederé nunca. Tampoco hemos de creer que sea un pueblo inútil, de existencia superflua para el conjunto de la cultura humana, ni que carezca de una misión concreta que cumplir, o de un instrumento importante en que soplar dentro de la total orquesta de la historia. Porque algún día habrá que retar a los leones, con armas totalmente inadecuadas para luchar con ellos. Y hará falta un loco que intente la aventura. Un loco ejemplar» *(O. P. P., 569).*

Machado aspira es un Quijano que lleve dentro a Don Quijote. Así parece expresarlo en el poema *España, en paz* [39]. Don Quijote, vivo, debe latir siempre dentro de Quijano, el Bueno. Aquél pone la locura, necesaria a veces; éste, la cordura, la razón para seguir viviendo y conviviendo con los seres humanos, en el mundo de todos los días, en el que —quiérase o no— estamos.

Creo, pues, que, aunque Machado entiende bien el ideal unamuniano del hombre quijotizado, no lo comparte, aunque, esporádicamente, hable como si creyese en él, cosa que vimos en la prosa y verso dedicados a Unamuno con motivo de la aparición de *Vida de Don Quijote y Sancho*, libro que le conmovió profundamente.

---

[39] Véase el poema completo en *O. P. P.*, 222-223. A continuación reproduzco los versos que creo pueden ilustrar mi tesis:

¿Y bien? El mundo en guerra, y en paz España sola.
¡Salud, oh buen Quijano! Por si este gesto es tuyo,
yo te saludo. ¡Salve! Salud, paz española,
si no eres paz cobarde, sino desdén y orgullo.

Si eres desdén y orgullo, valor de ti, si bruñes
en esa paz, valiente, la enmohecida espada
para tenerla limpia, sin tacha, cuando empuñes
el arma de tu vieja panoplia arrinconada;
si pules y acicalas tus hierros para, un día,
vestir de luz, y erguida: heme aquí, pues, España,
en alma y cuerpo, toda, para una guerra mía,
heme aquí, pues, vestida para la propia hazaña,
decir, para que diga quien oiga: es voz, no es eco;
el buen manchego habla palabras de cordura;
parece que el hidalgo amojamado y seco
entró en razón, y tiene espada a la cintura;
entonces, paz de España, yo te saludo...

TERCERA PARTE

OTROS TEMAS FUNDAMENTALES

Capítulo I

EL DIOS DE ANTONIO MACHADO. INFLUENCIA PARCIAL DE UNAMUNO EN LA BÚSQUEDA DE DIOS

Comúnmente, al menos en algún momento de la vida, el hombre busca a Dios; aspira a creer en una imagen de Dios, que se le ha dado, o que intenta hacerse. El problema de encontrar y creer plenamente en ese Dios es, para algunos hombres, el primordial; para otros, puede no ser fundamental.

No creo que a la búsqueda angustiosa y apasionada que algunos espíritus religiosos emprendieron pueda llamársele un encuentro, como don Miguel quería. Pero adviértase que afirmo que el emprender tal búsqueda es acto que llevan a cabo sólo los espíritus religiosos. Sobre esto volveremos.

Sobre la agónica busca de Dios que llena la vida de don Miguel —auténtica, me parece, siempre, aunque inconscientemente teatralizada a veces— ¿resta algo que decir? Posiblemente mucho. Sin embargo, el tema ha sido ampliamente estudiado y es innecesario que aquí volvamos sobre él. A él me referiré solamente en relación con las ideas, creencias y sentimientos religiosos de Antonio Machado cuando en ellos notemos la huella unamuniana [1].

---

[1] El tema ha sido tratado por numerosos críticos, ya en libros, ya en revistas. En general —y salvo algunas excepciones—, me parece que la mayor parte de cuantos han tocado este problema son poco objetivos, ya que tienden a pro-

Quiero adelantar que el concepto —o mejor, sentimiento— del «Dios creado» unamuniano, más que lejana o vaga presencia, es clara influencia durante algún tiempo en la obra poética de Machado. Mas sólo durante unos pocos años, que podemos fácilmente situar alrededor de 1912 y 1913. Antes de ese momento no está muy acusada; después, desaparece totalmente.

---

yectar en las creencias de Unamuno sus propias creencias, deformando así el sentir de don Miguel.

Notable excepción a lo dicho es el caso de José Luis Aranguren, un católico ortodoxo cuyo catolicismo no le impide ver que en el cristianismo de Unamuno hay más de protestante —de protestante auténtico, auténticamente luterano, calvinista o jansenista— que de católico. Ve Aranguren a don Miguel como un «reformador». Mas no como un reformador cualquiera, «sino como uno de entre la media docena de los más grandes». El protestantismo de don Miguel podría ser algo así como un «catolicismo español»; acaso lo hubiera sido de haber vivido en otro momento histórico (véase, entre otros escritos, el ensayo *Sobre el talante religioso de Miguel de Unamuno, Arbor*, XI, 1948).

Entre los libros dedicados específicamente al tema, o en los que el tema tiene una importancia primaria, hay unos cuantos que, por diversos motivos, han sido muy comentados y son conocidos por todo estudioso de la obra de Unamuno. No quiere ello decir, sin embargo, que su importancia sea definitiva o pueda serlo en el futuro.

Algunos críticos han hablado de un Unamuno católico que, «ni aun en sus épocas de máximo descreimiento y correteo anticlerical, la fe católica, mamada en la infancia, cedió del todo e irrevocablemente», añadiendo que, «pese al sinnúmero de luteranadas desparramadas por todos sus escritos, en el caracú de los huesos del alma... seguía católico, vizcaínamente católico» (HERNÁN BENÍTEZ: *El drama religioso de Unamuno*). La opinión es totalmente subjetiva; sobre el modo de exponerla no me incumbe hablar en este momento...

La posición de JULIÁN MARÍAS no dista mucho, a mi entender, de la de Hernán Benítez, aunque la exposición sea más inteligente. En su libro *Miguel de Unamuno*, al empeñarse a toda costa en presentarnos a un Unamuno católico, cae en algunas contradicciones, como al decir en algún momento que el cristianismo de don Miguel es siempre vacilante (pág. 157) y muy poco después afirmar que en su más íntimo fondo hay una confianza «personal y amistosa en Dios...» Y concluye: «Cuenta con que Dios lo conoce, lo ama, y al fin lo salvará de la nada, lo hará vivir, lo eternizará» (pág. 161).

ARMANDO DE ZUBIZARRETA, que en *La inserción de Unamuno en el cristianismo*, y a través de casi todos sus ensayos sobre la obra unamuniana, trata de probar que a partir de 1897 don Miguel se incorpora definitivamente a un cristianismo más católico que protestante, a pesar de su enorme conocimiento

Podríamos distinguir tres etapas en el pensamiento religioso de Machado. La primera, muy vaga, muy nebulosa, el momento que se busca a «Dios entre la niebla». Si identificásemos a Dios con todo lo que está más allá de lo que nuestros ojos miran, si lo identificásemos con todo eso

de la obra de don Miguel y del rigor de sus valiosísimas investigaciones no acaba de convencer del todo, acaso por ser sus interpretaciones demasiado personales. Tanto que a veces llega a ver en el pensamiento social de don Miguel «una auténtica visión demócrata cristiana» *(Unamuno en su nivola*, pág. 32), cosa que horrorizaría a Unamuno, que siempre pensó con espanto en la conjunción Iglesia-Estado. (Concretamente sobre democracia cristiana véanse sus opiniones en el artículo ¿*Democracia cristiana?*, publicado en *Nuevo Mundo*, Madrid, 1920. Reproducido en *La Torre, Revista General de la Universidad de Puerto Rico*, núms. 35-36, julio-diciembre 1961, págs. 37-39.)

En el mismo sentido interpreta Zubizarreta todas las alusiones al «Dios de España» y a la «España de Dios»...

La visión del Unamuno heterodoxo ha sido aceptada y estudiada por muchos críticos.

Aparte del poco objetivo estudio de NEMESIO GONZÁLEZ CAMINERO *(Unamuno)*, en el que a veces parece presentársenos un Unamuno heterodoxo, otras veces un Unamuno ateo, lo consideran heterodoxo Miguel Oromí —que lo cree «completamente dentro del terreno modernista»—, José María Cirarda —que defiende la misma teoría del modernismo unamuniano—, Maurice Legendre —que lo ve dentro de una heterodoxia de influencia jansenista— y otros.

En relación con el aspecto religioso es fundamental el libro de ANTONIO SÁNCHEZ-BARBUDO *Estudios sobre Unamuno y Machado*, al cual dediqué en otra ocasión una reseña muy amplia *(La Torre, Revista General de la Universidad de Puerto Rico*, octubre-diciembre 1959). Aunque sigo manteniendo algunos de los puntos allí expresados, veo hoy en el libro de Sánchez-Barbudo algunas consideraciones y juicios cuyo valor definitivo no vi en aquel momento. Estoy en desacuerdo con algunas opiniones y sobre todo con la forma de expresarlas; mas no se puede poner en duda lo que el libro aporta de novedad y lo que significa para la mejor comprensión de la vida y la obra de don Miguel.

Aunque sólo estudie el tema como uno más entre los problemas fundamentales de Unamuno, merecen citarse los puntos de vista de FERRATER MORA en su *Unamuno. Bosquejo de una filosofía*, en cuyo capítulo segundo, sin pretender «catalogar» a don Miguel, hace una magnífica reseña de la idea de Dios, enfocando el tema desde el punto de vista filosófico.

François Meyer ve en el Dios de Unamuno una manifestación más de la «contradicción esencial del ser».

S. SERRANO PONCELA, en su obra *El pensamiento de Unamuno*, dedica un capítulo a exponer los puntos fundamentales del cristianismo de don Miguel (véase cap. VI).

que en forma inefable yace en el fondo de nuestras almas, es decir, si identificamos a Dios con el Misterio, y llamásemos «hombre religioso» al que pretende mirar la mirada sin fondo del Misterio, ningún poeta español de nuestro siglo lo sería en ese caso tanto como Antonio Machado, cuya poesía tiene como finalidad última —sea cual fuere su forma, su apariencia— la de asomarse al borde del abismo para contemplar el Misterio cara a cara, ojos a ojos... Pero aquí tenemos que entendernos de algún modo, y me parece confuso llamar «mundo religioso» a ese «mundo misterioso», e identificar «poeta religioso» con «explorador del misterio». Por eso, al referirme en este estudio a «religión», a «pensamiento o sentimiento religioso», o a «poesía religiosa», quiero asociar estas ideas con alguna idea o intuición de Dios: cristiano o no cristiano; personal o impersonal; cordial o cerebral..., pero «separable», por así decir, del mundo neblinoso, mágico, más que religioso, donde el corazón vaga en sueños y el hombre mira «lo que está lejos / dentro del alma, en turbio / y mago sol envuelto».

Sé que se podrían hacer muchas objeciones a estos conceptos un tanto limitados de «religión», de sentimiento religioso, de «poesía religiosa». Por ejemplo, se me podría decir: ¿no es la magia una forma de religión?, ¿por qué, entonces, decir del mundo de Machado que es

---

José Luis Abellán hace en su libro algunos comentarios muy justos, y estudia, además, cuidadosamente lo fundamental que sobre el tema se ha dicho *(Miguel de Unamuno a la luz de la psicología)*.

En el retrato espiritual que de Unamuno traza Luis Grangel dedica varios capítulos al tema de la religión personal de don Miguel y a su problema de la búsqueda de la fe, que nunca llega a alcanzar (véanse los capítulos XVI, XVII y XVIII —3.ª parte— del libro *Retrato de Unamuno*).

El problema de la fe me parece muy acertadamente tratado en el estudio de Pedro Corominas *La tragica fi de Miguel de Unamuno (Revista de Catalunya,* núm. 83); el mismo problema está estudiado por Pedro Laín Entralgo en *Miguel de Unamuno o la desesperación esperanzada* (incluido en *La espera y la esperanza,* págs. 383-419).

Desde hace muchos años, Antonio González Deliz —dominico— viene estudiando, con notable objetividad, el personal cristianismo de Unamuno. Como anticipos de su libro —que, por lo que de él conozco, creo que será una aportación definitiva al tema— ha publicado algunos ensayos de gran interés (véanse *¿Unamuno en la hoguera?, Asomante,* XVII, 4, San Juan de Puerto Rico, 1961; *Fe y descreimiento, La Torre,* Universidad de Puerto Rico, núm. 42, abril-junio 1963).

«mágico, más que religioso»? Pero, ya lo dije, creo imprescindible trazar ciertos límites al tema para poder estudiarlo con mayor claridad.

Como veremos luego, Dios —un Dios que pueda perfilarse en medio de ese mundo de misterio y sueño— no está presente apenas en la que llamaremos primera etapa del pensamiento religioso de Machado, mas al final de ella es precisamente cuando empieza a perfilarse.

La segunda etapa comienza, para nuestro estudio, el 1.º de agosto de 1912, fecha de la muerte de Leonor, aunque, como luego veremos, algún poema muy típico de ella sea anterior a esa fecha.

En un momento de total soledad, Machado necesita creer en algo, y durante algún tiempo —acaso no llega a dos años— busca el camino de Dios del cristiano. Necesita de un Dios que le garantice su inmortalidad personal, y muy especialmente la de Leonor. No encontró a ese Dios, pero es indudable que lo buscó. Muy bien ve el problema José Luis Aranguren en este breve párrafo, lleno de comprensión: «Sobreviene la muerte de Leonor. Y de toda su vida, es entonces, a mi entender, cuando Antonio Machado estuvo más cerca de Dios. A Miguel de Unamuno le levantaba a la fe el ansia de inmortalidad. A Antonio Machado, por estos años de 1912 y 1913, la dulce esperanza de recobrar, algún día, a la amada muerta»[2].

Es éste el momento en que la influencia de Unamuno pesa considerablemente sobre Antonio Machado: al querer hallar a Dios, seguramente insatisfecho, o desilusionado de la solución que, mejor o peor, conocía, la católica, se deja guiar en esta búsqueda por los pasos de su admirado don Miguel, a quien don Antonio siempre consideró un verdadero creyente.

Pero ese Dios cristiano, garantizador de la inmortalidad, que Unamuno le ofreció como una posibilidad —no quiero decir que Unamuno haya llegado a creer en ese su «Dios creado», sino que lo ofrecía como una posibilidad ideal— no llega a convencer a Machado, quien, varios años después, en los cancioneros escritos por sus «complementarios» Abel Martín y Juan de Mairena, ha de darnos su propia idea de Dios: un Dios nada cristiano, aunque, por otra parte, por esos mismos años admire con entusiasmo la figura de Cristo. A este que podríamos llamar «cris-

---

[2] *Esperanza y desesperanza en Dios en la poesía de Antonio Machado.* Cuadernos Hispanoamericanos, núms. 11-12, 1949, pág. 389.

tianismo humano» llega, precisamente, cuando separa la figura de Cristo —que convierte en símbolo de los hombres— de la idea de Dios, de ese Dios que, siendo increado, es el creador de la Nada.

Veamos cada una de estas etapas separadamente. Me detendré más en la segunda, y presentaré a grandes rasgos las otras dos, para no desviarme demasiado del tema.

DIOS ENTRE LA NIEBLA

He aclarado ya lo que, para entendernos, vamos a considerar como sentimiento —mejor que «pensamiento»— religioso, y señalé que no podemos llamar poemas religiosos a aquellos que tocan problemas fundamentales —la muerte, la desaparición final, el paso del tiempo, pongamos por caso— si Dios no está detrás de ellos *con plena conciencia del poeta*.

Si por religioso entendemos adscrito a una religión establecida, practicante de ella —lo cual no hace a un poeta mejor ni peor poeta—, de sobra sabemos que Antonio Machado no lo era.

Poco o nada conocemos de sus experiencias religiosas infantiles. Es de suponer que, como todo niño español, fuese bautizado e hiciese su primera comunión junto con los demás. Su hogar, sin embargo, no puede decirse que fuese típicamente católico. Los hombres de la familia pertenecían a esa clase, tan española, de intelectuales liberales que viven practicando toda su vida un cristianismo ético, pero no sólo alejados del oficial, sino declaradamente opuestos a él. No olvidemos, claro está, que el intelectual liberal de fines del pasado siglo con frecuencia es más anticlerical que antirreligioso. La confusión de «clericalismo» y «catolicismo» en España era, hasta hace muy pocos años, notable. Gran parte de los ataques a la religión por parte de personas liberales son, con frecuencia, ataques al clero.

No parece que las mujeres de la familia fuesen tampoco muy religiosas; no creo que hayan tratado de imponer a los niños el cumplimiento de las prácticas religiosas [3]. Es extraño no hallar en toda la obra de don Antonio, tan entrañablemente unida a su vida, nada que se relacione

---

[3] Personas muy allegadas al poeta me han confirmado esta conjetura.

con recuerdos de este género: él, que recuerda tan vivamente el salón familiar, y la escuela, y «la plaza y los naranjos encendidos», y momentos idos, y gestos vistos una sola vez en el rostro del padre o de la madre... En sus profundas galerías es casi imposible descubrir una alusión que pueda revelarnos algo. Aventurándonos un poco, ¿podríamos, acaso, hallar el recuerdo de una procesión en la que participó, llevando una vela en la mano, en aquella escena revivida no muchos años antes de su muerte? ¿Estaba dentro o fuera de la hilera de niños? [4].

Aunque en algún momento de su niñez practicase la religión, y aunque haya sido bautizado dentro de ella, no podemos clasificar a Antonio Machado como católico.

Como sabemos —no es ningún secreto—, en más de una ocasión atacó al Catolicismo. Podríamos, quizá, añadir: al «Catolicismo español». Prueba de ello es el artículo sobre *Contra esto y aquello*, de Unamuno, al que me referí en la primera parte de este estudio. En esos ataques a la religión «católica-española» —que se repiten con frecuencia— veo mucho más, en el fondo, una actitud anticlerical que antirreligiosa. Como en el caso del padre y del abuelo, y —ya lo señalé— de casi todos

---

[4] Me refiero a
¡Y esos niños en hilera,
llevando el sol de la tarde
en sus velitas de cera!,

poema que se incorpora a la sección *Galerías* en la última edición de *Poesías completas* (1936) *(O. P. P.,* 107).

En algunos otros poemas de *Soledades* recuerda a los pobres vistos a la entrada de alguna iglesia. En el núm. XXVI *(O. P. P.,* 75), esos mendigos, figuras «más humildes / cada día y lejanas», pueden ser mendigos vistos no una, sino muchas veces, en el atrio de alguna iglesia, en lejanos domingos —ya que los domingos son el día en que los mendigos piden limosna en los atrios de las iglesias—. En ese sentido, el poema podría darnos un dato biográfico: por lo menos durante algún tiempo practicó la religión tradicional. Pero la conclusión a que podríamos llegar sería curiosa: de ese aspecto de su vida recuerda muy poco; y lo que recuerda con claridad son los mendigos, los que están fuera, cuya miseria le impresionó mucho más que lo que dentro encontró.

Casi una variante de ese poema constituye el núm. XXXI de *Soledades*. Me parece éste, sin embargo, mucho más convencional: el mendigo está bellamente descrito, pero no parece una vivencia; falta, en general, la nota de autenticidad que hallamos en el otro *(O. P. P.,* 77-78).

los liberales del pasado siglo y gran parte de éste, Antonio Machado es un anticlerical que identifica con frecuencia «Catolicismo» con «clero español tradicional», en el que veía una falta de verdadero espíritu evangélico [5].

Se puede, naturalmente, ser religioso sin pertenecer a una religión establecida, y aun estando en contra de cualquier grupo religioso organizado. Acaso podríamos definir al hombre religioso como aquel que ha logrado encontrar a Dios: creer plenamente en Dios y vivir mantenido por esa fe. Yo —sin pretender entrar en teologías— prefiero ampliar un poco el término. Por eso, aquí llamo espíritu religioso a aquel que emprende con afán y sin descanso la búsqueda de Dios. Es para mí, por tanto, «hombre religioso» sinónimo de buscador incansable de Dios, sea cual fuere el resultado de esa búsqueda.

En este sentido es religioso, fundamentalmente religioso, Unamuno, aunque a veces —a posteriori— exagere algunas actitudes, y aunque en más de una ocasión no crea en ese Dios en que quiere creer. Que quiso creer, que se empeñaba en creer, me parece indudable; que creyese siempre, es discutible; que en sus últimos años —a partir de *San Manuel Bueno, mártir*— se dé por vencido, es muy probable.

¿Es, en este sentido, Antonio Machado un poeta religioso?

Podríamos decir que lo es en algunos momentos, aunque, a primera vista, la expresión parezca un tanto extraña. Sin embargo, en el caso de don Antonio se aproxima bastante a la realidad. Es buscador auténtico de Dios en algunos momentos de su vida: concretamente, como señalé, en su soledad de Baeza; o cuando, para explicarse el mundo, tiene necesidad de inventar al Dios creador de la Nada, de los cancioneros apócrifos.

---

[5] Acaso ese liberalismo anticlerical fuese la causa que le llevó a pertenecer durante algún tiempo a la masonería.
Sobre este punto se han hecho algunas investigaciones, y tengo entendido que se continúan.
Ha hablado de ello por vez primera EMILIO GONZÁLEZ LÓPEZ (en *El Sol de la Fraternidad*, Nueva York, 26 octubre 1957). Posteriormente, ALICE MC VAN (*Antonio Machado*, Nueva York, 1959) y JOAQUÍN CASALDUERO (*Machado, poeta institucionista y masón. La Torre, Revista General de la Universidad de Puerto Rico*, núms. 45-46, enero-julio 1964).

Mas, en general, no creo que la búsqueda de Dios sea para el poeta una preocupación constante. Si durante algunos años lo fue, acaso dejó de serlo en el momento en que halla una solución —más o menos convincente—: su personalísima solución [6].

En la obra anterior a la muerte de Leonor —fecha que he fijado como comienzo de la segunda etapa—, la ausencia de poesía religiosa es

---

[6] Sobre el punto de la preocupación religiosa de Antonio Machado hay opiniones muy dispares.

S. SERRANO PONCELA, que en su libro *Antonio Machado. Su mundo y su obra*, dedica al tema un capítulo completo, hace las siguientes observaciones: «Toda la problemática que venimos analizando en la poesía de Machado es una problemática *dada* por el simple hecho de existir, de ser en el mundo. Le son dadas la existencia y la conciencia de existir; dadas la angustia, el tiempo y la muerte como cierre de la temporalidad. Pero, al lado de esta problemática *dada*, hay una problemática *buscada;* es decir, propuesta a la conciencia e instrumentada poéticamente desde fuera. Es el tema de Dios... Machado nunca fue una conciencia religiosa profunda ni en él se dramatizó como pura vivencia la correlación entre el hombre y la Divinidad... Esto no implica que en la poesía de Machado no se dé el tema de Dios. Se da, en efecto. Mas, conforme indiqué, viene proyectado desde fuera, como un problema de conocimiento, «sin temor ni temblor», como diría Kierkegaard.»

No puedo estar en total acuerdo con el ilustre escritor Serrano Poncela, porque, en mi opinión, en la poesía de Machado *nada* viene de fuera; *todo* surge de dentro. Es poeta —al menos en su mejor poesía— donde todo parte de vivencias. Y los poemas del Dios de Martín y Mairena pertenecen, sin duda, al mejor Machado. El que su concepto de Dios tenga mucho de intelectual no significa que no haya sentido antes el problema cordialmente.

La opinión de Laín Entralgo representa el extremo opuesto. Antonio Machado, señala Laín, «espera a Dios». «Su personal destino terrenal le hizo esperar cosas muy diversas: no sería difícil hacer inventario de ellas al áureo hilo de sus versos. No fueron esas cosas, sin embargo, el término real y verdadero de su esperanza. En las situaciones decisivas de su existencia humana y poética —la muerte de Leonor, la repetida experiencia de su soledad personal—, sus problemas fueron, inexorablemente, la muerte y Dios» (*La espera y la esperanza*).

El planteamiento me parece en extremo subjetivo. Es arriesgado afirmar que «esas cosas» en las que Machado creía —o creía creer— no fuesen «el término real y verdadero de su esperanza». Por otra parte, el hecho de que en ciertos momentos busque a Dios —cosa que personalmente vengo afirmando— me parece que no es razón suficiente para llegar a la conclusión de que Dios sea «el término real y verdadero de su esperanza», como podría deducirse del párrafo citado.

casi absoluta. Es esta ausencia aún más notable por tratarse de un poeta que desde sus primeros versos muestra preocupaciones por las eternas preguntas: la vida, la muerte, el destino humano, el tiempo —sobre todo, siempre el tiempo—, el amor, la soledad...

Hay un conocido poema, que aparece por vez primera en *Soledades. Galerías. Otros poemas,* que ciertos críticos han ofrecido como prueba de una antigua preocupación religiosa:

> Y no es verdad, dolor, yo te conozco,
> tú eres nostalgia de la vida buena,
> y soledad de corazón sombrío,
> de barco sin naufragio y sin estrella.
>
> Como perro olvidado que no tiene
> huella ni olfato y yerra
> por los caminos, sin camino, como
> el niño que en la noche de una fiesta
>
> se pierde entre el gentío
> y el aire polvoriento y las candelas
> chispeantes, atónito, y asombra
> su corazón de música y de pena,
>
> así voy yo, borracho melancólico,
> guitarrista lunático, poeta,
> y pobre hombre en sueños,
> siempre buscando a Dios entre la niebla.
>
> (*O. P. P.*, 112)[7].

A pesar del último verso, este extraordinario poema no es revelador de una preocupación religiosa. No es realmente a Dios a quien se busca entre la niebla: es algo donde asirse en un momento de incertidumbre, de inseguridad total. No se busca a Dios; se presiente que, entre esas cosas que constituyen el mundo vago, nebuloso, que rodea al poeta, es

---

[7] Doy la segunda parte del poema, que fue hasta la edición de 1936 un poema independiente. En *P. C.* (4) figura como segunda parte del número LXXXVII, separado de la primera por un asterisco.

El Dios de Antonio Machado

preciso hallar un punto a que aferrarse para no deshacerse entre las nieblas: podría ser Dios, o el arte, o el amor [8]. Si tomamos el poema en su conjunto —y no el último verso aislado, como acostumbra a repetirse—, los problemas planteados parecen, sobre todo, el de la soledad y más aún el de la incomunicación que el religioso [9].

La preocupación por el problema religioso empieza a verse claramente en algunos de los *Proverbios y cantares* publicados en *Campos de Castilla* [10].

> Ayer soñé que veía
> a Dios y que a Dios hablaba;
> y soñé que Dios oía.
> Después soñé que soñaba,

dice el número XXI de esos *Proverbios y cantares* (*O. P. P.*, 201).

El camino del sueño —«Sobre la tierra amarga / caminos tiene el sueño»— que en otras ocasiones le ha llevado a asomarse al misterio del pasado, con sus lejanas figuras, o a la «honda cripta del alma», en esta ocasión es vía para intentar llegar a Dios. Un Dios no sólo «cristiano», sino «providencial», que escucha a la criatura. Pero si en otros sueños se queda el poeta vagando, indeciso, para dejarnos en la incertidumbre de lo entrevisto, en éste el «soñé que soñaba» del último verso es, más que un soñar, un despertar definitivo.

Del conjunto de poemas que lleva el número CXXXVII y el título general de *Parábolas*, el V, *Profesión de fe*, es importante; aunque ante-

---

[8] Se me puede objetar, claro está, que el poeta dice *expresamente* que lo buscado es Dios.

[9] No he aludido al poema núm. LIX, «Anoche, cuando dormía...», porque, aunque por la numeración que lleva en *Poesías completas* podría pensarse que es de una época más lejana, no figura hasta 1917 en las ediciones de Machado. No conozco la fecha de su composición. Sobre él hay dos excelentes estudios, uno de FERNANDO LÁZARO (*Glosa a un poema de Antonio Machado*. Ínsula, núm. 119), otro de RODRIGO MOLINA (*Anoche, cuando dormía*. Ínsula, núm. 158).

[10] En *Campos de Castilla* se publicaron algunos, que aumentaron considerablemente en *Poesías completas* (1). Me refiero aquí, naturalmente, a los que figuran en la obra de 1912.

rior a agosto de 1912, es una especie de preámbulo a los que vendrán poco después, y el primero donde la influencia de Unamuno se acusa claramente. Veamos:

> Dios no es el mar, está en el mar; riela
> como luna en el agua, o aparece
> como una blanca vela;
> en el mar se despierta o se adormece.
> Creó la mar, y nace
> de la mar cual la nube y la tormenta;
> es el Criador, y la criatura lo hace;
> su aliento es alma, y por el alma alienta.
> Yo he de hacerte, mi Dios, cual tú me hiciste
> y para darte el alma que me diste
> en mí te he de crear. Que el puro río
> de caridad, que fluye eternamente,
> fluya en mi corazón. ¡Seca, Dios mío,
> de una fe sin amor la turbia fuente!
>
> (*O. P. P.*, 212)

¿Es ésta una auténtica profesión de fe? No tenemos por qué dudarlo, desde luego. Mas señalemos que hay en este poema algo así como un deseo de poner en claro consigo mismo unas creencias que intuye, pero de las cuales no está seguro del todo. Más que «profesión de fe» hay un deseo de creer en ese Dios que está creando en el poema.

No quisiera detenerme en el ya tan estudiado concepto del Dios creado que Unamuno inventó para creer en él, pero sí hay que señalar que ese concepto es el inspirador de esta profesión de fe machadiana.

Para Unamuno, que define la fe como «crear lo que no vemos», Dios es el creador de la criatura, porque «lo mismo da decir que está produciendo eternamente las cosas como que las cosas están produciendo eternamente a Dios». Y «porque nos sentimos conciencia, sentimos a Dios conciencia» (*O. C.*, XVI, 277).

Dios no es el mar, dice Machado, sino que está en el mar, porque es personal. Porque, como pensaba Unamuno, «anhelamos que nuestra conciencia pueda vivir y ser independiente del cuerpo, creemos que la persona divina vive y es independiente del universo».

La primera parte del poema machadiano —los ocho primeros versos— es un intento de definir a Dios. No conozco la fecha exacta de la composición del poema —que aparece en *Campos de Castilla*—, pero no me extrañaría que hubiese sido escrito en los primeros meses de 1912, cuando los ensayos que han de integrar *Del sentimiento trágico de la vida* se estaban publicando en *La España moderna* [11]. Muchas de las ideas en ellos expresadas podemos hallarlas ya en escritos unamunianos anteriores [12].

La segunda parte de *Profesión de fe* (versos 9-14) se caracteriza por el tono personal, personalísimo, más notable por la introducción del *yo* al comienzo; de ella, los primeros versos me parece que podrían ser firmados por Unamuno. Sin embargo, a partir de unas palabras, «Que el puro río / de caridad», la voz de Machado se impone plenamente. Y aunque Unamuno había dicho ya en 1900 que la fe es, ante todo, «sinceridad, tolerancia y misericordia», y que «la caridad no es cosa distinta de la fe, es una forma de ésta, una expansión de la confianza en el hombre», la aspiración expresada en los versos finales del poema me parece auténticamente machadiana [13].

En el tan conocido *Retrato* hay una coincidencia, creo que puramente casual, con un pensamiento que Unamuno esbozó en alguna ocasión y que en el ensayo *Soledad* expresó en los siguientes términos: «Lo mejor sería que no hiciéramos sino monologar, que es dialogar con Dios» (*O. C.*, III, 883).

En el citado *Retrato* dice Machado:

> Converso con el hombre que siempre va conmigo
> —quien habla solo espera hablar a Dios un día—

(*O. C. C.*, 126)

---

[11] Empezaron a publicarse en el último número de 1911 y continuaron durante todo el año 1912.

[12] Los cuatro primeros versos del poema machadiano son muy sugerentes. En cierta forma, sin sospecharlo él aún, está el poeta intuyendo ya el germen del concepto de Dios que ha de desarrollar ampliamente en los cancioneros de Martín y Mairena.

[13] Las frases entrecomilladas pertenecen al ensayo *La fe (O. C.*, XVI, 112).

Pero, ya se dijo, no podemos llevar las cosas hasta estos extremos, que casi llegarían a convertir un estudio en investigación policíaca. Parece ésta una coincidencia de expresión puramente casual. Y, dicho sea de paso, en ninguno de los dos casos es confesión auténtica: ni don Miguel se conformaría con monologar sin testigos, ni Machado esperaba con tal certidumbre «hablar a Dios un día».

LA BÚSQUEDA DE DIOS DESDE LA SOLEDAD DE BAEZA

El 1.º de agosto de 1912 muere Leonor en Soria.

En la primera carta enviada por don Antonio a Unamuno desde Baeza —1913—, ya lo vimos, habla de temas diversos. Quiero referirme ahora a estas palabras que pertenecen a uno de los últimos párrafos: «La muerte de mi mujer dejó mi espíritu desgarrado. Mi mujer era una criatura angelical segada por la muerte cruelmente. Yo tenía adoración por ella; pero sobre el amor está la piedad. Yo hubiera preferido mil veces morirme a verla morir, hubiera dado mil vidas por la suya. No creo que haya nada extraordinario en este sentimiento mío. Algo inmortal hay en nosotros que quisiera morir con lo que muere. Tal vez por esto viniera Dios al mundo. Pensando en esto me consuelo algo. Tengo a veces esperanza. Una fe negativa es también absurdo. Sin embargo, el golpe fue terrible, y no creo haberme repuesto. Mientras luché a su lado contra lo irremediable, me sostenía mi conciencia de sufrir mucho más que ella, pues ella, al fin, no pensó nunca en morirse, y su enfermedad no era dolorosa. En fin, hoy vive en mí más que nunca y algunas veces creo firmemente que la he de recobrar. Paciencia y humildad» (*O. P. P.*, 916-917).

Estas palabras vienen a dar la razón a la afirmación de José Luis Aranguren: es la esperanza de recobrar a Leonor el punto de partida hacia un intento de acercamiento a Dios.

Con la carta, envía Machado a Unamuno varios poemas. Más adelante comentaré alguno de ellos, ya que, en su mayor parte, están relacionados con nuestro tema.

No quiero, sin embargo, pasar por alto dos, cuya fecha exacta de composición no he podido precisar, pero que muy posiblemente sean de

El Dios de Antonio Machado 243

la misma época que la citada carta, si no anteriores. Me refiero a los que pasan a *Poesías completas* con los números CXX y CXXII, que aparecen por vez primera en la edición de 1917.

El primero, muy breve, lo transcribo a continuación:

> Dice la esperanza: un día
> la verás si bien esperas.
> Dice la desesperanza:
> sólo tu amargura es ella.
> Late, corazón... No todo
> se lo ha tragado la tierra.

(O. P. P., 176)

Del segundo reproduzco los versos finales, que son una variante del mismo tema:

> ¡Eran tu voz y tu mano,
> en sueños, tan verdaderas!...
> Vive, esperanza: ¡quién sabe
> lo que se traga la tierra!

(O. P. P., 177)

Esa palabra *esperanza*, que se repite en ambos poemas y hallamos en la carta de 1913, es decir, esperanza de no perder definitivamente a la amada, es, sin duda, el punto de partida hacia la búsqueda de Dios.

Pero —y esto es lo que me interesa destacar— de un Dios capaz de dar la inmortalidad.

Dice Unamuno en unos conocidos párrafos de *Del sentimiento trágico de la vida:* «Quien lea con atención y sin antojeras la *Crítica de la razón práctica,* verá que, en rigor, se deduce en ella la existencia de Dios de la inmortalidad del alma, y no ésta de aquélla. El imperativo categórico nos lleva a un postulado moral que exige, a su vez, en el orden teológico, o más bien escatológico, la inmortalidad del alma, y para sustentar esta inmortalidad aparece Dios»...

...«Ya dijo no sé dónde otro profesor, el profesor y hombre Guillermo James, que Dios para la generalidad de los hombres es el productor de inmortalidad. Sí, para la generalidad de los hombres, incluyendo al hombre Kant, al hombre James, y al hombre que traza estas líneas que estás, lector, leyendo» *(O. P. P.,* 130-131).

Podríamos añadir que para el hombre Machado, en 1913, ese Dios productor de inmortalidad es una necesidad absoluta. Y, como para el autor de la *Crítica de la razón práctica,* la posible existencia de Dios se deriva de la posible inmortalidad del alma, y no al contrario.

De la necesidad de creer en la inmortalidad, pues, pasa Machado a la búsqueda de Dios. Del Dios que, naturalmente, garantice la inmortalidad.

En este momento, como el campesino de la anécdota tantas veces narrada por Unamuno, si a don Antonio le hablasen de un Dios que nada tiene que ver con los destinos de los hombres, quizás hubiera, como aquél, respondido: «Entonces, ¿para qué Dios?»

Mas, ya se d.jo, Machado, que o bien no tuvo una profunda formación religiosa, o muy pronto se desilusionó de lo que le mostraron, no recurre, como suele suceder en estos casos, a la religión de la infancia.

La necesidad de creer en un Dios que salve de la nada, por un lado, y las frecuentes y entusiastas lecturas de la obra de Unamuno, por otro, son las dos razones que le llevan durante algunos años a querer, a toda costa, creer en un Dios «personal», rechazando totalmente cualquiera otra posibilidad, y a emprender a través de la poesía una búsqueda afanosa de ese Dios, sirviéndose para ello de ideas, razonamientos y expresiones utilizados antes por Unamuno [14].

¿Pone esto en entredicho la sinceridad de Machado en este punto? No lo creo. Lo mismo que un ortodoxo católico puede hacer sincerísima poesía religiosa dentro de la más pura ortodoxia, el Machado de estos años creyó, sin duda, en la necesidad de crear al Dios productor de inmortalidad. O, por lo menos, creyó en la necesidad de emprender la búsqueda. Y en esta búsqueda hizo de Unamuno su guía espiritual.

---

[14] Sánchez-Barbudo piensa que la fe de Machado, «si alguna vez existió», debió ser «una momentánea fe a la desesperada»... En algún poema, por ello, se refiere a la «fe que nace cuando se busca a Dios y no se alcanza». Y añade: «esto es, a una fe que nace de la desesperación, y que alguna vez quizás él en verdad sintiera, como la había sentido al menos una vez Unamuno —en 1897—, aunque yo más bien creo que, en éste como en otros casos, Machado se dejaba influir por Unamuno, a quien él admiraba ya a principios de siglo y siguió admirando hasta su muerte» *(Op. cit.,* pág. 236).

Hay un corto poema que, aunque no aparece publicado —que yo sepa— hasta 1917, en la primera edición de *Poesías completas,* podría ser uno de los primeros de esta etapa religiosa:

> Señor, ya me arrancaste lo que yo más quería.
> Oye otra vez, Dios mío, mi corazón clamar.
> Tu voluntad se hizo, Señor, contra la mía.
> Señor, ya estamos solos mi corazón y el mar.
>
> *(O. P. P.,* 176)

El tono puede hacernos pensar que se trata de una primera respuesta, una protesta nacida a raíz de la muerte de Leonor. Podría, sin embargo, ser posterior a los enviados a Unamuno en la carta de 1913, y tratarse, precisamente, de una nueva y distinta versión del primero de aquéllos, que no llegó a publicarse en vida de Machado, y que a continuación transcribo:

> Señor, me cansa la vida,
> tengo la garganta ronca
> de gritar sobre los mares,
> la voz de la mar me asorda.
> Señor, me cansa la vida
> y el universo me ahoga.
> Señor, me dejaste solo,
> solo, con el mar a solas.
>
> *(O. P. P.,* 745)

En ambos nos llama la atención la presencia del mar, con valor simbólico, indudablemente, y en oposición, en cierta forma, a Dios.

¿No sería excesivo entrar, en este momento, en un estudio del símbolo del mar en la poesía de Machado? Creo que sí. Me limitaré, por tanto, a hacer sólo algunas observaciones necesarias.

Acaso la primera deba ser el separar el mar de las otras formas de agua que hallamos en la poesía machadiana: fuentes, ríos, lluvia, lagos...[15]. Es el mar un concepto mucho más abstracto que una fuente,

---

[15] Sobre el tema han escrito RAMÓN DE ZUBIRÍA: *La poesía de Antonio Machado;* DÁMASO ALONSO: *Fuente y jardín en la poesía de Antonio Machado.*

o que un río, que, simbolizando una, o dos, o más cosas a un tiempo, siguen siendo una concreta, vista y oída fuente, o un contemplado río. Quiero aclarar, sin embargo, que esta separación a que me refiero es relativa, o, mejor dicho, que se trata de una separación convencional: una separación para mejor ver. No pretendo negar la existencia de una relación entre el mar y las otras aguas: hay una relación casi secreta que corre escondida por debajo del pensamiento del poeta; de hecho, el agua, que fluye por todas partes en sus versos, viene del mar, y al mar va.

Hay una ocasión —un poema de 1915, del que luego hablaré más extensamente— en que el mar es, a la vez, mar visto y sentido, y claramente simbólico. Y no sólo eso; es, acaso, punto de partida para una serie de reflexiones. Se trata del que comienza «Pensar el mundo es como hacerlo nuevo», donde se hallan importantes intuiciones que se desarrollarán más tarde. Termina con estos versos:

> Medir las vivas aguas del mundo..., ¡desvarío!
> Entre las dos agujas de tu compás va el río.
> La realidad es la vida fugaz, funambulesca,
> el cigarrón voltario, el pez que nadie pesca.
> Si quieres saber algo del mar, vuelve otra vez,
> un poco pescador y un tanto pez.
> En la barra del puerto bate la marejada,
> y todo el mar resuena como una carcajada.

Está fechado en Puerto de Santa María, 1915. *(O. P. P., 746-747.)*

El mar llega a la poesía de Machado mucho más tarde que la lluvia, o que la fuente, y acaso viene a través de su admirado Jorge Manrique. En *Soledades* aparece sólo en tres ocasiones; ¿en cuántas la fuente? Dos de esas ocasiones, en los poemas *El mar triste*, que no incorporó a la edición de 1907 [16], lleno de reminiscencias rubendarianas, pero que parece partir de una experiencia directa, y el titulado *La mar alegre* —más rubendariano aún que el otro—, que pasa a *Soledades*.

Cuadernos Hispanoamericanos, núms. 11-12, Madrid, 1949; BERNARD SESÉ: *La fable de l'eau dans la poésie d'Antonio Machado*. Mélanges offerts à Marcel Bataillon. *Bulletin Hispanique*, LXIV bis, 1963.

[16] En *O. P. P.*, 33-34.

Galerías. Otros poemas con muchísimas variantes y que en las ediciones de *Poesías completas* ha de llevar el núm. XLIV y perderá el título [17]. Ambos son de escaso valor, y su lectura nos deja la impresión de que el poeta no ha llegado a hacer de ese mar contemplado un tema auténticamente suyo.

El tercero es el núm. LVIII en *Poesías completas*, la conocida *Glosa* a las *Coplas* de Manrique, que comienza con esos versos que don Antonio tantas y tantas veces declaró admirar profunda y cordialmente: «Nuestras vidas son los ríos»...

> Dulce goce de vivir:
> mal ciencia de pasar,
> ciego huir a la mar,

dice Machado en una de las estrofas, aceptando así plenamente el símbolo manriqueño, que ve en *«la mar» el morir*.

¿Tiene el mar para Machado este mismo simbolismo siempre? A primera vista podríamos pensarlo, ya que, como para Manrique, para Machado todos los ríos van a dar a la mar y «nuestras vidas son los ríos». Sin embargo, el mar es la muerte, pero es, además, muchas otras cosas a través de la poesía machadiana [18].

La muerte, sin duda, está contenida en el mar de Machado; pero lo está también, y acaso con más fuerza, la vida. El mar es, a mi entender, en los poemas de este momento, lo desconocido. Y lo desconocido no es sólo la muerte, sino también la vida con todos sus misterios: «de arcano mar vinimos, a ignota mar iremos... / Y entre los dos misterios está el enigma grave; tres arcas cierra una desconocida llave», había escrito en uno de los proverbios que figuran en *Campos de Castilla*. (*O. P. P.*, 200.)

Podríamos ver en el mar otro simbolismo que caería muy dentro de su concepción heraclitana del mundo: el mar como símbolo del ser óntico, del ente, que encierra el principio y fin de todas las cosas y, como antes decía, es principio y fin de todas esas aguas —fuentes, gotas de lluvia, ríos—, que son la vida del hombre, y que discurren, con ruido o en silencio, por toda la poesía machadiana. Este simbolismo —Mar-

---

[17] La versión tal como apareció en *Soledades* se recoge en *O. P. P.*, 965.
[18] Acaso para Manrique también, pero no tratemos de averiguarlo ahora.

Ser— creo verlo —conscientemente expresado— en poemas más tardíos: los de los cancioneros apócrifos, concretamente. Mas en algunos de los del momento que estudio también parece estar intuido: «Morir... ¿caer como gota / de mar en el mar inmenso?»... Y aun mucho antes, en *Soledades. Galerías. Otros poemas*, en el que comienza: «Hacia un ocaso radiante / caminaba el sol de estío»..., que pasa a *Poesías completas* con el núm. XIII. *(O. P. P., 66-67.)*

Mas en el momento que estudiamos —y sobre todo en estos poemas a que hago referencia— creo que el mar se identifica con lo desconocido [19].

---

[19] Sin forzar excesivamente la imaginación, ese «desconocido» podría ser en algunos casos el inconsciente. No creo oportuno seguir por ese camino, que nos apartaría completamente de nuestro tema. Recordemos sólo que la identificación mar-inconsciente se ha puesto de relieve en algunas ocasiones con relación a otros poetas.

El símbolo del mar en la poesía de Machado ha sido ya tema de estudio. En *La espera y la esperanza*, Laín Entralgo, que lo toca de paso, identifica mar con muerte, pero ve en ese mar-muerte un posible despertar. Por eso, Machado —afirma Laín— ama al Cristo que anduvo en el mar, no al crucificado. El mar es la muerte, pero tras esa muerte está el despertar, la resurrección (véanse págs. 430-431 y 434).

BIRUTE CIPLIJAUSKAITE parece insinuar algo parecido al mar como símbolo del ser óntico —interpretación que di como muy posible— al referirse a las diferencias que hay entre *muerte* y *nada* en la poesía de Machado: «La vida no acaba con un golpe brusco, sino que se incorpora en la «eternidad temporal», de la cual había brotado. Así, inconscientemente llevamos algo de «mar» al que tendremos que volver y del cual hemos brotado, y ésta es la presencia indefinible que nos acompaña siempre» *(La soledad y la poesía española contemporánea*, pág. 95).

Es muy aceptable el simbolismo que en el mar de Machado ve JOSÉ ANTONIO BALBONTÍN: el caos. A la muerte de Leonor, dice, «Antonio se queda solo frente al mar, es decir, frente al caos. Desde que lo vio de niño por primera vez, antes de ir a Madrid, Antonio interpretó siempre al mar como un símbolo del caos. En toda la poemática de Antonio Machado, el mar se nos presenta, invariablemente, como un monstruo que se traga «los ríos de nuestras vidas», al modo de un nuevo Saturno, pues, en último análisis, los ríos son los hijos del mar. Y lo que le pide Antonio a Dios, en forma más o menos tímida y velada, es que ponga orden en el caos, que calme la furia del mar y que resucite a Leonor, como dice el Evangelio que resucitó a Lázaro, en un arranque de piedad» *(Índice*, núm. 196, abril 1965).

Porque necesita conocer, a veces intenta sacar de ese gran todo desconocido una figura que «no es el mar», aunque esté en el mar: el Dios de *Profesión de fe*, al que desea, en alguna forma, llegar en ese y en algunos otros versos.

Hay una clara voluntad de separar a Dios del mar —es decir, de creer en un Dios que llamaremos cristiano-unamuniano— en los poemas de que antes hablé: «Señor, ya me arrancaste lo que yo más quería» y «Señor, me cansa la vida». Un Dios a quien se dirige con cierta esperanza de ser escuchado. El recuerdo del «¡Dios mío, Dios mío!, ¿por qué me has abandonado?», tan repetido por don Miguel, resuena lejanamente.

Otra vez se relacionan —y separan— Dios y mar en uno de los *Proverbios y cantares*, aparecido por vez primera en *Poesías completas* (1917), y cuya fecha de composición ignoro:

> Todo hombre tiene dos
> batallas que pelear:
> en sueños lucha con Dios;
> y despierto, con el mar.
>
> *(O. P. P., 203)*

Creo hallar en este mar el mismo simbolismo que en los poemas anteriores tenía. Con los ojos abiertos, el hombre mira a todas partes, y en todas partes se encuentra con lo desconocido; el sueño, sin embargo —que es siempre para Machado una vía de conocimiento—, puede acercar a Dios: a ese Dios personal y salvador que el poeta necesitaba encontrar en sus años de soledad.

Insistamos en que ese Dios —aquí, y en toda la poesía de este momento— no se aparece en la vela, sino en el sueño. Y señalemos otro importante dato: la idea de lucha, indudablemente unamuniana.

KESSEL SCHWARTZ, en su estudio *The Sea and Machado*, tras un examen de todas las posibilidades que halla en los mares machadianos, llega a la siguiente conclusión: «Machado views the sea as great poets have viewed it from time immemorial, as a primitive place of potencial power, as an alluring call which is difficult to deny, as unfathomable, desolate, mysterious, terrible, as life and death, God and eternity. Machado's sea serves for every mood and occasion and it may be smiling, sonorous, somber, salty, fierce, tranquil, bitter, or loving.»

Para Unamuno, recordémoslo, la religión es inseparable de la lucha, de la agonía: a Dios hay que ganarlo luchando. En *Mi religión* —1907— había escrito: «Mi religión es luchar incesante e incansablemente con el misterio; mi religión es luchar con Dios desde el romper del alba hasta el caer de la noche, como dicen que con Él luchó Jacob.» *(O. C., XVI, 118.)*

En la lucha machadiana —con Dios o con el mar— hay, me parece, reminiscencias de estas luchas de Unamuno con Dios y con el misterio [20].

Además del citado «Señor, me cansa la vida», en la carta de 1913 le envió Machado a Unamuno —junto con otros varios, de temas diversos— otros tres poemas cortos que giran en torno al problema que nos ocupa. Uno de ellos pasó a las ediciones de poesía como la núm. VI de las *Parábolas*. Es uno de los más claramente influidos por Unamuno; casi, podríamos decir, una glosa a frases repetidas por don Miguel en diversas ocasiones:

> El Dios que todos llevamos,
> el Dios que todos hacemos,
> el Dios que todos buscamos
> y que nunca encontraremos...

Y, sin embargo, al final, este inesperado toque machadiano:

> Tres dioses o tres personas
> de un solo Dios verdadero.

(O. P. P., 212)

Muchas reminiscencias unamunianas hay también en los otros dos enviados en la misma carta, no aparecidos en volumen en vida del poeta [21].

---

[20] En el soneto XC de *Rosario de sonetos líricos*, de 1911, y, por tanto, cercano al poema de Machado, la idea de la necesidad de lucha con Dios para llegar a conocer su nombre constituye el tema central. El soneto se inspira en los versículos 24 a 30 del cap. XXX del *Génesis*, que narran la lucha de Jacob con el ángel, según nota del propio autor *(O. C., XIII, 599)*.

[21] Fueron publicados por MANUEL GARCÍA BLANCO en *De la correspondencia de Miguel de Unamuno*, junto con las cartas de don Antonio *(O. P. P., pág. 745)*.

El Dios de Antonio Machado

En verdad, podría decirse que se trata de dos versiones distintas de la frase que Unamuno halló en Pascal —atribuida a Cristo— y que en varios escritos comenta, transforma o reproduce directamente. En un soneto publicado en 1911 la hace figurar en el primer verso: «Si me buscas es porque me encontraste / —mi Dios me dice—.»
En Machado hallamos la idea, muy poéticamente lograda, en estos dos cantares:

> O tú y yo jugando estamos
> al escondite, Señor,
> o la voz con que te llamo
> es tu voz.

Y

> Por todas partes te busco
> sin encontrarte jamás,
> y en todas partes te encuentro
> sólo por irte a buscar.

Dije más arriba que la idea de Dios es para Machado inseparable del sueño, del soñar... Es, lo señalé también, que, para el poeta, el sueño es vía de conocimiento, inconsciente, pero válida. A Dios se llega —o se intenta llegar— por la vía del sueño en varios de los poemas que hemos visto hasta ahora y en algún otro que no he comentado.

Hay uno —otro de la sección *Proverbios y cantares*, publicado en *Poesías completas* (1917)— que por más de una razón me parece imprescindible comentar. Así como en gran parte de los que hemos visto hasta ahora la influencia de Unamuno es clara, se trata aquí de otra cosa. La idea obsesiva de don Miguel, que el hombre es sueño de Dios y qué pasaría si Dios dejase de soñarnos, se transforma en Machado:

> Anoche soñé que oía
> a Dios gritándome: ¡Alerta!
> Luego era Dios quien dormía,
> y yo gritaba: ¡Despierta!

(O. P. P., 207-208)

Para el gran soñador Machado, recordemos —como antes vimos, y comenté con relación a sus impresiones sobre *Niebla*— que «si vivir es bueno, / es mejor soñar, / y mejor que todo, madre, despertar». El sueño es vía válida de conocimiento, pero para vivir —y hacer vivir— hay que tener los ojos muy abiertos.

Los poemas de Machado donde la influencia del sentimiento religioso de Unamuno se manifiesta son, por lo tanto, unos pocos, aunque, por tratarse de algunos muy conocidos, suele abultarse mucho este punto. Como creo haber puesto en claro, comienza poco antes de la publicación de *Campos de Castilla* y continúa —que sepamos de fijo— durante el 1913. Del 1914 ya no podemos presentar ningún testimonio, aunque los pocos poemas cuya fecha no está fijada con exactitud podrían ser de ese año o de los dos siguientes [22].

Mas lo que sí es cierto es que en 1915 hallamos un poema donde están en germen todas las ideas que han de desarrollarse mucho más tarde en los cancioneros de Martín y Mairena, y que nada tienen que ver con el que he llamado Dios cristiano-unamuniano, en el que Machado nunca llegó a creer, aunque, indudablemente, en un tiempo lo buscó.

El Dios de «Martín» y «Mairena»

El hacer un profundo estudio del concepto de Dios que Antonio Machado nos da a través de los cancioneros escritos por sus criaturas Abel Martín y Juan de Mairena creo que sería desviarnos de nuestro tema. Sin embargo, todo lo anteriormente dicho quedaría un poco en el aire si no revisamos —aunque sea un tanto superficialmente— este último concepto de Dios, al que Machado llegó saliéndose por completo de los caminos que en 1912 y 1913 intentó seguir. A manera de apéndice al capítulo, veamos esta creación —interesante y originalísima— del Dios de esta tercera etapa.

---

[22] Podríamos aventurar que «Anoche, cuando dormía...», aparecido, como señalé, en 1917, pertenezca a estos años. En él, como ha señalado la crítica, acaso hay posibles reminiscencias de los místicos españoles. Por lo menos hay claras coincidencias.

Sánchez-Barbudo, uno de los pocos críticos que se han atrevido a mirar frente a frente los difíciles poemas de los cancioneros apócrifos, señala que Antonio Machado, más que creer en Dios, cree en la Nada. Por eso, podríamos deducir de su tesis, inventa a Dios para crear esa Nada, que es lo que, a fin de cuentas, tiene realidad. Concede el mismo crítico gran importancia al hecho de que Machado parta, para desarrollar su teoría, de la negación de la creación *ex nihilo,* creencia básica del Cristianismo, para formular, precisamente, una teoría opuesta [23].

Es muy posible que la idea del Dios creador de la nada surja como una respuesta al Dios creador de todas las cosas. Mas la aproximación —aunque se trate de oposición— con el Cristianismo en esta que llamo tercera etapa de la búsqueda de Dios acaso no pase de este primer punto de arranque [24].

Sería en extremo difícil el determinar cuándo empieza Machado a elaborar su teoría del «Dios creador de la nada», o «negra pizarra», que regala al hombre para que sobre esa nada y desde esa nada pueda pensar.

Es curioso señalar que, en un momento muy próximo a la etapa que he llamado segunda —la de la búsqueda del Dios personal, salvador—, escriba un poema —al que antes me referí con relación al curioso simbolismo del mar— en el que podemos hallar muchos de los elementos clave de la cosmovisión de los cancioneros apócrifos. No está aún Dios como creador de la nada, pero está en germen casi todo lo demás:

> Pensar el mundo es como hacerlo nuevo
> de la sombra o la nada, desustanciado y frío.
> Bueno es pensar, descolorir el huevo
> universal, sorberlo hasta el vacío.
> Pensar: borrar primero y dibujar después...
> ... ...
> Una neblina opaca confunde toda cosa:
> el monte, el mar, el pino, el pájaro, la rosa.

---

[23] *Op. cit.,* pág. 278.
[24] Me refiero, claro está, al plano metafísico. Del cristianismo ético de Machado hablaré en el capítulo siguiente.

> Pitágoras alarga a Cartesios la mano.
> Es la extensión sustancia del universo humano.
> Y sobre el lienzo blanco o la pizarra oscura
> se pinta en blanco o negro la cifra o la figura.
>
> *(O. P. P., 746)*

El universo, la vida total, se va dibujando sobre la futura negra pizarra —que aún es «oscura» o «lienzo blanco»—. Mas, para ello, antes *hay que borrar*, es decir, crear la nada sobre la que los hombres edificamos nuestra obra.

Podríamos preguntarnos: ¿era necesario que esa nada tuviera un creador? Mas no es nuestro punto de vista, sino el de Machado el que se pretende esclarecer aquí.

¿Cómo es, qué características tiene ese Dios que Machado inventa y en el que parece creer en esta que he llamado tercera etapa de su búsqueda?

Si espigamos a través de las páginas de los cancioneros de Martín y Mairena [25], y a lo que en ellas encontremos añadimos algún párrafo de *Juan de Mairena*, podríamos llegar a algunas conclusiones, aunque no nos sirvan más que para dar los primeros pasos por un camino que alguien algún día tendrá que explorar a fondo.

Veamos algunos párrafos fundamentales.

Tomemos, en primer lugar, el comentario en prosa al soneto titulado *Al gran cero:*

«En la teología de Abel Martín es Dios definido como el ser absoluto, y, por ende, nada que *sea* puede ser su obra. Dios como creador y conservador del mundo le parece a Abel Martín una concepción judaica, tan sacrílega como absurda. La nada, en cambio, es, en cierto modo, una creación divina, un milagro del ser, obrado por éste para pensarse en su totalidad. Dicho de otro modo: Dios regala al hombre el gran cero, la nada o cero integral, es decir, el cero integrado por todas las negaciones de cuanto es. Así, posee la mente humana un concepto de totalidad, la suma de cuanto no es, que sirva lógicamente de límite y frontera a la totalidad de cuanto es.» *(O. P. P., 311.)*

---

[25] Los cancioneros apócrifos de Abel Martín y Juan de Mairena fueron incorporados por vez primera a las ediciones de poesía en la segunda de *Poesías completas,* pero habían sido publicados parcialmente en revistas.

El Dios de Antonio Machado

Más adelante, no en la metafísica de Martín, sino en la de Mairena: «Su punto de partida (el de Mairena) está en el pensamiento de Abel Martín. Dios no es creador del mundo, sino el ser absoluto, único y real, más allá del cual nada es. No hay problema genético de lo que es. El mundo es sólo un aspecto de la divinidad; de ningún modo una creación divina. Siendo el mundo real y la realidad única y divina, hablar de la creación del mundo equivaldría a suponer que Dios se creaba a sí mismo. Tampoco el ser, la divinidad, plantea ningún problema metafísico. Cuanto es, aparece; cuanto aparece, es. Todo el trabajo de la ciencia —que Mairena admira y venera— consiste en descubrir nuevas apariencias; es decir, nuevas apariciones del ser»...

... «No hay, pues, problema del ser, de lo que aparece. Sólo lo que no es, lo que no aparece, puede constituir problema.» *(O. P. P., 322.)*

En el poema *Siesta* se honra «al Dios de la distancia y de la ausencia», al que «ha dictado el silencio en el clamor», al «Señor que hizo la Nada». *(O. P. P., 330.)*

En el último capítulo de *Juan de Mairena* reafirma: «Quienes sostenemos la imposibilidad de la creación *ex nihilo,* por razones teológicas y metafísicas, no por eso renunciamos a un Dios creador, capaz de obrar el portento. Porque tan grande hazaña como sería la de haber sacado al mundo de la nada es la que mi maestro atribuía a la divinidad: la de sacar la nada del mundo.» *(O. P. P., 521.)*

¿Es el Dios de Machado un Dios panteísta? El primer verso del soneto *Al gran cero* —«Cuando el Ser *que se es* hizo la nada»—, así como algunas otras frases, podrían hacérnoslo creer; podríamos pensar en una identificación Dios-Universo —o Naturaleza—. Mas en muchas otras ocasiones se habla del mundo «como un aspecto de la divinidad» y un reflejo de esa divinidad que puede presentar, y presenta constantemente, nuevas apariencias: «—no hay espejo; todo es fuente—», ha de decirnos en el poema *Al gran pleno o conciencia integral.*

Aunque el Dios de Machado —o de Martín y Mairena, si preferimos— *es* lo increado, y en cierta forma, el Universo, no puede identificarse con el Universo inconsciente; por el contrario, quizá podríamos definirlo como el *absoluto Ser consciente,* o, empleando palabras que el poeta empleó más de una vez: «El gran ojo que todo lo ve al verse a sí mismo.»

De más está decir que este Dios creador de la negra pizarra no es un Dios salvador en el sentido cristiano del término. Si a algo parecido a la salvación pudiéramos aspirar, sería algo cercano, acaso, al nirvana de los budistas. Así lo expresa el poeta en el capítulo XXXI de *Juan de Mairena:*

«Antes me llegue, si me llega, el día
en que duerma a la sombra de tu mano...

«Así expresaba mi maestro un temor, de ningún modo un deseo ni una esperanza: el temor de morir y de condenarse, de ser borrado de la luz definitivamente por la mano de Dios.»

... «Antes me llegue, si me llega, el Día...
la luz que me ve, increada,

y más inclinado, acaso, hacia el nirvana búdico que esperanzado en el paraíso de los justos»... *(O. P. P.,* 451-452.)

La frecuente asociación que Machado establece entre Dios y Nada ha hecho pensar a algunos críticos en la identificación de Dios y Nada, o Dios-Muerte. Un reciente ensayo de Jorge Enjuto sobre el poema *Siesta* creo que prueba con claridad que Dios y la Nada no son términos intercambiables en los Cancioneros de Martín y Mairena, y que el Dios al que Machado dedica su brindis no es un Dios de muerte: «Una interpretación, quizá no del todo superficial, pudiera llevar a pensar que el poeta loa en su poema al Dios de la muerte. Negra estampa, silencio, distancia, ausencia, sombra, son todos términos que nos hacen pensar en esta oscura dimensión. El subtítulo del poema —«En memoria de Abel Martín»— podría, en apariencia, confirmar esta primera hipótesis. No obstante, no creemos que sea necesariamente correcta.

«Veamos a qué Señor parece Machado referirse y cuál es el sentido de su loa.

»En primer término, en el último verso de la primera estrofa señala Machado que su sagrado brindis va destinado a aquel «que ha dictado el silencio en el clamor.» Pero en el verso anterior se nos da un añadido, separado por guiones, que parece aclarar el sentido del verso posterior: «—la negra estampa de su mano buena—» es la que ha dictado el silencio para que nos sea permitido escuchar el latir sonoro de la copla de la cigarra, que en este poema se asocia con la vida»...

... «Dios ha dictado el silencio con la estampa de su mano, pero sólo su estampa es negra, no la mano, que recibe en este caso el calificativo de *buena*. La mano *es* buena porque nos entrega en su estampa —que *no* en su mano— la posibilidad de concebirla y, en este primer caso, de escuchar el clamor por el contraste del silencio»[26].

No es éste, ya lo dije, el Dios que dará la vida eterna. Acaso todo acabe —parece decirnos el poeta en *Muerte de Abel Martín*— en el momento en que, como Abel, llevemos hasta nuestra boca fría el limpio vaso «de pura sombra —¡oh, pura sombra!— lleno». O acaso podamos, en alguna forma, «asombrarnos» en ese nirvana búdico en el que Abel creía más que en el paraíso de los justos.

En todo caso, el que Dios nos haya dado la negra pizarra donde se escribe el pensamiento humano ya es algo.

El hombre tiene motivos para agradecer a Dios la creación de la nada, pues gracias a esa nada es, acaso, por lo que el hombre puede sentirse como tal. Sobre este punto, comentando el poema *Al gran cero*, hace Sánchez-Barbudo una serie de reflexiones dignas de ser tomadas en cuenta: «El pensar humano —dice—, el pensar sobre el «huevo universal», sobre el mundo, brota gracias a la nada, gracias al «cero integral», a la «hueca esfera». Sólo gracias a esa nada se «ve» realmente el mundo: gracias al *no-ser*. Por eso, Dios empieza por dar al hombre lo contrario del ser, el huevo «desustanciado y frío, lleno de niebla ingrávida». Esa nada, «el milagro del no ser», es lo que estando erguidos, al ser hombres, produce en nosotros el asombro del ser y da origen a la metafísica; y esa nada es lo que hace al poeta cantar, cantar «a la muerte, al silencio y al olvido». Hace cantar porque las cosas van a desaparecer, como nosotros, hundiéndose en la muerte, el silencio y el olvido. Y cantar con «un canto de frontera», pues el poeta canta sintiéndose al borde de la nada como a punto de desaparecer. Este canto sólo es posible cuando el hombre es plenamente hombre, cuando

---

[26] *Comentarios al poema «Siesta» de Antonio Machado*. Ínsula, números 212-213.

No es ésta la única ocasión en que Machado se refiere a «la sombra de la mano de Dios». Véase el cap. XXXI de *Juan de Mairena*, al que me referí anteriormente.

su espíritu despierta, esto es, cuando «el lomo» de la fiera se convierte en humana «espalda». De la nada, pues, brota la metafísica, en su raíz, y brota la poesía temporal»[27].

Sí, precisamente porque esa nada nos acompaña y nos acompañó desde que empezamos a sentirnos seres conscientes, hay que saber trabajar y construir con ella mientras nos sintamos existiendo: «Pero antes que llegue o no llegue el Día, con o sin mayúscula —escribe el poeta en *Juan de Mairena*, tras referirse a la muerte de Abel Martín—, hay que reparar no sólo en que todo lo problemático del ser es obra de la nada, sino también en que es preciso trabajar, y aun construir con ella, puesto que ella se ha introducido en nuestras almas muy tempranamente, y apenas si hay recuerdo infantil que no la contenga». (*O. P. P.*, 452.)

La negra pizarra, la sombra, la nada, que nos deja ver la vida —vivir, dormir, soñar, y, acaso, hasta crear, como pensaba Abel Martín, «ya turbia la pupila»—, es, para Antonio Machado, una solución resignada, como lo es ese Dios mismo, creador de la negra pizarra. Su «Dios creado», en el que no tenemos por qué pensar que no llegó a creer.

Como señalé, sin embargo, nos quedamos con la impresión de que, una vez hallado, ese Dios —cuya búsqueda le preocupó durante algunos años— se oculta para dejar paso a otros problemas.

---

[27] *Op. cit.*, pág. 281.

Capítulo II

CRISTO Y EL CRISTIANISMO DE ANTONIO MACHADO

Aunque hay momentos en que Machado parece cercano —o, al menos, parece intentar acercarse— a ese Dios capaz de dar la inmortalidad y cuidar de sus criaturas, a ese Dios que identificábamos con el Dios de los cristianos, ya hemos visto cómo llega a un concepto de Dios totalmente distinto del cristiano. Sin embargo, la figura de Cristo y el papel del Cristianismo —un cristianismo muy personalmente entendido— en el mundo han de convertirse en temas de reflexión, importantes, sobre todo, en los últimos años de su vida.

Aunque podemos hallar alguna referencia al Cristo histórico, para Machado, Cristo es, ante todo, un símbolo, y como símbolo le interesa: es, entre otras cosas, y sobre todo, el «hombre hermano del hombre»; la comunidad cristiana, en esta cosmovisión, sería el reino de la hermandad.

Insistamos en el hecho curioso de que el mayor interés por la figura de Cristo y por el Cristianismo se afirma precisamente en el momento en que Machado comienza a forjarse una idea de Dios que nada tiene que ver con la concepción cristiana: metafísica —el Dios de Martín y Mairena— y ética —cristianismo moral basado en la fraternidad humana— están en planos distintos. Por ello, precisamente, les dedico capítulos separados.

Dentro del mundo occidental, sin embargo, separar totalmente «Cristo» y «Dios» es absolutamente imposible. Por ello, el mundo ético del Cristianismo, con Cristo a la cabeza y el mundo de Dios, han de acercarse en Machado algunas veces, pero sin confundirse. Así, a este Cristo de Machado, símbolo profundamente humano, hemos de verlo en algunos momentos relacionado con el «padre común»; o dentro del mundo religioso —y hasta del mundo clerical—, aunque sea, precisamente, para separarlo de él...

La admiración de Machado hacia Cristo va *in crescendo*. Surge hacia el momento de la publicación de los primeros «proverbios» y «cantares» en *La Lectura*, en 1909; se va acentuando en los primeros años de Baeza, y se convierte en tema de primera importancia y en símbolo fundamental de su ética a partir de un momento que podríamos situar en 1918, fecha en que escribe a Unamuno la carta sobre *Abel Sánchez* a la que me referí antes. Desde ese momento, y ya hasta la muerte, el cristianismo ético de Machado es una constante en su vida.

Me parece muy probable que la preocupación por el Cristo le venga a don Antonio por influencia de don Miguel. Acaso el más importante testimonio del cristianismo ético del poeta sea la citada carta, destinada, precisamente, a Unamuno. Algunas ideas desarrolladas en ella están sugeridas por éste, así como lo están, me parece, la mayoría de los poemas que giran en torno al mismo tema anteriores a la carta. En los últimos escritos machadianos es frecuente que la meditación sobre Cristo traiga consigo el recuerdo de don Miguel, cosa que pudimos comprobar en varios de los textos citados en la primera parte de este estudio.

Con frecuencia, tras muchos de esos poemas o meditaciones llegamos a adivinar un diálogo con don Miguel, diálogo en el cual —a pesar de las aproximaciones— no siempre llegarían a ponerse de acuerdo las dos partes.

Acaso las más importantes ideas que podemos entresacar de la cristología machadiana sean la visión de *Cristo triunfante,* y la que llamaremos visión del *Hermano Cristo.* Están íntimamente relacionadas con otras dos: *Cristo, hombre divino* y *Cristo, hombre como los demás hombres.*

¿Cuál es, en términos generales, la imagen del Cristo que Machado nos ofrece?

Como cabría esperar, muy poco ortodoxa, desde luego. Para llegar a una mejor comprensión de ella, examinemos separadamente cada uno de los aspectos que creo caracterizan al Cristo que Machado nos presenta.

El Cristo que anduvo en el mar

No he logrado precisar si la figura de Cristo aparece en la obra de Machado antes de 1909; creo que no.

En 1909, en *La Lectura*, bajo el título de «Proverbios y cantares», que se habría de mantener en *Campos de Castilla*, figuran varios poemitas; uno de ellos es el siguiente:

> ¿Para qué llamar caminos
> a los surcos del azar?...
> Todo el que camina anda,
> como Jesús, sobre el mar.

(O. P. P., 198) [1]

Por otras razones hemos de volver al cantar en un próximo capítulo; lo traigo aquí, un poco de pasada, para señalar, desde este momento, la presencia del Cristo triunfante. No es el Crucificado, el agonizante, el que va a morir, el que a Machado le interesa: es el vivo. Un Jesús vivo, capaz de dominar *el mar* —con todo el valor simbólico que hemos tratado de hallar en los mares machadianos.

Algunos años más tarde, en *La saeta*, canta al mismo Cristo triunfante, que claramente opone al clavado en la cruz y que es el que inspira los cantares de su pueblo:

> ¡No puedo cantar, ni quiero,
> a ese Jesús del madero,
> sino al que anduvo en el mar!

(O. P. P., 188)

Es, el de los dos cantares, un Cristo triunfante, mas no creo que se trate de un Cristo inmortal: no es el resucitado; es el que obra el milagro para despertar la fe adormecida, y que cree —y hace creer— que

---

[1] Doy la versión que ha pasado a las ediciones. En 1909, el tercer verso era distinto. La variante es importante: «Sólo camina quien anda.»

la fe obra milagros. Su triunfo, me parece, es el triunfo del hombre [2]. Este Cristo vive con los ojos abiertos. Acaso por ello, su palabra fundamental, la más importante de todas las que nos dijo, fue: «Velad» [3].

S. Serrano Poncela ha visto muy claro cómo, desde los primeros poemas en que Machado habla de Cristo hasta casi el final de los días del poeta, los Cristos machadianos se diferencian profundamente de los unamunianos, «siempre clavados en el madero, siempre agonizando entre cielo y tierra; dudando de Dios y clamando a Dios; queriendo abandonar al hombre y salvando al hombre en su entrega a la angustia» [4].

En efecto, Machado insiste en la idea de «desenclavar al Cristo» hasta sus últimos escritos.

En esa idea, la presencia de Unamuno pesa en forma curiosa. Unamuno desenclavó al Cristo de la Cruz de Roma, piensa Machado; pero hay que ir más lejos: hay que hacer posible que vuelva a asentar sus plantas sobre la tierra, devolverlo a los hombres.

En una página a que antes hice alusión hay unas palabras —citadas ya en la primera parte de este estudio— en extremo interesantes. Refiriéndose a un trabajo de Joaquín Xirau, señala Machado que en las meditaciones de éste sobre el cristianismo «no ha de hacer (Xirau) tanto hincapié en la Crucifixión como el maestro Unamuno... porque no es el Cristo agonizante lo que más le interesa». Un poco más arriba afirmaba que «después de San Pablo ha sido difícil que el Cristo vuelva a asentar sus plantas sobre la tierra, como quisiéramos los herejes, los reacios al culto del Cristo Crucificado». *(O. P. P., 585.)*

---

[2] Véase en el capítulo anterior la versión de Laín Entralgo en relación con ese Cristo y el símbolo de ese mar. El hecho de no compartir la opinión del ilustre escritor sobre este punto no me impide ver el interés que su interpretación presenta.

[3] El núm. XXXIV de *Proverbios y cantares* termina con estos versos:

> ¿Cuál fue, Jesús, tu palabra?
> ¿Amor? ¿Perdón? ¿Caridad?
> Todas tus palabras fueron
> una palabra: Velad.
>
> *(O. P. P., 205)*

[4] *Antonio Machado, su mundo y su obra*, pág. 143.

Estas palabras, escritas en 1938, vendrían a apoyar un punto que antes he sugerido y en el que quiero insistir: este Cristo triunfante se opone al Cristo agonizante, tan español y tan unamuniano. Y en esta oposición, podríamos pensar, había, acaso, desde el principio, un rechazo de esa tradición dentro de la cual Unamuno estaba incluido.

Así, si en este aspecto del cristianismo de Machado intuíamos una presencia de Unamuno, por oposición, en las palabras escritas en 1938 la intuición se confirma.

Creo que, efectivamente, desde 1909, y quizás antes, va Machado hacia el descubrimiento de Cristo, llevado, posiblemente, por don Miguel, pero rechazando desde el principio lo que a éste le interesa más, el Cristo crucificado, para poner su atención en el Cristo vivo, el que vivió y puede seguir viviendo entre los hombres, el Cristo triunfante, el Cristo que anduvo en el mar.

Cristo, símbolo de la hermandad humana

El hecho de la clara oposición entre ciertos aspectos del cristianismo de Machado y el de Unamuno ya señalé que no invalida la tesis de la influencia de éste en el descubrimiento de Cristo que Machado hace, ya hombre maduro; por el contrario, creo, la apoya.

La apoya, asimismo, otro dato significativo: el tema de Cristo comienza a ser realmente importante en la obra de Machado poco después de aparecer en la correspondencia del poeta con don Miguel; el que he llamado «hermano Cristo» —es decir, Cristo símbolo de la hermandad humana— aparece por primera vez como tema de reflexión en la carta de 1918, escrita por don Antonio como comentario a la versión unamuniana del mito de Caín y Abel.

Dudo que el símbolo machadiano parta de Unamuno [5]. El «hermano Cristo» está en toda la literatura rusa, que Machado conocía muy bien, y de la que con frecuencia dice que está llena de espíritu cristiano [6].

---

[5] No hay que olvidar, sin embargo, que el «Cristo hermano» está en *El Cristo de Velázquez*.

[6] Machado escribió y habló sobre la literatura y el pueblo ruso en diversas ocasiones. La primera debe ser la conferencia pronunciada en Segovia en 1922 *(Sobre literatura rusa)*, que revela un amplio conocimiento de la materia. En ese momento afirma que la «fraternidad humana» fue «la gran reve-

Pero sí es curioso que el símbolo nazca tras la meditación de la novela *Abel Sánchez,* y que surja como oposición a la figura del fratricida, oposición que, muy de pasada, había sugerido Unamuno varios años antes.

La carta de Machado, que comienza como comentario al libro de Unamuno recién recibido, se convierte, después de sus cuatro primeros párrafos, en profunda meditación sobre la figura de Cristo.

Como al tratar el tema de la envidia me extendí bastante sobre la antítesis Caín-Cristo que Machado plantea —y que tiene antecedentes unamunianos—, no quiero volver sobre lo mismo. Mas no lo olvidemos: Cristo, no Abel, es el hermano bueno, el que vence sobre la envidia caínita.

Para Machado, la superioridad del Nuevo Testamento sobre el Viejo consiste en que en aquél el instinto de reproducción, que es un instinto animal, se ha trocado en amor hacia el prójimo: hacia el hermano.

El libro de las generaciones —el Antiguo Testamento, naturalmente— es «el libro del amor del hombre a sí mismo y a su prole, del amor que va de generación en generación, por línea directa, de padres a hijos»...

El amor fraternal no existe en el Antiguo Testamento. Los hermanos luchan: Caín mata a Abel, Jacob suplanta a Esaú, José es vendido por sus hermanos... Es éste, sin embargo, José, el único ejemplo donde el amor fraternal —que no aparecerá plenamente hasta la venida de Cristo— empieza a perfilarse: «José, perdonando y amando a sus hermanos que quisieron perderle, muestra ya cómo el amor ha de tomar un día la línea transversal»... «José, el casto José, deja su capa en manos de la hembra lujuriosa. Jacob hubiera aprovechado la ocasión, no por el placer, sino por el ciego instinto genésico. Pero José tiene más conciencia, es más fino, no es un semental, es un hombre»... Unas líneas más abajo continúa: «La fraternidad es un amor que no puede aparecer sino cuando el hombre es capaz de superar el ciego impulso de la generación». (*O. P. P.,* 923.)

---

lación de Cristo». Y, más adelante, sobre el cristianismo del pueblo ruso: «Se diría que el ruso ha elegido un libro, el Evangelio, lo ha puesto sobre su corazón, y con él y sólo con él pretende atravesar la historia» (véase el texto completo en *O. P. P.,* 814-819).

El Nuevo Testamento es el libro de la fraternidad. Cristo nos enseña el amor al otro, al hermano.

Claro que Machado no se detiene aquí. Y al hablar del amor al hermano y de la fraternidad, se pregunta a sí mismo qué es la fraternidad. «Si dijéramos que es el amor al prójimo —se contesta— por amor de nosotros mismos, no interpretaríamos, a mi juicio, el espíritu cristiano; sería entonces la fraternidad una forma indirecta de amarse cada cual a sí mismo. Me parece, más bien, la fraternidad el amor al prójimo por amor al padre común»... [7].

«Tal me parece a mí —continúa Machado en su carta a Unamuno— el sentido del Evangelio y la gran revelación del Cristo, el verdadero transmutador de valores. La humildad es un sentimiento cristiano, porque el amor que Cristo ordena es un amor sin orgullo, sin deleite en nosotros ni en nuestra obra: nosotros no podríamos engendrar el objeto de nuestro amor, a nuestro hermano, obra de Dios. El amor fraternal nos saca de nuestra soledad y nos lleva a Dios. Cuando reconozco que hay otro yo, que no soy yo mismo, ni es obra mía, caigo en la cuenta de que Dios existe y de que debo de creer en él como en un padre»... (O. P. P., 924.)

He dicho que no incluyo a Cristo en el capítulo en que hablo de la búsqueda de Dios porque el Cristo es, para Machado, más un símbolo humano que una persona divina. En los párrafos citados, Cristo, el hermano, el símbolo de la fraternidad, nos trae un mensaje y nos enseña a creer en Dios a través del otro, pero no se identifica con Dios.

Cristo es, a partir de este momento —1918—, el hermano ejemplar, el que, en lugar de matar al hermano, da su vida por él.

Como apunté, me parece que hay bastante influencia de algunos novelistas rusos —acaso, sobre todo, de Tolstoy y Dostoyevsky— en esta

---

[7] Los párrafos citados pertenecen a la carta dirigida a Unamuno en 1918, en respuesta al envío de *Abel Sánchez*.

Hay, a continuación de la última frase citada, una serie de consideraciones sobre el prójimo, sobre la relación del yo con el otro, sobre el amor a sí mismo, que constituyen una versión en prosa de algunos de los nuevos «Proverbios y cantares» que han de formar parte de *Nuevas canciones* algunos años después (1924). Esta relación la apuntó ya M. GARCÍA BLANCO *(De la correspondencia de Miguel de Unamuno*, pág. 28). En verdad, podemos hallar en ese párrafo de la carta, que no interesa reproducir ahora, el antecedente de un buen número de los nuevos «Proverbios y cantares».

versión del Cristo hermano. En esta misma carta destinada a Unamuno se alude, en los siguientes términos, al cristianismo tolstoiano: «Porque el cainismo perdura, a pesar de Cristo; pasa del individuo a la familia, a la casta, a la clase, y hoy lo vemos extendido a las naciones, en ese sentimiento tan funesto y tan vil que se llama patriotismo. Sólo los rusos —¡bendito pueblo!— me parecen capaces de superarlo por un sentimiento más noble y universal. El tolstoísmo salvará a Europa, si es que ésta tiene salvación» [8].

A través de los citados párrafos de la carta, además del Cristo hermano —hermano del hombre, y ambos hijos de Dios—, hallamos un Cristo mediador. No en el sentido tradicional que el Cristianismo nos lo enseña —Dios hecho hombre—, sino más bien en el sentido de Maestro: Cristo, con su mensaje de fraternidad universal, nos enseña que hay un padre común.

Señalemos que ese «padre común» no tiene que ser, necesariamente, el Dios de los cristianos. No se ha perfilado aún la idea del «Dios que hizo la nada». Ese «padre común», cuya existencia se afirma aquí, queda sin definir.

La idea del Cristo mediador es unamuniana de siempre. Mediador en un sentido amplísimo, desde luego. Ya en *La fe* afirmaba Unamuno: «Porque, después de todo, ¿fe cristiana, qué es? O es confianza en Cristo o no es nada; en la persona histórica y en la histórica revelación de su vida, téngala cada cual como la tuviere. Tiénenla muchos que de Él dicen renegar, descubriríanla a poco que se ahondasen.» (*O. C.*, XVI, 104.)

En 1907, en *Mi religión*, escribía: «Y si creo en Dios, o, por lo menos, creo creer en Él, es, ante todo, porque quiero que Dios exista, y, después, porque se me revela, *por vía cordial*, en el Evangelio y *a través de Cristo* y de la Historia.» (*O. C.*, XVI, 120. Los subrayados son míos.)

A través de Cristo, y otro dato de gran significación: por vía cordial.

---

[8] Tengamos en cuenta la fecha en que la carta fue escrita: enero de 1918.
Sobre el pueblo ruso y su superioridad espiritual mantuvo siempre Machado sus mismos puntos de vista; hacia la Revolución —fuera de algún momento de duda; concretamente, en 1922, en la citada conferencia—, su actitud es totalmente positiva.

Cristo y el cristianismo de Antonio Machado

Siempre que Machado se refiere a lo que Cristo nos legó, destaca, entre otros valores, el contenido cordial y la vía —cordial siempre— de aproximarnos a ello: «Él (Cristo) nos reveló valores universales que no son de naturaleza lógica, los nuevos caminos de corazón a corazón por donde se marcha tan seguro como de un entendimiento a otro, y la verdadera realidad de las ideas, su contenido cordial, su vitalidad», dice en la misma carta dirigida a don Miguel.

Tanto la «vía cordial» como el papel de «mediador» que Machado asigna a Cristo —en 1918— contienen, me parece, bastante influencia del pensamiento de Unamuno.

Unamuno niega categóricamente —es labor de toda su vida— la posibilidad de conocer a Dios por el pensamiento: a Dios se le siente; a Cristo —que Unamuno identifica o intenta identificar con Dios— se le lleva en el corazón.

No olvidemos que Unamuno funde con frecuencia al mediador —Cristo— con Dios mismo; en Machado —insistamos en ello— no se da esta fusión. Por ello, acaso, podemos llamar cristiano a Unamuno —desde un punto de vista religioso, se entiende—, y no a Machado. Por lo mismo, sería también punto menos que imposible el separar religión y ética en el caso de don Miguel, cosa que vengo haciendo con relación a las creencias de don Antonio [9].

Para Unamuno, el único Dios posible es el Dios del Cristianismo, garantizador de la inmortalidad; para Machado, hemos visto que no es así [10].

---

[9] Creo que sólo en una ocasión se podría advertir en los escritos de Machado una identificación entre Dios y Cristo. Está en un párrafo que ya anteriormente, y con otro propósito, reproduje íntegro, y del que transcribo ahora las frases que me interesa destacar: «Algo inmortal hay en nosotros que quisiera morir con lo que muere. Tal vez por esto viniera Dios al mundo» (de la carta dirigida a Unamuno desde Baeza en 1913).

[10] Al hacer esta afirmación repito lo ya dicho anteriormente. El hecho de que Unamuno quiera creer en ese Dios cristiano, garantizador de la inmortalidad personal, no indica que haya llegado a creer en Él. Es muy probable que, como se ha señalado ya, en el fondo estuviese don Miguel, al menos en sus últimos años, más cerca de un panteísmo que del Cristianismo. Pero hubo en él, sin duda, una agónica voluntad de creer en la concepción religiosa cristiana.

Afirmé que con frecuencia Unamuno cree —quiere creer— en la divinidad del mediador, identificándolo con Dios muchas veces. En su angustioso caminar en busca de la fe, a veces hay un Cristo, Hijo del Padre, Segunda Persona de la Santísima Trinidad, que vino al mundo para redimirnos, y cuya divinidad es indiscutible; otras veces, en cambio, llega a afirmar que ni siquiera le interesa si Cristo, el histórico, existió o no: su Cristo es el mitológico, el creado por el hombre y el que el hombre sigue creando en su corazón día tras día [11].

El poema *El Cristo de Velázquez* responde, en mi opinión, a este concepto del Cristo mítico. Cristo es el gran mito que los hombres inventamos para creer en él, con la esperanza de que nos lleve al Padre: el hecho de que sea una creación humana —la de Velázquez— lo que inspira el poema, y no el Cristo histórico, puede venir en apoyo de esta aseveración.

Mas, aunque sea el Cristo que hacemos y que vive en nosotros el que fundamentalmente le interesa, no pierde de vista tampoco la figura histórica: de hecho, la figura histórica es la base del mito.

En el cristianismo ético de Machado más me interesa destacar el papel de Cristo hermano del hombre que el de mediador ante el «padre común», ya que de esa figura fraternal, símbolo de la fraternidad misma, han de derivarse otras importantes consecuencias.

Es curioso comparar la carta de 1918 con un escrito muy posterior, un fragmento del capítulo XV de *Juan de Mairena*, dedicado a Cristo, en el que repite casi las mismas ideas que he considerado fundamentales en la carta: la existencia de un «padre común»; la comunicación por vía cordial; y, sobre todo, el amor al hermano como verdadera aportación de Cristo, en la oposición a la ley bíblica del impulso hacia

---

[11] En 1928, a una pregunta de su amigo Bogdán Raditza, responde: «Ahora me pregunta usted si Cristo ha existido. Yo puedo volver la pregunta del revés y preguntarme a mí mismo: ¿No ha existido nunca Cristo? A mí no me preocupa personalmente la figura que vivió, comió y recorrió Galilea. Yo creo en un cierto Cristo, que vive en el alma de Pablo, Pedro, y en todos los que han venido después de ellos al correr de los siglos, y en mí mismo, en todo el género humano, en la inconsciencia de nuestra humanidad y en la inconsciencia del Universo, ha existido verdaderamente» *(Cuadernos,* núm. 34, París, enero-febrero 1959, págs. 47-48).

la conservación de la especie, como ley fundamental. Están también recogidas en la conferencia sobre literatura rusa, de 1922.

«El Cristo, en efecto —escribe en *Juan de Mairena*—, se rebela contra la ley del Dios de Israel, que es el Dios de un pueblo cuya misión es perdurar en el tiempo. Este Dios es la virtud genésica divinizada, su ley sólo ordena engendrar y conservar la prole»... «¿Quién es este hijo de nadie que habla de amor y no pretende engendrar a nadie? ¡Tanta sangre heredada, tanto semen gastado para llegar a esto!»... «Contra el sentido patriarcal de la historia milita la palabra de Cristo.»

«Si eliminamos de los Evangelios —continúa— cuanto en ellos se contiene de escoria mosaica, aparece clara la enseñanza de Cristo: «sólo hay un Padre, padre de todos, que está en los cielos». He aquí el objeto erótico trascendente, la idea cordial que funda, para siempre, la fraternidad humana. ¿Deberes filiales? Uno, y no más: el amor de radio infinito hacia el padre de todos, cuya impronta, más o menos borrosa, llevamos todos en el alma. Por lo demás, sólo hay virtudes y deberes fraternos.» *(O. P. P., 399.)*

Estas ideas —muy especialmente la de la fraternidad como principal aportación del Cristianismo y en oposición al instinto de reproducción, típico del Antiguo Testamento— están expresadas por vez primera públicamente en la conferencia *Sobre literatura rusa*, de 1922; recordemos que la carta dirigida a Unamuno cuatro años antes era un escrito privado.

En un párrafo de la citada conferencia recoge las ideas de la carta, condensándolas:

«El Viejo Testamento —escribe— no es todavía un libro íntegramente humano, y mucho menos divino; Javeh es un Dios guerrero y nacional, tutor o guía de un pueblo elegido a través de la historia. Este pueblo apenas conoce otro valor que el genésico. Para el hebreo, la castidad es sólo virtud en cuanto encauza el impulso genésico y asegura la prole. El hebreo repudia la mujer estéril y exalta al patriarca, al semental humano. No ya en el sentido trascendente, ni aun siquiera en el familiar, es el amor fraterno una exigencia ética. El amor no rebasa apenas las fronteras de la animalidad, cabalga sobre el eros genésico y no ha tomado aún la línea transversal, no es de hermano a hermano, sino de padre a hijo. El imperativo de la castidad aparece en el Evangelio con una significación completamente distinta. Castidad es ya superación, no aniquilamiento, del sentido biológico del amor. Tregua de la sexualidad prolífica que haga posible la honda revelación del amor fraterno y la comunión cordial y el reconocimiento de un padre común, supremo garantizador de la hermandad humana.» *(O. P. P.,* 816.)

A pesar de algunas influencias unamunianas, el cristianismo de Antonio Machado es muy personal. Y creo que lo más importante de él —la idea del amor al hermano como superación del amor irracional a la prole, al instinto de conservación en el hijo— poco tiene de Unamuno, y mucho, desde luego, de algunos escritores rusos, de Tolstoy, concretamente [12].

CRISTO, HOMBRE DIVINO

En el mismo capítulo de *Juan de Mairena* a que arriba me referí, hallamos una nueva opinión sobre Cristo: nueva, me parece, hasta ese momento en la obra de Machado. Se trata de la versión de Cristo según Abel Martín: «Para mi maestro Abel Martín fue el Cristo un ángel díscolo, un menor en rebeldía contra la norma del Padre. Dicho de otro modo: fue el Cristo un hombre que se hizo Dios para expiar en la cruz el gran pecado de la divinidad.» *(O. P. P.,* 399.)

Cristo, hombre que se hace Dios, reaparece en escritos posteriores.

En una de las páginas que aparecen en *Hora de España,* bajo el título de «Sobre una filosofía cristiana», leemos, entre otras cosas de gran interés, de las que me ocuparé luego, estas palabras de Mairena: «Sobre la divinidad de Jesús he de deciros que nunca he dudado de ella. O el Cristo fue el divino Verbo encarnado milagrosamente en las entrañas vírgenes de María, y salido al mundo para expiar en él los pecados del hombre, que es la versión ortodoxa, difícil de comprender,

---

[12] Todas las generalizaciones, lo sé muy bien, son peligrosas. Es cierto que, en general, la idea de la reproducción y conservación de la especie es importante en toda la obra de Unamuno; en sus creaciones femeninas, por ejemplo, es fuertísima. Y, sin embargo, ¿qué es la tía Tula más que la superación del instinto genésico?

P. L. LANDSBERG, que estudia este punto, señala que Unamuno ve en la reproducción en la carne una significación metafísica (véase *Reflexiones sobre Unamuno,* págs. 52-53).

pero no exenta de fecundidad, o fue, por el contrario, el hombre que se hace Dios, *deviene* Dios, para expiar en la cruz los pecados más graves de la Divinidad misma, que es la versión heterodoxa, y no menos profunda, de mi maestro. Como veis, ambas ponen a salvo la divinidad de Jesús.» *(O. P. P., 533-534.)*

Y aún una vez más vuelve sobre la misma idea, que llena de nuevas posibilidades: «No, amigos míos —sigue hablando Mairena a sus alumnos—, no puede el Cristo escaparse a la divinidad de su origen o destino. Lo he dicho muchas veces y lo repito aun a riesgo de parecer cargoso. O fue, como muchos piensan, el hijo de Dios, venido al mundo para expiar en la Cruz los pecados del hombre, o, como pensamos los herejes coleccionistas de excomuniones, el hijo del hombre que se hizo Dios para expiar en la cruz los pecados de la Divinidad. En este sentido prometeico y de viva blasfemia parece anunciarse el cristianismo futuro.» *(O. P. P., 582.)*

La idea del hombre que se hace Dios, de la divinidad humana de Cristo, que no nace Dios, sino que, siendo hombre, deviene Dios, no es, desde luego, original de Machado, ni muchísimo menos [13].

Tampoco es original de Unamuno, en quien me parece hallarla también con bastante frecuencia.

A través de *El Cristo de Velázquez*, por ejemplo, las alusiones a la divinidad humana de Cristo no son raras.

He dicho antes que podríamos entender todo el largo poema como el canto a la creación artística de un hombre que creó su propio mito de Cristo, su propia inmortalidad. Es obra de hombre, y cada hombre, a su manera, puede crear su Cristo. Pero a través del mito —en el caso de *El Cristo de Velázquez*— captamos de vez en cuando al Cristo histórico. Y ese Cristo histórico a quien Unamuno invoca es un hombre que, con su muerte, se hizo Dios:

¡Tú eres el Hombre-Dios, Hijo del hombre!
La humanidad en doloroso parto
de última muerte que salvó a la vida

---

[13] Está, por ejemplo, fuertemente expresada en Feuerbach, y puede adivinarse en algunos de los pensamientos del «anticristiano» Nietzsche.

Te dio a luz como Luz de nuestra noche,
que es todo un hombre el Dios de nuestra noche
y hombría es su humanidad divina...

(*O. C.*, XIII, 660)

¿Soñaste, Hermano, el reino de tu Padre?
¿Tu vida acaso fue, como la nuestra,
sueño? ¿De tu alma fue en el alma quieta
fiel trasunto del sueño de la vida
de nuestro Padre? Di, ¿de qué vivimos
sino del sueño de tu vida, Hermano?
¡No es la sustancia de lo que esperamos,
nuestra fe, nada más que de tus obras
el sueño, Cristo!...

(págs. 669-670)

Hijo eres, Hostia, de la tierra negra;
Hijo eres de la tierra, Hijo del Hombre,
Hijo de Dios y de la virgen Madre
nuestra madre la tierra...

(pág. 679) [14]

---

[14] Como muy bien ve CALVIN CANNON, hay, además, una asociación simbólica, extraña desde luego, dentro de la tradición cristiana. En su ensayo *The Mythic Cosmology of Unamuno's «El Cristo de Velázquez»* estudia el autor tres símbolos fundamentales en el poema: Sol, Luna y Tierra, que se identifican, respectivamente, con Dios Padre, Cristo y la Virgen María.

Estas asociaciones simbólicas, señala Cannon, son mucho más antiguas que la tradición cristiana, y hay que ir a buscarlas «into the shadowy of primordial imagery».

Continúa Cannon: «Into the rich symbolism of two thousand years of Christianity he has infused a mythic and primordial triad which is above all else a provider of life and immortality. Unamuno's search for Christ in *El Cristo de Velázquez* is the search for the image of immortality and eternity inherent the mythic cosmological triad of the sun, the moon and the earth» (*Hispanic Review*, vol. XXVIII, 1960).

Está muy profundamente analizada en el estudio la identificación Luna-Cristo, cosa que también han señalado otros escritores: María Zambrano, José Bergamín, Carlos Clavería...

> Hijo el Hombre es de Dios, y Dios del Hombre
> hijo...
>
> (pág. 787)

Dejando a un lado todas las opiniones relacionadas con la ortodoxia del Cristo unamuniano, me parece que, en los citados fragmentos y en algunos otros que podrían fácilmente aportarse, queda bastante clara la posición de don Miguel, que veo muy cercana a la de «los heterodoxos coleccionistas de excomuniones», empleando las palabras de Machado.

¿Qué es lo que distingue a Machado de Unamuno en esta visión que en ambos hallamos de «Cristo, hombre divino»?

Posiblemente haya otras diferencias, pero veo una muy notable. Para Unamuno, el hecho de que el Cristo histórico, y lo que del Cristo llevamos en el alma cada uno de nosotros, se divinice, puede significar que ese Cristo histórico —y como él, cada uno de nosotros— logre la inmortalidad tras la muerte. Si el hombre es capaz de crearse un alma, esa alma, creación del hombre —que es naturaleza—, supera a la naturaleza, y, por tanto, puede no estar sujeta a la ley de muerte que la mera naturaleza trae consigo. El hombre *se está haciendo* continuamente, y su finalidad, su hacerse final, podríamos decir, es llegar a «hacerse un alma», como dice en un conocido soneto y repite en muchas otras ocasiones. Hacer un alma que no muera, un alma que viva eternamente, es lo que el Cristo del poema hizo y nos enseña a hacer [15].

¿Tiene el mito el mismo o parecido significado para Antonio Machado? ¿Es la inmortalidad lo que ese Cristo, hombre que se hace Dios, nos anuncia?

Creo que no.

Tratando de dejar a un lado la ironía maireniana que llena los párrafos citados antes, captamos una honda verdad en las palabras; es lo que en ellas ponen quizás al mismo tiempo Mairena, Machado y, acaso sobre todo, Martín, el filósofo poeta.

---

[15] P. L. LANDSBERG, en *Op. cit.*, comentando *La agonía del cristianismo* estudia —desde un punto de vista cristiano— este constante deseo unamuniano de «hacerse un alma» (véanse págs. 64 y sigs.).

Como en el caso de Unamuno, si no se olvida don Antonio del Cristo histórico, no cabe duda de que su interés se centra sobre lo que Cristo significa. Pero ¿qué significa ese hombre que se hace divino y muere para expiar el pecado de la Divinidad?, y ¿cuál es esa esperanza en el cristianismo del futuro, de que nos habla en el último de los párrafos citados? [16].

Si tomamos el primero de los tres párrafos relacionados con la «humanidad divina» de Cristo, éste se nos presenta como un rebelde [17]. Un menor en rebeldía que sabe que es *hombre total*, que sería sinónimo de naturaleza que tiene algo de Dios. En otras palabras: algo más que simple naturaleza. No olvidemos que en el capítulo precedente hemos llegado a la conclusión de que Dios es, para Martín-Mairena-Machado, la «naturaleza consciente». El hombre, que es naturaleza, al *ser consciente* tiene algo de «divino». Pero la divinidad, es decir, la conciencia, se paga: el pecado del conocimiento es una culpa que en todas las religiones lleva su castigo. Para expiar ese pecado, el hombre Cristo, acaso, murió en la Cruz: para redimirse de lo que llevaba de Dios.

La misma interpretación sería válida para los otros dos textos si no hallásemos en el tercero un nuevo elemento en que hay que detenerse; está en su parte final, en la cual, tras afirmar una vez más la creencia en Cristo, hijo del hombre, hombre que se hizo Dios para expiar los pecados de la Divinidad, añade Mairena que «en este sentido prometeico y de viva blasfemia parece anunciarse el cristianismo futuro».

No podemos esperar que Mairena hable siempre en serio. Tomar al pie de la letra esas palabras suyas me parece que sería llegar a extremos exagerados [18].

Sin embargo, no sólo en ésta, sino en otras ocasiones, Machado parece afirmar —seriamente, sin duda— una cierta creencia en un ideal de vida que él llama «cristianismo» y que tiene su punto de partida en el hombre mismo. Un hombre mejor, el Hermano, que debe tener a Cristo por modelo. Al Cristo histórico que anduvo entre los hombres, que fue

---

[16] Véase la pág. 271 del presente capítulo.
[17] Véanse págs. 270-271 del presente capítulo.
[18] A veces se intenta tomar en serio mucho de lo que en la obra de Machado puso el profundo sentido del humor del poeta; sentido del humor que, con frecuencia, se olvida. Sobre este punto aporta mucho el libro de PABLO A. COBOS *Humor y pensamiento de Antonio Machado en la metafísica poética*.

un hombre como los otros y que sería el individuo ideal de una sociedad futura.

CRISTO, HOMBRE COMO LOS OTROS HOMBRES

A pesar de su divinidad humana, Cristo es, ante todo, hombre para Machado.

Hombre como los otros.

Como los otros, vivió ayer; como los otros, debemos revivirlo hoy. El de ayer, el histórico, por tanto, se convierte en símbolo del hombre mejor de hoy, o, más bien, de mañana.

Hombre fue Cristo cuando, triunfante, anda sobre el mar, dominándolo con su fe; hombre cuando, vencedor del cainismo, se sacrifica por sus hermanos. Tan hombre, piensa Machado, que quizás a veces le estorbe su divinidad, y su cruz, al menos la divinidad y la cruz con que nos lo quieren presentar. Machado tiene su propia versión sobre un posible retorno del Cristo: «Y el Cristo volverá —creo yo— cuando le hayamos perdido totalmente el respeto; porque su humor y su estilo vital se avienen mal con la solemnidad del culto. Cierto que el Cristo se dejaba adorar, pero en el fondo le hacía poca gracia. Le estorbaba la divinidad —por eso quiso nacer y vivir entre los hombres—, y, si vuelve, no debemos recordárselo. Tampoco hemos de recordarle la Cruz...; aquello debió ser algo horrible, en efecto. Pero ¡tantos siglos de Crucifixión!» *(O. P. P., 554.)*

El texto no necesita comentarios. Es una clara afirmación de esperanza en un ideal futuro cristianismo muy humanamente entendido.

Hallamos la misma idea en las frases siguientes: «Pero es evidente —sigue hablando Mairena a sus alumnos— que el Cristo trajo al mundo, entre otras cosas, un nuevo tema de reflexión sobre el cual no hemos meditado todavía. Por esta razón, creo yo en una filosofía cristiana del porvenir, la cual nada tiene que ver —digámoslo sin ambages— con esas filosofías católicas, más o menos embozadamente eclesiásticas, con que hoy como ayer se pretende enterrar al Cristo en Aristóteles. Se pretende, he dicho, no que se consiga, porque el Cristo —como pensaba mi maestro— no se deja enterrar...» «Otro de los grandes enemigos del Cristo, y, por ende, de una filosofía cristiana, sería, para nosotros, la Biblia, ese cajón de sastre de la sabiduría semítica. Para ver la esencia cristiana en toda su pureza y originalidad, los mismos Evangelios reputamos fuente de error, si antes no se les limpia de toda la escoria mosaica que contienen.

»Otrosí: ni la investigación histórica, por un lado, ni, por otro, la interpretación de los textos dogmáticos han de aprovecharnos demasiado.» (*O. P. P.*, 534.)

Y, a continuación, estas palabras clave:

«Nosotros partiríamos de una investigación de lo esencialmente cristiano en el alma del pueblo, quiero decir en la conciencia del hombre, impregnada de cristianismo. Porque el cristianismo ha sido una de las grandes experiencias humanas, tan completa y de fondo que, merced a ella, el *zoon politikón* de Aristóteles se ha convertido en un *ente cristiano* que viene a ser, aproximadamente, el hombre occidental.»

* * *

De todos los párrafos hasta aquí citados se puede deducir que Machado ve como cosa posible el triunfo de Cristo en la tierra. Y con Cristo, naturalmente, el de un «reino de la fraternidad» —como podríamos llamarla a esa sociedad nueva—, que nada tiene que ver con religión alguna.

Por todo lo que hemos visto, parece que el nuevo cristianismo que Machado espera es una sociedad donde el hombre, vencido el cainismo, sea hermano del hombre, en un mundo que haya superado el concepto de «clase», de «casta» y de «nación» —véase el ya citado párrafo de una carta a Unamuno *(O. P. P.*, 124)—. Entre los pueblos occidentales —véase la misma carta— cree que sólo uno, el ruso, es capaz de llevar a cabo tal empresa.

Capítulo III

EL PROBLEMA DE LA IDENTIDAD PERSONAL

La búsqueda de lo que realmente somos, en medio de todos los *yos* que hemos sido y que seguimos siendo, es uno de los temas fundamentales en la obra de Unamuno: acaso, junto con el de la inmortalidad, el fundamental. Ambos están en algunos momentos íntimamente ligados, como él mismo señala en el prólogo a *San Manuel Bueno, mártir, y tres historias más. (O. C.,* XVI, 575.)

De esta gran pesadilla —así le llamó él alguna vez— que constituye para don Miguel el problema de la identidad personal se derivan otra serie de problemas. Los yos que hemos sido y ya no somos, los yos que hemos podido ser —caminos no elegidos, ex-futuros—, los yos que podemos elegir ser, los yos que llevamos dentro, hoy, la búsqueda del yo en el otro... son facetas diversas del mismo problema. De ellas nos detendremos en algunas, buscando especialmente las que también están presentes en la obra de Machado, que, aunque no en forma tan dramática como Unamuno, se plantea asimismo el problema de la identidad personal.

Entre los numerosos recursos empleados por Unamuno para «buscarse», hay que destacar como primordial la creación de personajes ficticios. Estos personajes pueden ser los protagonistas de sus novelas, cuentos, teatro, conversaciones...; pueden serlo los que, siendo en cierta forma héroes novelescos, se independizan y llegan incluso a escribir su propia obra: Don Fulgencio Entrambosmares, Víctor Goti, o Rafael, el de *Teresa*.

Dije hace un momento que el problema de la identidad personal está también planteado en la obra de Machado; como en la de Unamuno, la creación de personajes apócrifos es una prueba de ello. Pero en ambos escritores el problema se manifiesta también en otras formas. Volveremos a ello.

La crítica se ha fijado ya en la posibilidad de influencias unamunianas en la creación de los heterónimos machadianos. Como en muchos otros aspectos, creo que en el nacimiento pueden haber tenido algo que ver, pero que pronto —una vez más— el discípulo se aparta del maestro, yendo mucho más lejos [1].

Es innegable que los personajes apócrifos, creadores de su propia obra, aparecen mucho antes en la literatura de Unamuno que en la de Machado. El primero y único poeta que Unamuno inventa es Rafael, el de *Teresa* —algo anterior a Abel Martín—; otros escritores, como el ya citado por Gullón, don Fulgencio, y Víctor Goti, el prologuista de *Niebla*, son bastante anteriores a los poetas y filósofos creados por Machado.

Como creo que esta invención de personajes apócrifos responde principalmente —aunque quizás no únicamente— en ambos casos a la necesidad de explorarse del todo, de buscarse, no la trataré aisladamente, sino como parte del problema sugerido en el título de este capítulo: el de

---

[1] Sobre las posibles influencias de don Miguel en la creación de los apócrifos machadianos escribe RICARDO GULLÓN: «De su admirado Unamuno aprendió (Machado) muchas cosas, y entre ellas lo de vivir fuera de sí, entre sombras que eran y no eran él mismo; proyecciones de anhelos y tendencias incompatibles. La dispersión del ser en los personajes novelescos según la practicó el rector de Salamanca es ejercicio catártico, excelente higiene moral para prevenir dolencias del alma, y, así como don Miguel hizo a don Fulgencio Entrambosmares (en *Amor y pedagogía*) autor de un *Tratado de Cocotología*, y a Rafael (de *Teresa*) poeta de románticas rimas, don Antonio reveló a Mairena como autor de *Los siete reversos*» (*Ínsula*, núms. 212-213).

ORESTE MACRÍ, en su estudio introductorio a *Poesie di Antonio Machado*, ha señalado también posibles influencias de Unamuno en ese punto, e incluso lleva su idea hasta afirmar que el nombre del machadiano Abel Martín puede derivarse del nombre del protagonista de la novela unamuniana que tanto impresionó a don Antonio (véase *Op. cit.*, pág. 185).

Esta misma sugerencia la hace HELIODORO CARPINTERO, que, comentando el efecto que a Antonio Machado le produjo la lectura de *Abel Sánchez*, afirma: «Nada me extrañaría que Abel Martín se llamara así por sugestión de Abel Sánchez y por devoción a su autor» (*A B C*, 26 agosto 1964).

la identidad personal. Mas como ya señalé, son varios los problemas adheridos a éste. Acaso los más importantes ahora, por darse, en mayor o menor grado, en los dos escritores, serían: la búsqueda del yo en el pasado real; la búsqueda del yo que pude haber sido, o yo ex-futuro; y la multiplicidad del yo en el presente, que es el punto de partida para la creación de esos personajes que *soy* y *no soy yo*.

Algunos de estos temas nos llevan a otros: el recuerdo, por ejemplo, o el sueño. A ésos no haré más que acercarme de paso cuando sea imprescindible, mas sin profundizar en ellos, ya que no constituyen el punto concreto a que intento llegar, aunque a veces lo enmarquen.

Los «yos» que fuimos y ya no somos

Ese yo nuestro que fue ayer y que ya no es hoy, ese yo perdido por algún rincón del pasado, y que no podemos recuperar porque no lo hallamos en el que somos ahora, es viejo tema de reflexión en la literatura de todos los tiempos; para el escritor moderno se ha convertido en una obsesión [2].

A veces, el escritor persigue por todas partes, en forma consciente, a ese yo que fue y que no puede encontrar; otras, el yo de ayer se acerca inesperadamente al hoy, a través de un recuerdo momentáneo, traído por una circunstancia externa: un paisaje, un olor, un sabor... [3].

---

[2] No hace al caso el tratar de averiguar el porqué; mas es evidente que, a partir del Romanticismo —con su culto al yo—, se agudiza.

[3] Podríamos decir que esa sensación nos hace soñar con un yo que en algún momento la experimentó.

Dice RAMÓN DE ZUBIRÍA, en *La poesía de Antonio Machado*, que, «por lo general, son las cosas —las eternas cómplices—, muchas de ellas insignificantes, las que, poniendo en marcha el complicado mundo de las asociaciones, abren las galerías del pasado y nos arrastran al sueño de ayer» (págs. 80-81).

O acaso es un estado de «sueño», precisamente, lo que nos lleva a dejarnos penetrar por ese yo de ayer, que encontramos hablándonos desde algunas cosas. No me refiero en este momento —con la palabra *sueño*— a las posibilidades de encuentro con el ayer por vía inconsciente, por medio del «sueño onírico», aunque creo que en el mundo de Machado se mezclan los sueños del dormido y el soñar despierto.

Al llegar a este punto se nos impone la presencia de Proust, el novelista-poeta, obsesionado por no perder su tiempo, por no perderse. Su obra fundamental es un tratado poético para enseñarnos a no perdernos, o a encontrar los distintos yos que fuimos. Por eso el protagonista de *À la recherche du temps perdu* recorre paisajes antiguos, visita viejos amigos, viejos lugares, en busca más de sí mismo que del tiempo dejado atrás: de sí mismo perdido entre el tiempo pasado. Mas lo curioso es que el personaje no capta plenamente su pasado cuando voluntariamente quiere ir a él, sino que éste —su pasado, su yo, entero y vero, en pasado— se le acerca inesperadamente en el sabor de una *madeleine* mojada en té, por ejemplo...

El yo, un yo que fue en un pasado, surge, inesperadamente, traído por una sensación cualquiera; ese yo buscado voluntariamente —sin poder ser hallado— por todas partes.

Me parece que el ejemplo de Proust ilustra las dos formas de aproximación al yo que fuimos: el intento a través del recuerdo consciente —que, como el mismo novelista afirma, no suele dar resultados positivos [4]— y el encuentro en forma inesperada, cuando el yo que fuimos nos coge por sorpresa.

Entre Proust y Unamuno podríamos hallar bastantes puntos de contacto [5]. Uno fundamental es ese afán de encontrar al yo dejado en el pasado. Unamuno se angustia, convirtiendo esa búsqueda en un problema vital.

Se angustia, sobre todo, cada vez que vuelve a su Bilbao de la infancia y quiere encontrar al pequeño Miguel, porque tiene necesidad de ese y de todos los Migueles que ha sido. Su angustia viene al no poder lograrlo. «Y alguna vez —escribe en 1909—, ante un retrato mío de hace veinticinco años, me he dicho: ¿pero éste eras tú? Y no me ha sido posi-

---

[4] Véase especialmente «Du côté de chez Swann» *(À la recherche du temps perdu.* I, Bibliothèque de la Pléiade).

[5] Unamuno leyó a Proust en su destierro de París, y debió impresionarle profundamente, quizás por reconocer, en muchos aspectos, cosas que él había apuntado antes. En *Cómo se hace una novela* escribe don Miguel: «En estos días he leído a Proust, prototipo de escritores y de solitarios, y ¡qué tragedia la de su soledad! Lo que le acongoja, lo que le permite sondar los abismos de la tragedia humana es su sentimiento de la muerte, pero de la muerte de cada instante, es que se siente morir momento a momento, que diseca el cadáver de su alma, y ¡con qué minuciosidad!...» *(O. C.,* X, 883).

ble revivir aquella vida. Y he llegado a pensar que por nuestro cuerpo van desfilando diversos hombres, hijos de cada día, y que el de hoy se devora al de ayer como el de mañana se devorará al de hoy, quedándose con algunos de sus recuerdos, y que nuestro cuerpo es un cementerio de almas.» *(O. C.,* X, 187.)

Y en un poema escrito durante los mismos días:

> Hundióse así el tesoro de mis noches,
> en esta misma alcoba,
> aquí dormí, soñé, fingí esperanzas...
> y a recordarlas me revuelvo en vano...,
> no logro asir aquel que fui, soy otro...
> Pienso, sí, que era yo, mas no lo siento,
> es sólo pensamiento.
> No es nada. La realidad presente me las roba.
> Los días que se fueron, ¿dónde han ido?
> De aquel que fui, ¿qué ha sido?
> Muriendo sumergióse aquel que fuera...
> ....
> El alma es cementerio
> y en ella yacen los que fuimos, solos.

(O. C., XIII, 861-862)

A la consideración del problema de sus yos del pasado, es decir, del problema de su identidad personal, le han llevado —tanto en el caso del citado texto en prosa como en el del poema— las cosas que, ayer como hoy, en su viejo cuarto, le vieron vivir: «Tendido aquí, sobre la vieja cama de este mi cuarto de la infancia y de la juventud, voy recorriendo en memoria todos estos hechos sencillos, concretos, familiares, de experiencia casera, y todos ellos me llevan al pavoroso problema de la identidad personal mucho mejor que las más elaboradas y exquisitas teorías psicológicas.» *(O. C.,* X, 194.)

Dentro de ese buscarse —rebuscarse, como él dice al traducir a Proust— que casi siempre se agudiza en Bilbao, como señalé ya, está el conocido poema *En la basílica del Señor Santiago* —en la que entra concretamente a buscar al niño que fue— y buen número de sus recuerdos, en prosa o verso.

La sensación auténtica del encuentro se consigue, a veces, mucho mejor cuando, como en el caso de Proust, el pasado invade a don Miguel inesperadamente: «Al cabo de muchos años de pasar por un sitio donde pasábamos en nuestra niñez —escribe en 1915— parece que nos encontramos con nosotros mismos, tales cuales éramos entonces, nuestro yo de hoy siente junto a sí, dentro de sí, más bien sobre sí, a nuestro yo de antaño. Es como si se sintiera la presencia de alguien a la espalda, sin verle» (*O. C.*, X, 327).

El párrafo nos hace de inmediato pensar en unos versos de Antonio Machado, posteriores: el comienzo de *Últimas lamentaciones de Abel Martín:*

> Hoy, con la primavera,
> soñé que un fino cuerpo me seguía
> cual dócil sombra. Era
> mi cuerpo juvenil, el que subía
> de tres en tres peldaños la escalera.
> —Hola, galgo de ayer. (Su luz de acuario
> trocaba el hondo espejo
> por agria luz sobre un rincón de osario.)
> —¿Tú conmigo, rapaz?
> —Contigo, viejo.

Y, tras el desdoblamiento:

> Soñé la galería
> al huerto de ciprés y limonero...

(O. P. P., 328-329)

No creo que el antes citado párrafo de Unamuno influya en los versos de Machado, a pesar del parecido que encierran. No creo que debamos hablar de influencia, ya que este sentimiento de poder traer a sí en un momento presente el yo pasado no es nuevo en la poesía de don Antonio en el momento en que escribe las *Últimas lamentaciones de Abel Martín,* aunque no lo había, quizá, logrado expresar antes en forma tan precisa y con tal plasticidad.

En un antiguo poema —incluido en *Galerías*— me parece ver un antecedente muy directo del de Abel Martín:

> Es una sombra juvenil que un día
> a nuestra casa llega.
> Nosotros le decimos: ¿por qué tornas
> a la morada vieja?
> Ella abre la ventana, y todo el campo
> en luz y aroma entra.
> En el blanco sendero,
> los troncos de los árboles negrean;
> las hojas de sus copas
> son humo verde que a lo lejos sueña.
> Parece una laguna
> el ancho río entre la blanca niebla
> de la mañana. Por los montes cárdenos
> camina otra quimera.
>
> *(O. P. P., 79-80)*

Esa sombra juvenil, que se reduce a una quimera, ¿no es el mismo fino cuerpo soñado, el yo de ayer, un perfecto desdoblamiento en ambos casos?

Señalé antes que hay dos formas de acercarnos al yo de ayer: la primera es el acercamiento a través de la búsqueda, que puede convertirse en angustiosa, como sucede muchas veces en el caso de Unamuno; la segunda es el acercamiento inesperado, el que se produce cuando por sorpresa el yo de ayer viene a hacernos compañía [6]. En el caso de Unamuno, aunque hay ejemplos de los dos tipos de acercamiento, a través de sus páginas es más normal hallar la búsqueda —que se convierte en angustiosa rebusca— que el encuentro espontáneo; en el caso de Machado sucede lo contrario.

O, mejor dicho, suele suceder lo contrario, aunque no es justo generalizar. Porque, se me podría con mucha razón decir, ¿qué significan, entonces, esos paseos por los solitarios parques, por los jardines, más que una búsqueda intencionada, pensada, querida, del yo de ayer? Es muy cierto. Y ya en un poema de principios de siglo —el núm. VI de *Poesías completas*, el conocido «Fue una clara tarde, triste y soñolien-

---

[6] El sueño onírico, naturalmente, es otra forma. De ello no he hablado, y lo tocaré sólo de paso, porque creo que se aparta de nuestro tema.

ta»...— la búsqueda de su yo de ayer se convierte en el problema central.

Aparte de otros simbolismos y de una clara influencia verleniana —señalado ya todo ello en varias ocasiones—, captamos, y acaso sea lo más interesante del poema, que, a través del jardín —verleniano y modernista—, el problema de la identidad personal está claramente planteado; al menos así podemos verlo desde nuestro hoy. ¿No era su yo de ayer lo que buscaba el poeta al penetrar en el «solitario parque», donde «la fuente vertía / sobre el blanco mármol su monotonía»? Buscaba muchas cosas el joven poeta que se creía viejo y quería revivir el pasado. Buscaba el mismo jardín y la misma fuente, a una hora determinada —la tarde— de un verano lento; buscaba recobrar un instante perdido, al intentar vivirlo de nuevo. ¿Para qué? Acaso no lo sabía aún el joven autor de *Soledades;* o ¿sabía ya que era a sí mismo de unos años atrás a quien buscaba, sin poder hallarlo, sin poder hallarse? [7].

Pero insisto en afirmar que suele suceder lo contrario: el encuentro inesperado. El encuentro que viene cuando ciertas circunstancias externas —ciertas «cosas», como diría Proust—, ciertos momentos —un paisaje, unos niños que juegan— que parecen ser continuación de un pasado, le hieren de súbito, haciéndole vivir su yo de entonces:

> La plaza y los naranjos encendidos
> con sus frutas redondas y risueñas.
> Tumulto de pequeños colegiales
> que, al salir en desorden de la escuela,
> llenan el aire de la plaza en sombra
> con la algazara de sus voces nuevas.
>
> ¡Alegría infantil en los rincones
> de las ciudades muertas!...
> Y algo nuestro de ayer, que todavía
> vemos vagar por estas calles viejas!
>
> *(O. P. P., 57)* [8]

---

[7] Véase el poema en *O. P. P.,* 59-61.
[8] Podrían añadirse otros ejemplos: «El limonero lánguido suspende...» *(O. P. P.,* 61); «Desgarrada la nube; el arco iris...» *(O. P. P.,* 104), y otros.

Es una vivencia del yo de ayer venida por medio de un recuerdo no buscado. Pasado que se convierte en presencia al hallarse el poeta en un lugar dado, con unos naranjos reconocidos y unos niños entre los cuales se encuentra.

Más de una vez a través de las páginas que preceden he mencionado el sueño como vía de conocimiento. El tema, que presenta ciertas complicaciones cuando a Unamuno nos referimos, se hace en el caso de Machado, «pobre hombre en sueños», mucho más complicado aún. No me propongo entrar ahora en estudio del tema; mas no se le puede pasar totalmente por alto, ya que —sobre todo en el caso de Machado— con frecuencia es medio de conocerse, de buscarse.

En los poemas machadianos en que el desdoblamiento del yo se producía —vistos más arriba— hallamos el elemento del sueño como factor imprescindible: en *Últimas lamentaciones de Abel Martín*, por ejemplo, el segundo verso comienza con la palabra *soñé*[9].

Señalemos que Machado parece emplear indistintamente los términos *soñar* y *sueños* al referirse a los nocturnos —al sueño onírico— y a los sueños del despierto: a ese estado de semiconsciencia que en español podríamos llamar *ensueño*. Por ello no establezco aquí separación alguna entre unos y otros al referirme a ellos como camino hacia la búsqueda del yo[10].

---

[9] En su estudio *Bécquer, Rosalía y Machado* escribe RAFAEL LAPESA: «La frase de Bécquer «me cuesta trabajo saber qué cosas he soñado y cuáles me han sucedido» habría podido ser escrita por Machado, para quien vivir es soñar y soñar es vivir. Machado no recorre los caminos de la tarde: los sueña. En el fondo de una fuente sueñan también, encantados, los frutos tentadores. Cuando la mirada retrospectiva del hombre maduro echa de menos la juventud, no es para vivirla, sino para soñarla» *(Ínsula*, 100-101).

Sobre esta condición de «soñador» de Machado, JOSÉ LUIS CANO, hace ya algún tiempo, escribió un bello ensayo: *Antonio Machado, hombre y poeta en sueños* (*Cuadernos Hispanoamericanos*, núms. 11-12; incorporado luego a *De Machado a Bousoño*).

También estudian el tema R. de Zubiría y S. Serrano Poncela.

[10] No creo que Machado se refiera siempre que emplea estos términos al soñar despierto, como se ha señalado alguna vez. Me parece que los emplea indistintamente; aunque la tarea no sería fácil, en algunos momentos podríamos ver cuándo se refiere a sueño onírico y cuándo a ensueño.

Sueños —nocturnos y diurnos— y un cierto tipo de recuerdo, un recuerdo concreto de una sensación vivida que nos coge por sorpresa —o sueños y recuerdos mezclados— son los caminos que hacen posible que el Machado de *hoy* pueda revivir plenamente su *yo* de *ayer*. Aunque sea muy brevemente, el poeta ha llegado a verse, a encontrarse, en aquella «figura juvenil», o en el «galgo de ayer». Por un momento ha sentido que su continuidad con el yo que fue no se ha roto.

Dentro de la lógica temporal de Abel Martín, el filósofo sabe que «*A* no es nunca *A* en dos momentos sucesivos» *(O. P. P.,* 301). Pero esto dentro de la lógica, dentro del mundo del pensamiento. Mas a través del sueño y del recuerdo —o del sueño del recuerdo— todo es posible, hasta encontrar el yo que fuimos.

Unamuno, rebelde ante este como ante muchos otros problemas, no se conforma con no encontrarse del todo, con encontrarse sólo en sombra o en sueños. Quisiera que ese yo, esos múltiples yos que el yo de hoy ha sido, le acompañen; que ninguno de ellos se le perdiese; quisiera verlos, sentirlos, palparlos... Y saber, además, que estarán con él en su muerte. Por eso, pensando lógicamente ante esa imposibilidad, su verso se hace desesperado. Se esfuerza por evocar desde el hoy, con los ojos cerrados pero la conciencia clarísima, al muchacho de ayer, sin lograrlo:

> Cierro los ojos:
> a ver, mi fiel memoria, ¿acaso no te acuerdas?
> Era un muchacho pálido,
> triste, con la tristeza del que sueña
> días de gloria.
> ... ...
> ¡Oh, si aquel que yo fui ahora me viera!...
> ¡Y si le viera yo, si en un abrazo
> se hiciese vivo el lazo
> que ata el pasado al porvenir oscuro!

Pero ese abrazo no podrá lograrse, porque el yo del pasado es un muerto:

> Se me ha muerto el que fui; no, no he vivido.
> Allá entre nieblas,

> del lejano pasado en las tinieblas
> miro como se mira a los extraños
> al que fui yo a los veinticinco años.
> Cada hijo de mis días que pasaron
> devoró al de la víspera;
> de la muerte del hoy surge el mañana,
> ¡oh, mis *yos* que finaron!
> Y mi último yo, el de la muerte,
> ¿morirá solo?
>
> *(O. C.,* XIII, 862)

Muy acertadamente se ha establecido una posible relación entre este deseo de Unamuno de tener a sus yos pasados a su alrededor en la hora de la muerte y la aparición del «galgo de ayer» que se le muestra a Abel Martín no mucho antes de su final, acaso para hacer compañía al que no tardará en morir [11]. Cabría también preguntarse si entre esos niños que «gritan, saltan, se pelean», si entre esa algazara infantil que le acompaña en su muerte solitaria no está el niño Antonio Machado.

Como hemos visto, a Unamuno se le plantea el problema del yo que fuimos en forma angustiosa; en la obra de Machado se plantea con ansiedad en los primeros poemas, con nostalgia y cierta sabiduría resignada en los más tardíos.

Esa «cierta sabiduría resignada» vamos a encontrarla también alguna que otra vez en algunos escritos de don Miguel, ya al final de su vida, cuando busca, por ejemplo, su yo adolescente por las calles del viejo Madrid. Por las calles viejas por donde su cuerpo joven paseó al yo de aquel entonces un lejano día. «Y ahora —escribe en 1932—, al recorrer aquellos barrios, ¡qué de emociones! Esa calle del Pez, zigzagueante como nuestro pensamiento de los dieciocho años, cerrando en redondo el horizonte, sin huidas de vista a campo o plaza. ¿Se encontrará uno allí la sombra del que fue, o su ensueño? *(O. C.,* I, 974).

---

[11] BIRUTE CIPLIJAUSKAITE, *La soledad y la poesía contemporánea,* página 258.

El problema no ha desaparecido, pero ha perdido, sin duda, el aspecto «pavoroso» que presentaba en 1909. ¿Por qué? Acaso porque el viejo don Miguel busca ahora ya solamente una sombra, un ensueño, sabiendo que el que de verdad fue sólo puede quedar en el recuerdo.

Los «yos» ex-futuros

El pasado no puede cambiarse. Es, por tanto, imposible que las cosas que sucedieron puedan ser de otra manera.

El problema se le plantea a Unamuno a través de toda su vida en forma apasionada, y tiene una serie de derivaciones. Se le plantea también a Machado desde muy pronto, quizá en forma inconsciente al principio, en forma muy clara más tarde, aunque siempre con carácter mucho menos violento que a don Miguel.

Dentro de ese pasado que se hizo —que hicimos—, y que no podemos cambiar, está el yo que fuimos, el yo que eligió una sola posibilidad entre las múltiples posibilidades abiertas, y una vez elegida ésa, una sola, tuvo que rechazar todas las demás.

La vida es, para Unamuno, elección constante; cada vez que elegimos un camino, matamos una serie de posibilidades. «A cada cruce de caminos que en la vida se nos presenta —escribe—, cuando tenemos que escoger entre una u otra resolución que ha de afectar a nuestro porvenir todo, renunciamos a uno para ser otro. Llevamos cada uno varios hombres posibles, una multiplicidad de destinos, y, según realizamos algo, perdemos posibilidades» (O. C., I, 118).

La angustia por la pérdida de ese yo que pudimos haber sido si hubiéramos elegido otro de los caminos que en el pasado se nos ofrecían, y que rechazamos, es, para don Miguel, pareja a la que nace al no poder hallar al que fuimos en un cierto momento, y que ya no podemos recuperar hoy.

No sé exactamente en qué momento descubre don Miguel el término ex-futuro, que utiliza siempre en relación con la persona. El yo ex-futuro es ese del que ni siquiera podemos decir que se quedó atrás, porque no existió nunca; es el que pudo existir si el yo que fui en un momento determinado del pasado hubiera elegido un diferente camino. Pero, si es difícil apresar al yo que fuimos, ¿cómo lo será apresar al yo que no fuimos, es decir, un yo al que ni siquiera podemos llamar yo?

La presencia —o *no presencia*— de esos yos que no hemos llegado a ser, que no nacieron, es, para Unamuno, terrible:

> ¡Ex-futuro!... es terrible
> que al nacernos a muerte un nuevo día
> se nos muera el posible...;
>
> que todo lo que nazca al nacer mate
> al que pudo haber sido...
>
> *(O. C.,* XIV, 404)

Parece evidente que muchos de los personajes de ficción creados por don Miguel responden a esa necesidad de dar vida a los yos que no fuimos. Esto no sucede sólo en su caso. Todo creador de entes de ficción saca de sí —en forma más o menos visible—, de sus yos posibles que no llegaron a realizarse, muchas de sus criaturas; en el caso de don Miguel, mucho hay de sus ex-futuros en sus entes de ficción. Tanto que acaso ninguno de ellos logra independizarse totalmente de su creador.

Para Unamuno, tan poco dado a resignarse ante los hechos, es difícil resignarse a perder ese yo, esos yos que pudimos haber sido. No, ese yo —yo ex-futuro— piensa don Miguel que no se pierde, que no puede perderse; al menos quiere que no se pierda. «¡Ex-futuro! ¿Os habéis fijado en toda la fuerza de esta expresión? El iba a ser y no llegó a ser. Y, sin embargo, estamos tejidos de ex-futuros. Brydon (se refiere al personaje de una novela de H. James) al salir de Nueva York se llevó consigo al otro Brydon. Brydon, o, mejor, Henry James, era legión; llevaba consigo todos sus yos ex-futuros, todas sus posibilidades, que parecían morir al nacer cada día su realización cotidiana, y con esos sus yos ex-futuros hizo su obra» *(O. C.,* X, 530).

¿Sintió Antonio Machado el problema del yo ex-futuro en la misma forma y con la misma intensidad que Unamuno?

Aunque no emplee palabras tan cargadas de angustia para hablar de ello, creo que sintió el problema muy intensamente. Pero, me parece, durante mucho tiempo lo tuvo y lo resolvió en forma intuitiva; lo razona —y en el razonamiento puede que esté presente Unamuno— en la madurez.

En *Juan de Mairena* leemos estas frases, en las que podríamos adivinar una cierta presencia de don Miguel, no sólo en relación con el yo que no fuimos, sino con algunas ideas en torno al pasado y al futuro: «Cierto que lo pasado es, como tal pasado, inmodificable; quiero decir que si he nacido en viernes ya es imposible de toda imposibilidad que haya venido al mundo en cualquier otro día de la semana. Pero es una verdad estéril de puro lógica, aunque nos sirva para hombrearnos con los dioses, los cuales fracasarían como nosotros si intentasen cambiar la fecha de nuestro natalicio. ¿Algo más? Que siempre es interesante averiguar lo que fue. Conformes. Mas, para nosotros, lo pasado es lo que vive en la memoria de alguien, y en cuanto actúa en una conciencia, por ende, incorporado a un presente, y en constante función de porvenir. Visto así —y no es ningún absurdo que así lo veamos—, lo pasado es materia de infinita plasticidad, apta para recibir las más variadas formas. Por eso yo me limito a disuadiros de un snobismo de papanatas que aguarda la novedad caída del cielo, la cual sería de una abrumadora vejez cósmica, sino que os aconsejo una incursión en vuestro pasado vivo, que por sí mismo se modifica, y que vosotros debéis, con plena conciencia, corregir, aumentar, depurar, someter a nueva estructura, hasta convertirlo en una verdadera creación vuestra. A este pasado llamo yo *apócrifo*, para distinguirlo del otro, del pasado irreparable, que investiga la historia y que sería el auténtico: el pasado que pasó, o pasado propiamente dicho» *(O. P. P.,* 438-439).

Como indiqué, creo hallar una presencia, un comentario, mejor, a algunas ideas de Unamuno: es unamuniana la de la imposibilidad de modificar el pasado; lo es la de la posibilidad de transformar el pasado en porvenir [12]. Mas hallamos un sabor del más auténtico machadismo

---

[12] La idea está en los ensayos unamunianos de principios de siglo: «Espera, que sólo el que espera vive; pero teme al día en que se te conviertan en recuerdos las esperanzas al dejar el futuro, y para evitarlo haz de tus recuerdos esperanzas, pues porque has vivido vivirás», había escrito en *¡Adentro!* *(O. C.,* III, 423).

El texto machadiano enlaza con otro tema, el del tiempo, que deliberadamente no he tocado, porque, como señalé ya, no me parece hallar en este punto una relación significativa entre los dos escritores.

El problema de la identidad personal

en ese deseo de creación del yo en el pasado partiendo de la pura imaginación. Es decir: lejos de desesperarse por no poder cambiar lo que ha sido, el poeta halla una solución: crear un pasado que no fue.

También es cierto que Unamuno, aparte de la solución de crear personajes que pudieron haber sido él —un él que él no eligió ser—, lleva el problema a veces a la poesía, e introduce el elemento del sueño. Así, en 1912, por ejemplo, escribe estos versos que, de paso sea dicho, tienen, me parece, un cierto sabor de las «soledades» y «galerías» machadianas:

> En estas tardes pardas,
> mientras tardas las horas resbalando
> van dejando tras sí huella de tedio,
> el único remedio —¡triste estrella!—,
> tan desterrado al verse,
> es acogerse al golfo del recuerdo
> de lo que nunca fue...

Y añade en prosa: ¿Es que hoy tiene más realidad lo que ayer le sucedió que lo que soñó ayer?» *(O. C., IV, 556)*.

Bastantes años antes, planteado no como angustioso problema, sino dado y claramente resuelto, había escrito Machado:

> Y podrás conocerte, recordando
> del pasado soñar los turbios lienzos,
> en este día triste en que caminas
> con los ojos abiertos.
>
> De toda la memoria sólo vale
> el don preclaro de evocar los sueños.

(O. P. P., 119)

En 1907, Antonio Machado sabía ya, o intuía, lo que muchos años después pone en la prosa de *Juan de Mairena:* que el pasado, el que fue de verdad, no es modificable, pero cabe la posibilidad de soñar un pasado; de hacer un pasado que no fue; un pasado fluido, lleno —podemos pensar nosotros ahora— de posibilidades que no se cumplieron; de yos que no llegaron a ser; de ex-futuros, aceptando el término unamuniano.

Don Antonio ha dicho aún muchas más cosas en estos seis versos. En primer lugar, que sólo a través del camino de los sueños podemos crear ese pasado apócrifo, cosa que Mairena acaso no pensaba ya, porque lo da por hecho [13].

¿Podríamos hablar de ex-futuros Machados, así como podemos hablar —como él mismo lo ha dicho— de ex-futuros Unamunos?

Personalmente, no lo creo. Algo podría haber en alguno de los «poetas que pudieron existir». Pero aunque el problema esté —intuido primero, pensado y razonado después—, no creo que haya ido Machado en este campo más allá de la pura meditación de la posibilidad de imaginar —o soñar— un pasado apócrifo. Los poetas y filósofos que se quedaron en el cuaderno de «Los complementarios» no llegaron a ser verdaderas creaciones literarias, aunque sí hagan —algunos de ellos— alguna obra literaria; los que han llegado a ser verdaderas creaciones literarias —Martín y Mairena— son verdaderos «complementarios» de Machado, que necesita de ellos como ellos de él.

LA MULTIPLICIDAD DEL YO Y LA CREACIÓN DE PERSONAJES APÓCRIFOS

Tanto Unamuno como Machado sienten que llevan en sí más de una persona, como dije ya.

En el caso de Unamuno —que veré de paso por tratarse de un tema muy estudiado ya—, este sentimiento se grita constantemente [14].

---

[13] Ante el poema citado, y algún otro, hace LAÍN ENTRALGO interesantes consideraciones, con las que mis puntos de vista arriba expresados coinciden plenamente: «Pero con sólo una bien matizada rememoración del pasado real no sería original y completa la confesión poética de Antonio Machado. Junto al recuerdo de lo que él fue, su memoria contiene el recuerdo de lo que pudo ser; cabe la evocación del suceso, la reviviscencia del ensueño. La nostalgia del poeta concierne a las esperanzas, ilusiones y posibilidades que antaño poblaron su espíritu, y en ello consistiría el más gustoso fruto de la operación de recordar...» «El tema de la posibilidad pretérita se repite con significativa frecuencia en la obra de nuestro poeta» *(La espera y la esperanza,* pág. 425).

[14] Los conflictos que plantea en Unamuno el problema de la personalidad en todos sus aspectos han sido muy ampliamente estudiados. Del tema han

En el de Machado, apenas se dice; lo vemos a través de su obra, sobre todo en la madurez, cuando, no conforme con su yo —o con el que los otros creían que era su yo único—, inventa unos personajes que son él y, al mismo tiempo, no lo son: son sus «complementarios».

Para Unamuno, hay en cada hombre por lo menos dos yos visibles, dos yos de los que acaso podamos estar plenamente conscientes, y muchos otros yos que, con más o menos fuerza, quieren también ser. Recordemos que todos —«todo hijo de hombre y mujer»— llevamos, como Artemio A. Silva, «por lo menos dos yos, y acaso más» *(O. C., IX, 284).*

Ese sentimiento se agudiza en Unamuno al correr de los años. En el prólogo a *Tres novelas ejemplares y un prólogo* (1920), el problema de los dos yos, y acaso más, se va multiplicando y se expresa claramente, aunque ya sabía desde hacía mucho tiempo que todo hombre humano «lleva dentro de sí las siete virtudes y sus siete opuestos vicios capitales: es orgulloso y humilde, glotón y sobrio, rijoso y casto, envidioso y caritativo, avaro y liberal, perezoso y diligente, iracundo y sufrido»... *(O. C., IX, 421).*

El sentimiento de saberse llevando, al mismo tiempo, los dos yos en clara guerra y muchos otros yos posibles, llevando dentro de sí las siete virtudes y sus opuestos vicios capitales, llega a adquirir caracteres morbosos. Así, cuando se contempla ante un espejo y al mirarse se ve como *otro,* llegando a veces hasta a llamarse a sí mismo, en voz baja... [15].

---

tratado, entre otros, A. SÁNCHEZ-BARBUDO (en *Op. cit.*); CARLOS BLANCO AGUINAGA, que descubrió y estudió la personalidad contemplativa de don Miguel muy a fondo; RICARDO GULLÓN en diversas ocasiones, y muy especialmente en su obra *Autobiografías de Unamuno;* JOSÉ LUIS ABELLÁN (en *Miguel de Unamuno a la luz de la psicología);* ARMANDO ZUBIZARRETA (en *Unamuno en su nivola)...*

En un reciente ensayo, HARRIET S. STEVENS hace una profunda exploración en el problema de la personalidad múltiple de don Miguel (véase *El Unamuno múltiple, Papeles de Son Armadáns,* sept. 1964).

[15] Sobre esa «preocupación morbosa», así como de las conversaciones con el espejo, habla HARRIET S. STEVENS en *Op. cit.* La autora cita concretamente, como ilustración, un párrafo de *Días de limpieza.*

Para liberarse de la pesada carga de yos que lleva dentro, Unamuno crea sus novelas, sus cuentos, su teatro; es más: crea todos esos personajes que discuten en sus «soliloquios» y en sus «conversaciones». Piensa don Miguel que precisamente porque llevamos esos yos, con todos sus vicios y virtudes, es capaz un novelista de crear personajes que son yo mismo y son, al mismo tiempo, otra cosa: en su caso particular, con gran frecuencia, un yo que pudimos haber elegido —es decir, un ex-futuro—, o un yo que estamos dejando de elegir, acaso en el mismo momento que lo ponemos fuera de nosotros, que lo convertimos en ente de ficción.

Desde su primera novela, *Paz en la guerra*, sentimos que en muchos personajes creados por don Miguel está proyectado él mismo; ha tenido que proyectarse en ellos para aliviarse del «peso sofocante» de sus múltiples yos [16].

La atracción de Unamuno por los espejos es muy curiosa. No creo que tenga el espejo un simbolismo único en su obra. A veces, como en el caso de *Días de limpieza*, es una forma de verse a sí mismo fuera de sí, de objetivarse. Un modo de contemplar una faceta de su múltiple ser. Le sirve, podríamos decir, como le sirven los personajes de sus ficciones, para contemplarse fuera de sí. En otras ocasiones, hablando de sí mismo, manifiesta su deseo de ser «espejo de los otros», de los lectores.

ARMANDO DE ZUBIZARRETA, en *Op. cit.*, dedica varias páginas a estudiar el simbolismo del espejo en la obra de Unamuno, refiriéndose en particular a *Cómo se hace una novela*, pero observando algunas posibles relaciones con otros «espejos», en especial los que aparecen en *La esfinge* y en *El otro*. El tema está bien estudiado en las páginas que Zubizarreta le dedica, pero necesitaría por sí solo un estudio más extenso. Un acierto de Zubizarreta es el relacionar el efecto que los espejos producirían en don Miguel con el recuerdo del espejo de bola que pendía del techo del salón familiar, en el que el futuro escritor se vio muchas veces, deformado, en su infancia.

Es frecuente e importante a través de toda la obra de don Miguel la identificación del espejo con el agua en diversas formas.

De espejos está también llena la poesía de Machado. Pero nada creo que tengan que ver con los espejos de Unamuno. Si a veces hay alguna coincidencia simbólica, no pasa, me parece, de mera coincidencia.

[16] Véase HARRIET S. STEVENS, *Op. cit.* La escritora ve a don Miguel —o algún yo de don Miguel— proyectado no en uno sólo de los personajes de *Paz en la guerra* —Pachico, como se había dicho ya—, sino también en Ignacio, Pedro Antonio y, en menor grado, en don Joaquín, el tío de Pachico.

En forma similar enfoca RICARDO GULLÓN el problema (véase *Autobiografías de Unamuno*).

Me interesa destacar especialmente dos de los personajes de ficción creados por Unamuno: don Fulgencio Entrambosmares —de *Amor y pedagogía*— y Rafael —de *Teresa*—. Ambos son personajes novelescos [17] y autores: el primero, de un curioso ensayo; el otro, de un libro de versos [18].

En don Fulgencio ha visto Ricardo Gullón mucho de uno de esos yos de don Miguel [19]. De hecho, habría que añadir que algunas de las frases que el Unamuno de 1902 pone en boca de este curioso personaje va a expresarlas —por su cuenta y riesgo— mucho más tarde sin necesidad del intermediario: concretamente, más adelante veremos algún ejemplo de ello en una de las obras más representativas de don Miguel, en *Del sentimiento trágico de la vida*.

Pero lo que ahora quiero señalar es que este curioso personaje creado en 1902 no desaparece al finalizar la novela, sino que reaparece mucho más tarde —varias veces entre 1912 y 1915— en alguna ocasión, en diálogo con algunos discípulos [20].

Anotemos —de paso— esta coincidencia con el Mairena de Machado: no creo que pase de ser una coincidencia, sin embargo.

Más me interesa destacar el hecho de que don Fulgencio, que comenzó su vida como personaje de novela, pudo llegar a convertirse —aunque no llegue a desarrollarse— en un heterónimo de Unamuno, que escribe un *Tratado de cocotología* —que llegó a nuestras manos— y otro complicado libro, que no nos llegó: *Ars magna combinatoria*.

Dejando a un lado este último, del que sólo existió el título, reparemos en el primero, que sí llegó a escribirse y a publicarse. Y ¿sería ir demasiado lejos el afirmar que acaso lo firma don Fulgencio porque el Unamuno de 1902 no se atreve a escribir un ensayo sobre la manera de hacer pajaritas de papel? Más tarde sí se hubiera atrevido,

---

[17] Estoy de acuerdo con Ricardo Gullón en considerar *Teresa* como una novela en verso (véase *Op. cit.*).

[18] Podría añadirse Víctor Goti, el prologuista de *Niebla*. Me parece mucho más dependiente de su autor, más dentro de la ficción, que los dos que menciono, que llegan a adquirir una cierta vida propia. Víctor Goti, como Augusto Pérez, es ante todo, me parece, un ensayo de técnica novelística dentro de la novela más técnicamente pensada de don Miguel.

[19] Véase *Op. cit.*, capítulo dedicado a *Amor y pedagogía*.

[20] *Crisis y mixis* (O. C., IX, 724).

pero el joven Rector de Salamanca necesitó, acaso, de un intermediario para hacerlo en 1902 [21].

Don Fulgencio nació, en primer lugar, de la necesidad que tenía don Miguel de desdoblarse, como muchos otros de sus personajes; una vez creado, don Fulgencio adquiere realidad propia: tan propia que es capaz de crear por su cuenta. Y don Miguel, aprovechándose del personaje que había inventado, capaz de llevar a cabo impunemente extraños actos y de hacer lo que él —don Miguel— no se atreve a hacer, se escuda en su personaje para escribir el ensayo que, bajo su nombre, tal vez no hubiera publicado en aquella fecha.

Entre muchas otras causas, una timidez parecida a la que le impulsa a no ser el responsable directo de este «tratado» de pajaritas de papel puede ocultarse tras la creación del poeta romántico Rafael, el autor de las rimas de *Teresa*. He dicho, claro, que entre muchas otras causas: sobre el autor de *Teresa*, como veremos, hay más cosas que decir.

En *Teresa* se nos cuenta una historia. Podríamos llamarla una novela en verso. Rafael es el autor de los versos que constituyen el libro, además de personaje de novela. Si bien es cierto que, una vez más, no podemos olvidar que para Unamuno la técnica novelesca tiene mucha importancia, y en este sentido *Teresa* es una nueva experiencia, no hay que olvidar tampoco que el personaje Rafael responde a una necesidad de expresar un yo que Unamuno trataba siempre de ocultar: el yo capaz de enamorarse de una mujer —no sólo de amar a la mujer compañera, mujer madre— a la manera romántica. ¿Es la figura de Teresa, como se ha dicho, un recuerdo de la joven que luego fue la compañera de toda su vida? ¿Es, como se ha dicho también, alguna otra mujer por quien en un momento de su vida sintió —o soñó que podría sentir— un afecto romántico? Para mí es, ante todo, un ente de ficción más. Lo que me interesa ahora es su amante, Rafael, un poeta personal, que no escribe como don Miguel de Unamuno, aunque éste sea su mayor influencia.

---

[21] Observemos también que en esta misma novela hay unos versos atribuidos a un poeta llamado Menagutti y que luego incluye Unamuno —bajo su nombre— en *Poesías* (1907) con el título de *La elegía eterna*.

Rafael, si creemos a su creador, es un ex-futuro Unamuno. «Era como si hubiese topado con uno de mis yos ex-futuros, con uno de los míos, que dejé al borde del sendero al pasar de los veinticinco» *(O. C., XIV, 267)*.
Es, además, lo que Machado pedía: nuevos poetas que hagan nuevos poemas.

Antonio Machado, que pensaba que cada uno lleva dentro de sí más de un poeta, inventó varios. Algunos prosperaron; la mayor parte —creados hacia 1923 ó 24— se quedaron en las páginas de «Los complementarios» sin llegar a desarrollarse. Lo que ha llegado hasta nosotros son posibilidades.

¿Hay entre el Rafael de Unamuno y los heterónimos machadianos algún parentesco?

Una vez más, es arriesgado afirmar o negar categóricamente. Los apócrifos que Machado nos dio a conocer —los otros se quedaron en germen— son figuras mucho más completas, mucho más desarrolladas que los dos personajes de Unamuno con quienes los he relacionado. Sin embargo, no veo difícil el aceptar que el don Fulgencio, autor del *Tratado de cocotología* y del *Ars magna combinatoria* —visto por Unamuno siempre con un poco de ironía—, y aun el Víctor Goti, de *Niebla*, que quiere darse a conocer escribiendo un prólogo, y, claro está, mucho más Rafael, cuyas rimas se publicaron en 1924 —dos años antes que los primeros versos del *Cancionero apócrifo*, de Abel Martín [22]—, podrían haber contribuido a darle a Machado una solución a un problema al que no alude constantemente, pero que, sin duda, llevaba dentro: el problema de sentir dentro de sí más de un poeta, más de una persona.

---

[22] Los apócrifos que no llegaron a desarrollarse, publicados hoy junto con otros escritos del cuaderno inédito de «Los complementarios», es posible que hayan nacido alrededor de la misma época de la publicación de *Teresa*. Don Miguel había hablado de su personaje Rafael en varios artículos de 1923 y en alguna carta.

Sobre esta coincidencia escribe ORESTE MACRÍ: «Lo zibaldone *Los complementarios* comincia nel 1912; il demone dell'apocrifo vi insinua dal 1923, nello stesso anno in cui Unamuno difonde in alcune lettera i primi documenti poetici del suo eteronimo autore di *Teresa (Rimas de un poeta desconocido...)* chiamato Rafael» *(Op. cit.*, pág. 186).

Al mismo tiempo, ya se dijo, son una solución para lanzar a la luz pública una serie de ideas que el poeta Machado no se atreve a afirmar [23].

Es muy importante que tengamos en cuenta esto último. Para Machado, reconocido poeta —y encasillado definitivamente como tal—, era difícil, casi absurdo, escribir filosofía en serio; por eso tienen que hablar por él esos personajes que lo hacen entre bromas y veras, y que, casi como jugando, producen ideas filosóficas mucho más serias de lo que a primera vista, y a través de un tono deliberadamente ligero y aparentemente superficial, se deja ver.

Es importante que tengamos en cuenta ese punto, pero no lo es todo, ni mucho menos.

Además, si pretendemos hablar de los apócrifos como solución, podríamos decir, a un problema de timidez intelectual, tal solución nos serviría sólo a medias. Serviría para la prosa; mas cuando llegamos a la poesía, la cosa cambia. ¿Por qué los poemas de los «Cancioneros» están firmados por Mairena o Martín, y, cuando no, están hechos «a la manera» de alguno de ellos?

Oreste Macrí, que ha estudiado muy bien a los poetas que Machado inventa, llega a la conclusión de que son sólo tres los que realmente llegan a desarrollarse: «il maestro Martín, e i discepoli Mairena e Machado che ne seguono la «manera» [24].

---

[23] No olvidemos que en sus primeros años Antonio Machado no firmó con su nombre. Utilizó, que yo sepa —aunque quizá se descubran otros—, tres seudónimos: «Cabellera», «Tablante de Ricamonte» —cuando escribía junto con su hermano Manuel en *La Caricatura*— y, algo más tarde, «César Lucanor», bajo el que publicó algún poema. Ello puede ser síntoma de timidez, como puede serlo el firmar bajo el nombre del inventado Mairena.

[24] Para Macrí, el Antonio Machado que escribe «a la manera» de Martín y Mairena es un desarrollo de aquel apócrifo del que se habla en el cuaderno de *Los complementarios*, donde se le incluye entre los «poetas que pudieron existir», y del que se dice: «Nació en Sevilla, en 1895. Fue profesor en Soria, Baeza, Segovia y Teruel. Murió en Huesca, en fecha no precisada. Algunos lo han confundido con el célebre poeta del mismo nombre Antonio Machado, autor de *Soledades, Campos de Castilla*, etc. Se le atribuye un poema: *Alborada.*»

Sobre este apócrifo habla también RICARDO GULLÓN, que lo considera un yo ex-futuro (*Antonio Machado y sus sombras. Ínsula*, núms. 212-213).

El problema de la identidad personal

Si bien es cierto que estos tres poetas —tres si aceptamos la versión macriniana del «Machado apócrifo»— son los que llegan a desarrollarse del todo como poetas, a dar obra importante, no podemos olvidar que los que se quedaron en el cuaderno inédito también escribieron poesías, aunque no llegaran a publicarse [25].

Sobre los apócrifos machadianos hay valiosas aportaciones en varios de los estudios consagrados al poeta. Además de la obra de Oreste Macrí que vengo citando, sobre el tema hablan ampliamente Sánchez-Barbudo, Pablo de A. Cobos, S. Serrano Poncela... También lo aborda José ECHEVERRÍA en su ensayo *Con Juan de Mairena, años después*. Los dos primeros señalan la nota de humor e ironía, tan característicos de los escritos filosóficos de los apócrifos machadianos. Sánchez-Barbudo se pregunta: «¿Por qué el constante tono humorístico de esas prosas, que en modo alguno tratan de cosas banales o risueñas? Tal vez proceda, en parte, de la conciencia que Machado tenía de la oscuridad propia de los problemas a los cuales se enfrentaba. Diríase que él contempla siempre a distancia, irónicamente, sus propias ideas, a menudo entrañables ideas, como si no acabase de creer en ellas. Su humor parece proceder de su escepticismo. Sus ideas filosóficas las expone siempre como en broma, o al menos con un dejo de humor; y generalmente habla por boca del pintoresco filósofo Martín, o del discípulo de éste, el profesor Mairena, por boca de esos personajes por él inventados, lo cual le permite agregar a veces un comentario irónico y en todo caso librarse de la posible acusación de dogmatismo. Pero, además de escéptico, Machado era modesto, tímido, y el humor en él es también una como defensa contra el pudor. Muy al contrario de Unamuno, a quien él tanto admiraba, a toda costa rehuía el tono grandilocuente al hablar de aquellos problemas que en verdad tanto le preocupaban. Y como, por otra parte, por su misma modestia, sin duda, no osaba expresar su pensamiento sino por medio de simples notas o comentarios, en modo alguno quería presentar esos apuntes —tan llenos de atisbos magníficos, sin embargo— en forma que pudiera parecer solemne o pretenciosa, y por ello ironizaba también» *(Op. cit.,* pág. 204).

Pablo de A. Cobos ve en el humor de los apócrifos un reflejo del sentido del humor de su inventor: «La fuente primaria del humor de Antonio Machado está en su *natural,* propia manera de *serse, zumba* nativa, con raíz honda en la hondura de las Andalucías. Esta zumba nativa de don Antonio, suave, discreta y aun tímida, con más gracia interna, pero con mucha gracia, si la desconocen muchos de sus admiradores, la conocían bien sus contertulios y amigos» *(Op. cit.,* pág. 45).

[25] Con variantes, se incluyó alguna en la obra de Antonio Machado en las ediciones hechas en vida del poeta.

Tanto los poemas como la prosa del cuaderno de *Los complementarios* son realmente borradores que, en algunos casos con variantes, o sin ellas, se publicaron; en otros quedaron allí. El hecho de que Machado los guardase durante

Los poetas apócrifos cuyos poemas se recogen en *Los complementarios* son quince: Jorge Menéndez, Víctor Acucroni, José María Torres, Manuel Cifuentes Fandanguillo, Antonio Machado, Lope Robledo, Tiburcio Rodrigálvarez, Pedro Carranza, Abel Infanzón, Andrés Santayana, José Mantecón del Palacio, Froilán Meneses, Adrián Macizo, Manuel Espejo y Abraham Macabeo [26]. Sin embargo, como dice Macrí, todos ellos —menos Antonio Machado, piensa— son suplantados por Martín y Mairena. Hay que añadir dos más. Uno —que trae también su poema— es Jorge Meneses, un nuevo experimento. Jorge Meneses no es creación de Machado, sino de su criatura, Mairena. El otro ni siquiera llegó a nacer, pero ya tenía nombre: Pedro de Zúñiga. De él habla Machado como proyecto, pero nada nos dejó [27]. Tengamos en cuenta, además, que hay en el cuaderno de *Los complementarios* no sólo poetas, sino también filósofos, de los cuales se da el nombre y el título de una obra, y sobre los que se hace el siguiente comentario: «Seis filósofos que podrían existir con seis metafísicas diferentes» *(O. P. P.,* 737).

¿Por qué necesitó Antonio Machado crear todo este mundo de personajes, poetas y filósofos, concretamente?

---

muchos años puede indicar que pensaba, en alguna forma, utilizarlos. Recordemos, sin embargo, las palabras escritas de su puño y letra en una página del cuaderno: «Todo lo que contiene este cuaderno son apuntes que nadie tiene derecho a publicar. Pueden, sí, ser utilizadas las ideas. Pero téngase en cuenta que el autor, antes de darlo a la luz, lo hubiera revisado y puesto en correcta forma literaria. A. M.» (pág. 46, vuelta, de *Los complementarios*. Visto en copia mecanografiada en la biblioteca particular de Luis Rosales).

[26] Oreste Macrí, en *Op. cit.,* habla extensamente del origen de los nombres de los apócrifos.

Acerca de los nombres de Juan de Mairena y Abel Martín, así como de los de algunos otros personajes creados por Machado —los hijos de Alvargonzález, por ejemplo—, hace José Echeverría algunas observaciones llenas de interés y originalidad (véase *Op. cit.*).

Al último de los poetas de la lista, Abraham Macabeo, hace referencia por vez primera L. F. VIVANCO *(Retrato en el tiempo, Papeles de Son Armadáns,* núm. VI, septiembre 1956). No se había incluido su nombre ni su poema en ninguna de las ediciones de poesía de Machado hasta la reciente edición de *Obras. Poesía y prosa* (véase pág. 738).

[27] Se refiere a esta futura creación, un poeta nacido en 1900, en una carta dirigida a Giménez Caballero (véase *O. P. P.,* págs. 832-833).

Parece indudable que sentía dentro de sí una serie de personas distintas: en primer lugar, el filósofo y el poeta; en segundo, no un solo filósofo, o un solo poeta, sino la posibilidad de diversos filósofos y diversos poetas.

El comentario sobre los «seis filósofos que podrían existir...» es revelador. Pero aún lo es más un comentario que años más tarde, con relación a los poetas esta vez, hemos de hallar en un párrafo de *Juan de Mairena:* «Pero, además, ¿pensáis —añadía Mairena— que un hombre no puede llevar dentro de sí más de un poeta? Lo difícil sería lo contrario, que no llevase más que uno» *(O. P. P.,* 420). Palabras que no nos sorprenden si tomamos en cuenta las escritas antes en las páginas de *Los complementarios:* «Los poetas han hecho muchos poemas y publicado muchos libros de poesías; pero no han intentado hacer un libro de poetas»[28].

Sin querer pasar por alto otro problema planteado en la posibilidad de la creación de poetas —un problema de estética—, creo que lo más interesante es la búsqueda de la identidad personal a través de las múltiples personas que podemos ser. Para Machado, está claro que, tras todas esas posibilidades que apuntan, y tras esos personajes tan logrados que son Martín y Mairena, es decir, tras la multiplicidad, hay una unidad fundamental: Antonio Machado está detrás de todas sus criaturas.

Creo que lo sabía muy bien cuando escribe: «Supongamos —decía Mairena— que Shakespeare, creador de tantos personajes plenamente humanos, se hubiese entretenido en imaginar el poema que cada uno de ellos pudo escribir en sus momentos de ocio, como si dijéramos, en los entreactos de sus tragedias. Es evidente que el poema de Hamlet no se parecería al de Macbeth; el de Romeo sería muy otro que el de Mercutio. Pero Shakespeare sería siempre el autor de esos poemas y el autor de los autores de esos poemas» *(O. P. P.,* 420).

Hay en toda la obra de Machado una total admisión de la existencia del «otro» en nosotros: «Mas busca en tu espejo al otro, / al otro que va contigo» *(O. P. P.,* 253). Ese otro —o esos «otros»—, como dice Ricardo Gullón, «es una exigencia del ser, complemento de quien palpita y medita frente al espejo. Es necesario contar con él, incluirlo

---

[28] Pág. 103 del cuaderno.

en la perspectiva de nuestra existencia y reconocerlo como parte de ella»[29].

Pero el yo de Machado no se vacía en «el otro», sino que lo lleva consigo. El otro, o más bien «los otros», los muchos otros, los «complementarios», que a veces llegan no sólo a vivir, sino hasta crear una obra independiente de la de su creador, aunque éste —nos dice él mismo por boca de Mairena— viva al lado de sus creaciones, viven, inseparables, a su alrededor.

Los personajes apócrifos de Machado son siempre «complementarios»: don Antonio se desdobla en ellos, consciente de que hay otro —podemos interpretar, muchos otros— que acompañan; no hay entre él y sus criaturas antagonismo, ni crea, como Unamuno, seres para que le lleven la contraria. El caso más aproximado a esto último sería la criatura, no de Machado, sino de Mairena, Jorge Meneses, inventor de una máquina de trovar. «Mairena inventa a Meneses para discutir con él —dice R. Gullón—, para enfrentársele y revisar polémicamente sus ideas»[30].

En el caso de Unamuno —y aunque hay excepciones: Rafael, notablemente— lo normal es crear personajes para polemizar con ellos; es decir, con distintas facetas de sí mismo.

¿Se había dado cuenta Machado cuando imaginó este tipo de creaciones de la gran creación cervantina, o ya había creado sus complementarios cuando descubrió un antecedente en Cervantes? En una parte de *Juan de Mairena* hallamos estas palabras reveladoras: «Extraño y maravilloso mundo ese de la ficción cervantina, con su doble tiempo, y su doble espacio, con su doblada serie de figuras —las reales y las alucinatorias—, con sus dos grandes mónadas de ventanas abiertas, sus dos conciencias integrales, y, no obstante, complementarias, que caminan y que dialogan.»

Para Machado, que desde siempre intuyó un tiempo y un espacio múltiple, lleno de figuras múltiples —todo un mundo multiplicado por medio de «un borroso laberinto de espejos»—, Abel Martín, Juan de Mairena, el apócrifo Antonio Machado, el nonato Zúñiga, Meneses, los otros poetas, autores de un solo poema, que no llegó a publicarse,

---

[29] *Antonio Machado y sus sombras.*
[30] *Ibíd.*

en la mayoría de los casos son él mismo, partes de su yo que le miran, a él, a Antonio Machado, desde los espejos: no desde uno, sino desde los múltiples espejos en que contempla su alma. Pero las figuras de los espejos —algunas tan concretas como el poeta de carne y hueso— no producen en él la desesperación de no encontrarse: más bien parece, como dije, que se ve en todas, y que todas lo ven y le hacen compañía.

Como señalé más arriba, hay una indudable coincidencia de fechas entre la aparición de los primeros apócrifos machadianos y el apócrifo de Unamuno, Rafael, y hay en la obra de don Miguel otros casos de entes ficticios que hacen su propia obra. Pero ni es Unamuno quien inventa el viejísimo procedimiento —recordemos que Cervantes encontró escrita la historia de su Don Quijote—, ni hay datos concretos que puedan demostrar que la idea de Machado tenga que haber tenido inspiración unamuniana. A fin de cuentas, como dije, es bastante normal la aparición de todos estos dobles si pensamos que don Antonio vivió rodeado de figuras de sueño, de sombras, desde sus primeros años, a juzgar por sus versos primeros.

No es raro, ya en sus primeros versos, que las quimeras adquieran formas sensibles, como señala R. Lapesa; que «las voces de la primavera, del día claro o de la noche amiga» dialoguen con el poeta [31].

Es muy importante esta idea del diálogo del poeta con las cosas. Para Zubiría, las cosas con las que dialoga Machado —la mañana, o la tarde, o el agua...— cumplen la misma función que Abel Martín, Juan de Mairena o Jorge Meneses: son el «otro» que le acompaña siempre [32].

---

[31] *Op. cit.*
[32] «Machado, como todos sabemos, era hombre muy complejo —poeta y filósofo—, pero que tenía, sin embargo, una noción clarísima de las limitaciones, si tangenciales, bien definidas, de las esferas de su laborar. Y tan marcadas quiso dejar las fronteras de sus dos actividades —poesía y filosofía— que, aun para el obligado desdoblarse que implicaba el diálogo con su propia persona, tuvo especial cuidado de hacer la distinción entre las dos, y creó, por ello, como figuraciones del *alter ego* con quien siempre conversaba («Converso con el hombre que siempre va conmigo») a Abel Martín, Juan de Mairena y Jorge Meneses, para el diálogo filosófico; prefiriendo, en cambio, para el diálogo poético figuraciones también poéticas, como son la mañana, la tarde, la noche, el agua o la fuente» *(Op. cit.,* págs. 25-26).

Partiendo de la idea de Zubiría, José María Valverde intenta llegar a la raíz misma de la creación de los apócrifos: «Es decir, que, como sugiere Zubiría —escribe Valverde—, este juego de preguntas y respuestas en personificaciones serviría al poeta para el logro de una primera objetividad en el poema, aún en su época post-romántica e intimista. Más adelante crece la conciencia de la diversidad entre la persona íntima del poeta y el *dramatic speaker*, que le sustituye al hacer uso de la palabra en forma de poema. Y tanto crece que Antonio Machado utiliza el expediente de la creación de apócrifos —también, como he demostrado en otro lugar, por sentirse incapaz del tono irremediablemente dogmático que requería la exposición de una filosofía y una poética en prosa, y buscando así el burladero de una exposición «irónica», «oblicua»—...»[33].

Me parece, sí, que los apócrifos machadianos nacen de la necesidad de diálogo consigo mismo y que son, sobre todo, un desarrollo posterior de todas aquellas «figuras», de todas aquellas «quimeras», aquellos «fantasmas» y «sombras» que pasan constantemente por sus «soledades», por sus «galerías»..., por todos sus primeros poemas, poblados de seres alucinatorios que siempre salen de sí mismo, y que, desde fuera, le miran, y los mira.

Entre los dos apócrifos realmente importantes, Martín y Mairena, hay diferencias notables. No me refiero al pensamiento de ambos —campo donde es casi imposible trazar límites—, ni al significado de cada uno de ellos como seres complementarios del poeta Antonio Machado —de lo que hablaré luego—, sino a lo que son como creaciones literarias en sí.

Si Mairena es un ente perfectamente desarrollado[34], un filósofo *sui géneris* que da una obra completa, que habla por su cuenta —y habla

---

No creo, sin embargo, que haya una separación tan tajante como la que establece Zubiría, ya que tanto Martín como Mairena son también poetas y son *alteri egos* poéticos de Machado.

[33] *Hacia una poética del poema. Cuadernos Hispanoamericanos*, Madrid, 1956, XXVIII, pág. 209.

[34] Carlos Blanco Aguinaga ve a Mairena como un verdadero personaje novelesco, más logrado que ninguno de los de las novelas de Unamuno, que no llegan jamás a separarse del todo de su creador, quizá por ser siempre —manifestaba en conversación particular Blanco Aguinaga— ex-futuros Unamunos.

sin cesar—, que dialoga con sus alumnos e intercambia con ellos ideas sobre todo lo divino y lo humano, de Martín poco sabemos directamente; sabemos lo que Mairena nos dice de él: podría casi ser una invención de éste, como lo era Jorge Meneses [35].

Sentimos la realidad de Mairena siempre; Martín, sin embargo, se nos presenta como figura más irreal, y —como luego veremos— en alguna ocasión parece un muñeco, una marioneta que actúa sobre un tablado. No siempre es así; su muerte, por ejemplo, es la muerte de un hombre de carne y hueso: una visión de la muerte propia que Machado intenta ver desde fuera al hacer morir al personaje creado, a uno de sus complementarios.

Serrano Poncela, que se pregunta si los apócrifos machadianos se inspiran en algún patrón humano, cree que Mairena puede tener ciertos rasgos de algunos de los maestros de la Institución, además de tener muchos del propio Machado; a Martín lo ve situado dentro de una esfera más irreal, y piensa que su creación acaso venga de más lejos que la de Mairena [36].

Aunque por razones distintas a las que Serrano Poncela aduce, creo, efectivamente, que Abel Martín está en germen antes que Mairena en la obra de Machado. Esas figuras del sueño, esas sombras, esos fantas-

---

[35] Como «doblemente apócrifo» ve J. M. VALVERDE a Abel Martín. Coinciden muchas de las ideas por mí expresadas con algunas de las que en el párrafo que cito a continuación expone Valverde: «Su misma claridad le embosca (a Machado); y aún más su infinita ironía, en la prosa a veces elevada al cubo, cuando el apócrifo Mairena endosa a su doblemente apócrifo Abel Martín la responsabilidad de ideas de que tampoco se nos dice que éste estuviera muy seguro. Esta distanciación en que acabó expresándose aquel «borroso laberinto de espejos» de su alma, de que hablaba en las *Soledades y galerías*, hace dificultosa la simplicidad de la palabra...» *(Evolución del sentido espiritual en la obra de Antonio Machado. Cuadernos Hispanoamericanos*, XI-XII, pág. 402).

[36] «Abel Martín parece ser una creación anterior, producto de una preocupación metafísica más profunda, que lo acerca más que a su discípulo Mairena a la esfera de irrealidad. Abel Martín es objeto de mención por Juan de Mairena cuando este último personaje traslada sus meditaciones a territorios más especulativos, dotando a su maestro de un aire particular que recuerda las lecturas machadianas de Nietzsche, Bergson y Unamuno. Abel Martín, poeta y filósofo, lector de Leibnitz y, sin embargo, ateo, solterón y, por otra parte, teórico del Eros, asceta y bebedor de buen vino, es una figura contradictoria que tiene más de imaginación que de reflejo real» *(Op. cit.,* pág. 208).

mas de que ya hablé, y en los que veo el origen de los complementarios machadianos, más tienen, desde luego, de Martín que de Mairena.

Un mucho, por ejemplo, de Abel —del don Abel de *Mairena a Martín, muerto*— podríamos ver en aquel fantasma que, «a la revuelta de una calle en sombra», besa un nardo. Ello no quiere decir, claro está, que la idea del complementario venga de época tan temprana, sino más bien lo contrario: que por lo menos el complementario Abel Martín pudo salir de algún lejano fantasma [37].

Las semejanzas entre esos dos poemas son, sin duda, muy curiosas. Parece, a veces, que algunas estrofas de *Mairena a Martín, muerto* —las centrales— son una versión, hecha en la madurez, de un poema de juventud; o, simplemente, un mismo tema elaborado dos veces, con tono distinto: la primera, por el joven Machado de 1903; la otra, por el maduro, irónico Mairena. Vistos hoy, el «fantasma irrisorio» que besa el nardo, y el «muñeco estrafalario» —Abel—, se nos parecen muchísimo [38].

---

[37] Poema núm. XXX de *Poesías completas (O. P. P.,* 77).

[38] No sólo se acercan estos dos poemas en ese punto. La parte segunda de *Mairena a Martín, muerto,* es casi una continuación o desarrollo de una de esas «figuritas sutiles / que caben de un juglar en el retablo» del poema de 1903 (véase el poema tal como pasó a las ediciones y la nota sobre la primera versión, la de *Soledades,* que figura en *O. P. P.,* 959).

> Del juglar meditativo
> quede el ínclito ideario
> para el alba que aún no ríe;
> y el muñeco estrafalario
> del retablo desafíe
> con su gesto el sol gregario,

dice en *Mairena a Martín, muerto (O. P. P.,* 313).

Aún hay más. Mairena sitúa a Martín en este escenario:

> Hiedra y parra. Las paredes
> de los huertos blancas son.
> Por calles de Sal-Si-Puedes
> brillan balcón y balcón.

> Todavía, ¡oh don Abel!,
> vibra la campanería
> de la tarde, y un clavel
> te guarda Rosa María.

Claro que aquel fantasma no es ni un filósofo ni un poeta: se trata de un desdoblamiento de Antonio Machado que se contempla desde fuera como una figura más entre las que lleva el titerero en su retablo. Y acaso esta capacidad de objetivarse, de poder verse desde fuera, le ayude a crear más tarde esas figuras que son y no son él, tan claramente objetivadas siempre.

Sobre Mairena —sobre su creación y significado— el autor nos dio interesantísimos datos; dijo de él: «Es mi yo filosófico, que nació en épocas de mi juventud.» Y añade que «mira las cosas con su criterio librepensador, en la más alta acepción de la palabra, un poco influenciado por su época de fines del siglo pasado, lo cual no obsta para que ese juicio de hace veinte o treinta años pueda seguir siempre completamente actual dentro de otros tantos años». Así decía don Antonio en 1938 [39].

En las palabras de Machado hay muchos puntos dignos de ser tomados en consideración; por ejemplo, la última frase, que revela que el humilde y tímido don Antonio conocía muy bien el valor de sus aparentemente insignificantes escritos filosóficos.

Machado se equivocaba con frecuencia cuando se refería a fechas relacionadas con su obra. En el caso de las palabras arriba citadas, más que equivocación, hay una total vaguedad: no da lo mismo refe-

>   Todavía
>   se oyen entre los cipreses
>   de tu huerto y laberinto
>   de tus calles —eses y eses,
>   trenzadas de vino tinto—
>   tus pasos...

(Pág. 314)

Y en el poema de *Soledades* había escrito:

>   Ante el balcón florido
>   está la cita de un amor amargo.
>   Brilla la tarde en el resol bermejo...
>   La hiedra efunde de los muros blancos...
>   A la revuelta de una calle en sombra,
>   un fantasma irrisorio besa un nardo.

(Pág. 77)

[39] De una entrevista firmada por V. D. M., recogida en *La Voz de Madrid*, a la cual hice referencia en las primeras páginas de este estudio.

rirse a 1908 que a 1918. La fecha en que sitúa el posible nacimiento de su «yo filosófico» no sólo no nos ayuda demasiado a precisar en qué momento surge la idea del apócrifo, sino que nos oscurece una serie de conjeturas, como la de la posible influencia del Rafael de Unamuno en tal creación.

Acaso podríamos aventurar que el «yo filosófico» estaba ya muy claro en 1908, pero que aún no estaba perfilada la solución del complementario; no estaba claramente delineada, quizá.

El yo filosófico de Machado está, sin duda, expresado ya desde muy pronto. Lo hallamos —si no antes— por lo menos en 1907. Recordemos las tan conocidas *Coplas mundanas:*

> Poeta ayer, hoy triste y pobre
> filósofo trasnochado,
> tengo en monedas de cobre
> el oro de ayer cambiado.

(O. P. P., 122)

Filósofo, acaso en el sentido de hombre que sabe de la vida. Filósofo, con el significado que el pueblo español da al término. Mairena no está muy lejos de ello [40].

¿Soñó Machado en fecha tan temprana en crear un filósofo del sentido común, un Mairena? No, desde luego; pero lo que luego va a

---

[40] Estoy en desacuerdo con gran parte de la crítica que ha enjuiciado estos versos, y que ve en ellos una especie de actitud derrotista, una confesión de fracaso del poeta como poeta a partir de ese momento.

Creo que se suele olvidar la fecha en que las *Coplas mundanas* fueron escritas, 1907, es decir, mucho antes de que el poeta estudiase filosofía en serio.

Creo, desde luego, que cuando se llama aquí «filósofo» está utilizando la palabra en el sentido en que el pueblo español la emplea: hombre que sabe de la vida, hombre que saca su saber de la tradición popular, en la que se formó y de la que es parte.

Carlos Blanco Aguinaga ve en el adjetivo «trasnochado» un sentido literal, e interpreta «filósofo trasnochado» como «filósofo nocturno», podríamos decir. En las *Coplas mundanas* ve —y creo que así se pueden entender bien— que Machado siente que no es el «poeta de ayer», pero que va a ser otra cosa, otro poeta distinto. En efecto, después de 1907 aparece el poeta que ha de cantar a los hombres de España y aparece el poeta filósofo.

salir en ese personaje acaso esté ya en germen ahí, aunque no creo que la idea del apócrifo sea tan antigua, a pesar de las afirmaciones de Machado.

Habría mucho más que decir sobre estos dos heterónimos, pero no creo oportuno extenderme más sobre el tema.

Hay que añadir, sin embargo —y sirva, además, de resumen—, algo fundamental: Machado, Mairena y Martín se complementan. Son el poeta lírico —Antonio Machado—, el filósofo —Mairena— y el filósofo-poeta —Martín—. Tres facetas de una personalidad que, a pesar de saberse múltiple, siente su identidad: se sabe Machado no sólo creador de poesía y filosofía, sino también de poetas y filósofos.

Desde mucho antes de crear los apócrifos, había en Machado más de un poeta, y había, ya lo señalé, uno o varios filósofos.

Con ejemplos nada bien elegidos, en mi opinión, intentó Juan Ramón Jiménez demostrar algo sobre los distintos poetas que Antonio Machado llevaba dentro [41].

Ricardo Gullón ha defendido en repetidas ocasiones también una doble tendencia en Machado: el Machado intimista y el otro, el que canta con canto un tanto retórico y hasta demagógico —piensa Gullón— a veces...

Veo claramente esos dos que yo llamaría «el intimista» y «el social» [42]. Veo, además, el que comienza a expresarse en los «proverbios» y en los «cantares» de 1909 —un Machado profundamente preocupado por la filosofía, que no es lo mismo que rimador de filosofía—, que culmina en los *Cancioneros*, que escriben sus apócrifos Martín y Mairena... Y posiblemente, muchos Machados más.

Él, sin duda, intuía todo esto.

Podríamos pensar que «los otros» —poetas y filósofos— nacen, y existen durante mucho tiempo, sin que Machado sepa qué hacer con ellos. Sabe, acaso, que los tiene dentro; pero se firman «Antonio Machado» aun después de tener existencia propia esos «otros».

---

[41] *Tres poetas en Antonio Machado.*
[42] El término «social» podría ser sustituido por «comprometido» o «testimonial».

Creo que el problema de la personalidad múltiple lo siente, le bulle, desde siempre; nada tiene que ver con ella don Miguel; el maestro no sería, en este caso, «excitador», un «despertador» de problemas, como lo es en otros. Sin embargo, ¿no podría ser Unamuno, en esta ocasión —utilizando ese término tan de su gusto—, un «partero»?

Unamuno, en este caso, no pone problemas ante Machado: éste los traía de lejos, más o menos conscientemente. Sin embargo, acaso con el ejemplo del invento de esos personajes que crean su propia obra le ayuda a sacar a la luz algunos de los «yos» que el poeta desde siempre llevaba dentro, a sacarlos de sí, a «hacerlos».

CUARTA PARTE

OTRAS APROXIMACIONES

Capítulo I

APROXIMACIONES EN LA POÉTICA

Analizar a fondo la teoría poética de Antonio Machado y ver cómo lleva a la práctica esa teoría me parece un tema apasionante y digno de un largo estudio. No es mi intención el hacerlo en este momento. Varios críticos han hecho en ese campo valiosas aportaciones. Y, sin embargo, aún queda mucho por decir [1].

Las siguientes páginas tienen como objeto estudiar algunas posibles relaciones entre la poética de don Antonio y ciertas ideas expre-

---

[1] José María Valverde ha tratado el tema en varios ensayos (véase la bibliografía). Es, de hecho, uno de los críticos que más nos han ayudado a desentrañar la «palabra poética» de don Antonio.

Ramón de Zubiría dedica al tema un capítulo en *La poesía de Antonio Machado*. Igualmente S. Serrano Poncela en *Antonio Machado. Su mundo y su obra*.

Es fundamental el ensayo de Carlos Clavería, *Notas sobre la poética de Antonio Machado* (en *Cinco estudios de literatura española moderna*).

Alude Clavería, en una nota, a dos ideas de Unamuno que pueden haber influido en Machado: primera, definición de poesía como «eternización de la momentaneidad»; segunda, importancia que concede don Miguel a los «lugares comunes lógicos» y «lugares propios poéticos» y definición de ambos términos.

Relaciona también a los dos escritores al hablar de «poesía humana», definida por ambos, frente a «poesía pura».

Hace interesantes aportaciones al tema J. López Morillas en *Antonio Machado's temporal Interpretation of Poetry* (incluido, en español, en *Intelectuales y espirituales*).

Oreste Macrí, en su estudio introductorio a *Poesie di Antonio Machado*, hace importantes consideraciones.

En ciertos aspectos particulares relacionados con el mismo tema hay aportaciones de considerable importancia, como la de Carlos Bousoño, por ejemplo, al estudiar a fondo uno de los recursos más típicos de la poesía machadiana: el símbolo.

sadas por don Miguel de Unamuno que han podido, en alguna forma, estar presentes en la poética —y en la poesía— del llamado discípulo.

Tras bastantes años de inconcebible resistencia, el nombre de Unamuno ha llegado a ocupar un puesto de primera línea entre nuestros poetas del siglo XX. En mi opinión, es indiscutible que lo que él quiso ser ante todo, un poeta, llegó a serlo plenamente [2].

Es, además, junto con Machado, uno de los poetas que en la España de nuestro siglo más incansablemente medita sobre el tema de la poesía, y uno de los pocos que desarrollan una teoría poética.

La posibilidad de influencias unamunianas en la teoría y en la creación poética de Antonio Machado se ha señalado, muy de pasada, alguna vez.

Hace ya unos años, Gerardo Diego comentaba, no sin sorpresa, el hecho de que nada o muy poco se hubiese hablado del influjo espiritual y técnico del poeta Miguel de Unamuno en la poesía de nuestro tiempo. «Y, sin embargo —añadía—, este influjo es mucho más hondo de lo que pudiera pensarse, aunque haya sido un poco tardío.» Y continuaba: «El primer discípulo fue Antonio Machado. Él realizó, en rigor, el ideal poético de don Miguel» [3].

Dejando a un lado la última afirmación —con la que, personalmente, me hallaría de acuerdo, pero necesitaría una demostración que no me propongo llevar a cabo ahora—, podemos, efectivamente, ver en varios aspectos de la poética de Machado la impronta de don Miguel.

La admiración de Antonio Machado por el *poeta* Unamuno es obvia si creemos en la verdad de los comentarios que sobre la poesía de

---

De gran interés son también las observaciones de VICENTE GAOS en *Notas en torno a Antonio Machado*, ensayo incluido en *Temas y problemas de literatura española*.

[2] Después de muerto don Miguel, sobre su poesía se ha escrito bastante. Véanse, entre otros estudios, los que M. GARCÍA BLANCO le ha consagrado: *Don Miguel de Unamuno y sus poesías* y el «Prólogo» al t. XIII de *O. C.*

LUIS FELIPE VIVANCO se ocupó de la poesía de don Miguel ya en 1942, al publicar la *Antología poética;* vuelve a profundizar sobre lo mismo en la *Introducción a la poesía española contemporánea.*

Ha sido definitiva la aportación de FEDERICO DE ONÍS al editar el *Cancionero*, diario poético de don Miguel *(Cancionero. Diario poético*, Buenos Aires, 1953).

[3] *Presencia de Unamuno, poeta. Cisneros*, 1943.

don Miguel hallamos a través de la correspondencia del primero; no tenemos por qué dudar de ello, a pesar del punto de vista expresado por Juan Ramón Jiménez, a que aludí en las primeras páginas del presente estudio.

Es revelador, además, el que desde muy pronto el tema de la poesía se plantee en la correspondencia entre ambos escritores y que el joven poeta parezca buscar respuesta a una serie de dudas en las opiniones del «Sabio» y «Poeta» Unamuno.

Juan Ramón Jiménez dice de sí mismo y de Machado que aprendieron de Unamuno la «interiorización». Machado no fue un poeta «exterior», ni aun en sus primeros poemas; pero, indudablemente, en ellos aún no había hallado su «voz», y la buscaba. En esa búsqueda, ya se dijo, acaso el gran problema de don Miguel —que busca su voz porque busca su auténtico yo—, así como los consejos directos del Rector de Salamanca, hayan dejado huella en el joven poeta, aún poco seguro de sí mismo, hacia 1904. Pero me parece ver, sin embargo, en otros puntos clave de la poética de Machado influencias unamunianas más acusadas, influencias de fondo que acaso a primera vista no captemos.

Otro punto que creo interesante señalar es el siguiente: fuera de unos pocos apuntes de principios de siglo, Antonio Machado desarrolla su teoría poética —más concreta, más pensada, acaso, que la de Unamuno— en su madurez; la de Unamuno —invariable en sus puntos fundamentales, pero inconsistente, a través del tiempo, en los secundarios, como la importancia o no importancia de la rima, o de ciertas formas poéticas— surge en los primeros años de siglo. ¿Fueron aceptadas intuitivamente por Machado algunas tempranas ideas unamunianas antes de ser razonadas? ¿Es puramente casual que algunas reaparezcan en la poética machadiana unos veinte años más tarde? Me inclino a pensar lo primero. Es más: considero que nos hallamos ante uno de los aspectos en que la influencia de Unamuno en Machado es más clara. No creo necesario insistir en que el discípulo, en esto como en todo, acepta, de la poética de Unamuno, las ideas que están más cercanas a su ser, a su propia voz; y, una vez más, me parece que el discípulo concreta con mayor precisión que el maestro unos cuantos puntos que éste sugiere y no llega a desarrollar.

No intento exponer todas las ideas poéticas de Unamuno, que no se encierran, ni muchísimo menos, en su «credo poético», ni en sus ensayos sobre poesía, sino que están dispersas a través de toda su obra, y acaso más claramente expresadas que en sus escritos públicos en las cartas destinadas a sus numerosos corresponsales de ambos lados del Atlántico. Me limitaré a señalar algunos hilos que, sueltos por la obra de Unamuno, acaso en cierta forma ayuden a Machado a tejer sus claras y bien razonadas teorías.

Punto aparte sería el que deliberadamente soslayé: el demostrar que, en la práctica, acaso realizó Machado lo que Unamuno soñó. Es lo que Gerardo Diego afirma, como señalé. Quizá don Miguel lo pensaba cuando recitaba en voz alta algunos versos de su «poeta preferido».

Veo la presencia de Unamuno en la teoría poética de Machado en los aspectos a que a continuación haré referencia; no descarto la posibilidad de que existan otros puntos de aproximación; tampoco descarto el que se trate de puras coincidencias. Son los siguientes: 1.º, en la definición machadiana de poesía como «palabra en el tiempo», definición que, claro está, responde a una visión de la poesía; 2.º, en la aceptación de la primacía de la vida sobre el arte; 3.º, en la valoración del sentimiento sobre la razón, y 4.º, en la preferencia por la expresión directa, con el consiguiente rechazo de todo artificio innecesario. Punto y aparte merece otro tema en el que hallo cierta aproximación, limitada y casual: el concepto del poeta como representante del sentir común de un pueblo.

POESÍA, «PALABRA EN EL TIEMPO»

Así formulada, o con variantes, esta definición que Machado da de la poesía aparece más de una vez a través de su obra.

Mas no surge hasta muy tarde. Creo que es en unos versos de 1924 cuando la hallamos por vez primera:

> Ni mármol duro y eterno,
> ni música ni pintura,
> sino palabra en el tiempo.

(O. P. P., 286)

En 1917, en una nota sobre *Soledades*, escribe unas palabras que, en cierta forma, anticipan la definición de poesía. Unas palabras clave para entender su estética, y que muestran, además, una temprana preocupación por el problema. Hablando del libro de 1903 y de sus ideas de entonces, afirma: «Pensaba yo que el elemento poético no era la palabra por su valor fónico, ni el color, ni la línea, ni un complejo de sensaciones, sino una honda palpitación del espíritu; lo que pone el alma, si es que algo pone, a lo que dice, si es que algo dice, con voz propia en respuesta animada al contacto del mundo» *(O. P. P.,* 46-47).

Es, en parte, afirmación a una meditación acerca de la estética rubendariana, la cual —aun admirando profundamente a Rubén— declara haber rechazado siempre. Ya vimos algo de ello [4].

Más tarde hemos de hallar de nuevo, en prosa, la definición que en 1924 hallamos en verso [5]. En la *Poética* que figura en la Antología de Gerardo Diego (1931) afirma Machado que, como en los años del modernismo literario, los de su juventud, piensa que «la poesía es la palabra esencial en el tiempo».

Poco más tarde, en *Juan de Mairena,* al atacar la llamada «poesía pura», escribe: «Decíamos, en suma, cuánto es la poesía palabra en el tiempo y cómo el deber de un maestro de Poética consiste en enseñar a sus alumnos a reforzar la temporalidad de su verso» *(O. P. P.,* 374).

Y, refiriéndose a la poesía de Bécquer, dice de ella: «Es palabra en el tiempo» *(O. P. P.,* 494).

En alguna otra ocasión hallamos variantes: «Diálogo del hombre con su tiempo» es variante y, a la vez, explicación de «palabra en el tiempo». «La poesía es —decía Mairena— el diálogo del hombre, de un hombre con su tiempo». Ese diálogo, esa palabra es «lo que el poeta pretende eternizar sacándolo fuera del tiempo, labor difícil y que requiere mucho tiempo, casi todo el tiempo de que el poeta dispone. El poeta es un pescador, no de peces, sino de pescados vivos; entendámonos: de peces que puedan vivir después de pescados» *(O. P. P.,* 380).

---

[4] Véase el cap. I de la *Primera parte* del presente estudio.
[5] El poema a que me he referido es el titulado *De mi cartera,* último de *Nuevas canciones.* Como subtítulo llevaba estas palabras, que pretenden ser explicativas, y que se pierden al pasar a *Poesías completas: Apuntes de 1902.* Al pie, otra fecha: 1924.

Las frases citadas, envueltas en juegos de palabras y rodeadas de la típica ironía maireniana, están también expresadas en El «*arte poética*» *de Juan de Mairena*, escrito unos años antes: «Todas las artes —dice Juan de Mairena en la primera lección de su «Arte poética»— aspiran a productos permanentes, en realidad a frutos intemporales. Las llamadas artes del tiempo, como la música y la poesía, no son excepción. El poeta pretende, en efecto, que su obra trascienda de los momentos psíquicos en que es producida. Pero no olvidemos que precisamente es el tiempo (el tiempo vital del poeta, con su propia vibración) lo que el poeta pretende intemporalizar, digámoslo con toda pompa: eternizar» *(O. P. P.,* 315)[6].

En los apuntes del cuaderno de *Los complementarios* se conserva una nota que parece ser el germen de los párrafos hasta aquí citados: «Es evidente que la obra de arte aspira a un presente ideal, es decir, a lo intemporal. Pero esto de ninguna manera quiere decir que pueda excluirse el sentimiento de lo temporal en el arte. La lírica, por ejemplo, sin renunciar a su pretensión a lo intemporal, debe darnos la sensación estética del fluir del tiempo. Es precisamente el flujo del tiempo uno de los motivos líricos que la poesía trata de salvar del tiempo, que la poesía intenta intemporalizar» *(O. P. P.,* 703-704).

Aunque en cartas y artículos de principios de siglo hay una honda preocupación por la poesía, me parece que no es hasta alrededor de 1920, o quizá más tarde, cuando Machado llega a su concepción de una poesía cuyo gran problema es captar el tiempo —las cosas en el tiempo— y eternizarlo, y cuya definición es, en algunos momentos, «Diálogo del hombre con su tiempo», y, en forma más concisa, «palabra en el tiempo»[7].

Con gran frecuencia se ha mencionado el nombre de Henri Bergson en relación con la poética de Machado, sobre todo en lo que a la temporalidad se refiere. No niego lo que en ello pueda haber de cierto. Sin embargo, me parece que no se han tomado en cuenta, en este aspecto, algunas ideas de Unamuno que pueden haber influido en la concepción

---

[6] En los dos últimos párrafos citados, Machado, me parece, juega intencionadamente con el término *tiempo* y la idea de *temporalidad*.

[7] En la palabra *tiempo*, Machado deposita siempre una serie de significaciones, aprovechándose para ello de las múltiples que este término tiene en nuestra lengua y utilizándolo en forma en apariencia ambigua.

machadiana de la poesía como arte fundamentalmente «temporal» y como diálogo del hombre con su tiempo [8].

Unamuno sabía también —y lo había dicho ya desde principios de siglo— que la poesía —o, mejor, el poeta— pretende eternizar el momento, «pescar» la palabra que tiene un sentido en un determinado tiempo concreto, y eternizarla, viva.

En 1900, en el prólogo a *Estrofas* de Bernardo de Candamo hallamos unas palabras de Unamuno —que ha de repetir, con variantes, en unas cuantas ocasiones, posteriormente— que, de inmediato, nos hacen pensar en Machado: «Quien no tenga la intuición de la momentaneidad de todo lo vivo, no es verdadero artista», afirma don Miguel. Y concluye con esta definición: «El arte debe ser la eternización de lo momentáneo.» *(O. C.,* VII, 156.)

Un año más tarde, en un escrito que Antonio Machado debió de conocer muy bien, el prólogo a *Alma,* de Manuel Machado, repite casi las mismas palabras, refiriéndose esta vez no ya al arte en general, sino a la poesía en particular: «¿No es la poesía, en cierto respecto, la eternización de la momentaneidad?», se pregunta don Miguel *(O. C.,* VII, 200) [9].

Es la eternización de la momentaneidad lo que busca Machado a través de toda su poesía. No nos extraña, por tanto, que las ideas de Unamuno al respecto hayan influido en Machado joven en busca de explicación de todas las cosas. No nos extrañe tampoco que, cuando más tarde, y ya con pleno conocimiento y estudio, busque una definición a la poesía, su respuesta se acerque a la de Unamuno. La definición de Machado es tardía; la práctica —el intento de eternizar lo momentáneo— es una de las notas características de toda su obra poética, como lo es de toda gran poesía.

---

[8] Después de redactados los anteriores comentarios sobre la definición machadiana de poesía, en una segunda lectura de las notas, aún inéditas, de *Los complementarios* he visto la definición, en términos muy similares, seguida de la fecha 1915.

[9] Como señalé, ya apuntó ésta Clavería en *Op. cit.*

LA VIDA SOBRE EL ARTE

Unamuno y Machado coinciden en la insistencia en afirmar los valores vitales sobre los artísticos.

Machado, que se planteó la cuestión desde muy joven, dejó escritas varias páginas reveladoras. Una, de gran interés, no llegó a publicarse en vida del poeta; quedó en el cuaderno de *Los complementarios:* «En estas viejas ciudades de Castilla, abrumadas por la tradición, con una catedral gótica y veinte iglesias románicas, donde apenas encontráis rincón sin leyenda ni una casa sin escudo, lo bello es siempre, y no obstante —¡oh, poetas, hermanos míos!—, lo vivo actual, lo que no está escrito ni ha de escribirse nunca en piedra: desde los niños que juegan en las calles —niños del pueblo, dos veces infantiles— y las golondrinas que vuelan en torno de las torres, hasta las hierbas de las plazas y los musgos de los tejados» *(O. P. P.,* 728).

¿Pensó siempre así? Afirmaba yo al comienzo de estas páginas que, en su ferviente admiración por Unamuno, acaso exageraba un poco al declarar, en las cartas de principios de siglo, que gracias a don Miguel «había saltado las tapias de su corral» para poner la vista en los demás. Es —añadía yo— una admisión de influencia en algo decisivo: en una actitud vital que don Antonio ha de mantener en adelante siempre. Aun admitiendo que Machado exagere un poco, llevado por el entusiasmo, al hablar de lo que a Unamuno le debe en este sentido, no hay duda de que, en efecto, don Miguel, con su constante rechazo del «arte por el arte» tiene que haber influido considerablemente en su joven admirador.

Son muchas las manifestaciones que Unamuno hace en favor de la vida sobre el arte. Recojamos sólo unas palabras que hallamos en una de sus primeras obras, en *En torno al casticismo:* «Preferimos el arte a la vida, cuando la vida más oscura y humilde vale infinitamente más que la más grande obra de arte.» *(O. C.,* III, 188.)

En la carta abierta que se publicó en *Helios* con el título de «Vida y arte» —a la que anteriormente hice referencia—, Unamuno intenta y logra dejar claramente expresada su posición. Sus opiniones sobre arte —opuestas a todo aristocratismo e idea de superioridad del artista so-

Aproximaciones en la poética

bre los demás hombres, y del arte sobre la vida—, expuestas y comentadas en la carta al joven poeta Machado, es natural que hayan dejado en éste alguna huella.

La carta de Unamuno tiene algunas frases verdaderamente notables, y acaso lo más importante de ella sea precisamente la defensa de la vida sobre el arte y la condena del arte por el arte [10].

---

[10] A ella me referí y algo de ella he citado en el cap. I de la *Primera parte*. Doy a continuación algunos párrafos que considero de valor fundamental en relación con el tema de que me ocupo:

«Recorra, pues, la virgen selva española y rasque su costra y busque debajo de la sobrehaz calicostrada el agua que allí corre, agua de manantial soterraño. Huya sobre todo del «arte de arte», del arte de los artistas, hecho por ellos, para ellos solos. Es como cuando un pianista se presenta al público a tocar piezas difíciles, ejercicios de prestidigitación, virtuosidades en fin. Esto es un insulto. Y es un insulto al público darle redondelas, servenesios, madrigales, pastorales, cantigas o cualquier otra antigualla a la manera de éste o de aquél. Que no se vea en usted al profesional, por Dios; dé usted cosa sin mote y a la manera de usted. La profesión de poeta es una de las más odiosas que conozco, y en cuanto se hace de la poesía profesión, habría que obligar al poeta que fuese lo que en algunos apartados lugares entienden por tal nombre: calendarieros, esto es, el que hace juicios del año para los calendarios y los pone en coplas...» (véase la carta en el libro de MANUEL GARCÍA BLANCO *En torno a Unamuno*, págs. 277-281).

A la defensa de la vida sobre el arte, al rechazo del concepto de «arte por el arte», se une aquí una repulsa hacia el «profesional de la poesía». Tanto la carta de Machado que sirve de base a Unamuno para escribir esta carta abierta como otros escritos de este momento, el mencionado artículo sobre *Arias tristes*, por ejemplo, son testimonio de la honda preocupación de Machado por estos mismos problemas; en su diálogo con don Miguel parecería a veces que busca la confirmación de lo que piensa, que no es, desde luego, el común pensar de los poetas más prominentes de comienzos de siglo.

Sobre el «profesional de la poesía» ha de hablar Machado más tarde, en repetidas ocasiones, para atacarlo, tal como Unamuno hace esta y muchas otras veces. No sólo Unamuno, sino probablemente los maestros de la Institución, el ambiente familiar y, sobre todo, su conciencia de que se es hombre antes que poeta, hacen que Machado escriba frases como éstas, que están recogidas en el prólogo a *Helénicas*, de Manuel Hilario Ayuso: «Manuel Ayuso hace política y poesía. Ambas cosas son perfectamente compatibles. Me atreveré a decir más: ha sido casi siempre la poesía el arte que no puede convertirse en actividad única, en profesión. Un hombre consagrado a la veterinaria, a la esgrima o a la crematística me parece muy bien; un hombre consagrado a la poesía paréceme que no será nunca un poeta. Porque el poeta no sacará

EL SENTIMIENTO SOBRE LA RAZÓN

Es característica de toda la obra —y la vida— de Unamuno su lucha entre sentimiento y razón, su agonía entre «corazón» y «cabeza». No entraré en este tema, ya tocado antes, aunque un poco superficialmente.

Para Unamuno, la poesía es cordial: brota del sentimiento, no del intelecto.

Ya en 1905, en un artículo sobre Antonio de Trueba, el representante de lo que algún crítico llamó la «honrada poesía vascongada», hallamos estas palabras: «En poesía, lo fecundo es el sentimiento.»

Y antes aún, en su crítica a Calderón —en *En torno al casticismo*—, al señalar la marcada antítesis entre éste y Cervantes, ve en el casticismo intelectualizado, conceptualizado, de Calderón una falta de vida que hace de él un escritor sin atractivo, sin «realidad» para los lectores modernos: «Como las buriladas representaciones calderonianas no rompían su caparazón duro —escribe—, fue el poeta, no viéndolas en su nimbo, a buscarles alma al reino de los conceptos obtenidos por vía de remoción excluyente, a un idealismo disociativo, y no al fondo del mar lleno de vida, sino a un cielo frío y pétreo» *(O. P., III, 225)* [11].

---

nunca a la poesía de la poesía misma. Crear es sacar una cosa de otra, convertir una cosa en otra, y la materia sobre la cual se opera no puede ser la obra misma. Así, una abeja consagrada a la miel —y no a las flores— será más bien un zángano, y un hombre consagrado a la poesía, y no a las mil realidades de la vida, será el más grave enemigo de las musas» *(O. P. P., 798)*.

Las últimas frases nos recuerdan un breve «proverbio» posterior a este prólogo, que es de 1914. Me refiero a dos conocidos versos:

> Abejas, cantores,
> no a la miel, sino a las flores.
>
> *(O. P. P., 264)*

[11] Los puntos de vista de Unamuno sobre Calderón anticipan, en parte, algunas de las ideas de Machado en su crítica del barroco (véase especialmente *El «arte poética» de Juan de Mairena (O. P. P., 315-322)*. Creo que la crítica de Machado, más concisa, está mucho más razonada que la de Unamuno.

¿Podríamos asegurar que Machado sigue los pasos de Unamuno al afirmar que la función del intelecto no es cantar? No. Machado supo siempre que la poesía «brota del río», «brota del manantial sereno». Acaso lo intuyó desde muy joven; podríamos pensar que el pensamiento de Unamuno, en este punto también, vino en su juventud a respaldar su propio pensamiento. Luego, después de razonarlo, llega a verlo —muchos años más tarde— con una claridad notable y a exponerlo con mayor lógica que el propio Unamuno.

En su *Poética*, de 1931, escribe: «Entre tanto, se habla de un nuevo clasicismo, y hasta de una poesía del intelecto. El intelecto no ha cantado jamás, no es su misión. Sirve, no obstante, a la poesía señalándole el imperativo de su esencialidad. Porque tampoco hay poesía sin ideas, sin visiones de lo esencial. Pero las ideas del poeta no son categorías formales, cápsulas lógicas, sino directas intuiciones del ser que deviene, de su propio existir; son, pues, temporales, nunca elementos acrónicos existencialistas, en la cual el tiempo alcanza un valor absoluto. Inquietud, angustia, temores, resignación, esperanza, impaciencia que el poeta canta, son signos del tiempo, y, al par, revelaciones del ser en la conciencia humana» *(O. P. P.,* 50).

Lo que mueve a Machado, sin embargo, a hacer declaraciones tan concretas, tan definitivas, ante este punto —como ante algunos otros— son las tendencias que manifiestan algunos de los jóvenes poetas de la que llamamos generación de 1927. Y no sólo en esta página, sino en muchas otras reflexiones acerca de la poesía, surgidas en ese momento, criticando ciertas tendencias, ciertos estilos o ciertos poetas del pasado, lo que Machado hace en realidad es una crítica de la citada generación [12].

---

[12] Así, en la mencionada página, *El «arte poética» de Juan de Mairena* bajo la crítica al barroco caracteriza y critica claramente a la generación de 1927, y cuando critica a Góngora se refiere más bien a los «gongoristas». En otro momento —en un párrafo de *Juan de Mairena*— ha de decir claramente que, «aunque el gongorismo sea una estupidez, Góngora era un poeta; porque hay en su obra, en toda su obra, ráfagas de verdadera poesía. Con estas ráfagas por metro habéis de medirle» *(O. P. P.,* 509).

Las críticas a esa generación son, a veces, muy directas, como en la citada poética de 1931, en *¿Cómo veo la nueva juventud española?* (respuesta a una pregunta formulada por Giménez Caballero) y en el proyecto de discurso que tenía preparado para su entrada en la Academia Española.

PREFERENCIA POR LA EXPRESIÓN DIRECTA

La preferencia por la expresión directa, por la manera más sencilla de decir las cosas, y el consiguiente rechazo del artificio inútil, es idea muy antigua en la poética de Unamuno.

Surge en un principio, parece claro, como una reacción ante el modernismo rubendariano.

Como parte de esta reacción, junto con el rechazo de la dificultad inútil, el culto a lo difícil artificioso, viene el rechazo de cierta clase de rima que da a la poesía cualidades musicales que no hacen de ella necesariamente poesía. Los ataques a la musicalidad fácil, tamborilesca, son constantes a través de toda su obra.

Machado no llegó nunca a una actitud semejante a la de don Miguel, mas su rechazo de la «rima rica» y su preferencia por la «asonancia indefinida» son características de su poesía y de su poética.

Con frecuencia, a Machado le sirven de estímulo ciertos poetas o tendencias para elaborar sus propias ideas sobre poesía. De sus reflexiones sobre la llamada «poesía pura», por ejemplo, nace el rechazo total de ésta y la afirmación de que toda poesía auténtica —toda poesía que sea «palabra en el tiempo»— tiene que ser impura. Así, en uno de sus más importantes textos sobre poesía, *Reflexiones sobre la lírica* (1925), escribe: «La poesía pura, de que oigo hablar a críticos y poetas, podrá existir, pero yo no la conozco. Creo que más de una vez intentó el poeta algo parecido, y que siempre alcanzó a dar frutos del tiempo —ni siquiera los mejores—, recomendables a última hora por su impureza. Cuando se dice que para gustar la poesía de Dante es preciso eliminar cuanto puso en ella el escolástico, el gibelino y el hombre de una determinada historia pasional, se propone, a mi juicio, un absurdo tan grande como el de sostener que sin Dante mismo se hubiera podido escribir la *Comedia*. Creo también que lo peor para un poeta es meterse en casa con la perfección, la eternidad y el infinito. También el arte se ahoga en superlativos. Son musas estériles cuando se las confina entre cuatro paredes» (*O. P. P.*, 830-831).

Estas opiniones sobre la «poesía pura» están, desde luego, suscitadas por la pretensión de ciertos poetas de lograr tal poesía; mas no pensamos que se trate de ponerse en contra, sin más; la «poesía pura» es, en ese momento, un problema que Machado se plantea, y que, tras reflexiones, rechaza por estar tal concepto totalmente en contra de su visión «temporal» —en más de un sentido— de la poesía.

Aproximaciones en la poética

Convencido de que no sólo la poesía «sonora» es poesía, y que, por el contrario, con frecuencia no lo es, Unamuno trata de buscar otra clase de ritmo que se adapte más a su propio sentir, a su personalidad. Así, al descubrir que el ritmo de los *musings* ingleses le llega más profundamente que ningún otro y que sus «ideas-sentimientos» no encuentran patrón apropiado en los moldes tradicionales castellanos, intenta prescindir de éstos y buscar un cierto patrón en aquéllos. En verdad, don Miguel en algunas de sus obras poéticas —pensemos en las visiones rítmicas— es un creador de formas [13].

En el empleo de la rima rica, en el uso del verso complicado, ve Unamuno, además, un alarde; todo artificio buscado con el único propósito de vencerlo no pasa de ser un entretenimiento inútil.

Ya en 1892 había escrito: «Los tesoros de tierna poesía que atesoraba el alma de Juan Pablo Richter son perdidos por aquel prurito que le consumió siempre de decir las cosas de modo enrevesado y sibilítico, con recónditas alusiones a cosas poco conocidas y misteriosos logogrifos» *(O. C., XI, 698)*.

Y en un artículo claramente dirigido contra el modernismo rubendariano, el titulado *Turrieburnismo*, publicado en 1900: «Me ha hecho siempre mucha gracia todo eso de la «difícil facilidad» y de la dificultad vencida. No es raro que, al hablar un crítico de algún poeta que escribe en verso libre, diga que es muy cómodo eso de huir de la dificultad del consonante. Pero vengamos a cuentas: ¿para qué ha de creárselas uno? Porque eso de crearse dificultades para darse el gustazo de vencerlas no es más que un virtuosismo; es como esos *estudios* de piano en que hay que hacer una porción de sutilísimos ejercicios de prestidigitación. Ni eso es arte ni cosa que se le parezca. Y digan lo que quieran, no veo que el consonante sea una excelencia artística, sino más bien un elemento que recuerda al tamboril de los negros africanos.

---

[13] En una carta a Ruiz Contreras, en 1899, escribe Unamuno: «Porque venía observando ya de largo tiempo que bullían en mi espíritu ciertas ideas-sentimientos, flotantes entre la metafísica más vaporosa y la realidad más concreta; ciertas silenciosas melodías de ritmo «alógico», rebelde a mi prosa, algo angulosa y didáctica. Guardo, a la vez, reflexiones acerca de la Poesía meditativa, sugeridas por mis frecuentes lecturas de Leopardi, de Wordsworth, de Coleridge, y notas acerca de la forma poética poco amplia y de cadencias muy tamborilesca en castellano» *(O. C., XIII, 20)*.

Así se llega a los acrósticos, pentacrósticos, ovillejos y demás dificultades que vencer» *(O. C.,* V, 821).

Son muy frecuentes los ataques al exceso de ornamentación, que puede esconder el sentido verdadero de la «palabra idea»[14].

De 1913, muy posterior, por tanto, a las reflexiones sobre poesía de que acabo de ocuparme, es este comentario, sugerido por la sencillez de una obra arquitectónica: «Lo cual me sugirió una reflexión traslaticia o metafórica aplicada al arte de la poesía y, en general, a la literatura. Y es que así como en este genuino arte gótico de arquitectura se llegó a cubrir grandes espacios con poca piedra, sin más que tallarla y agruparla bien, así en la poesía ha de cubrirse o encerrarse el mayor espacio ideal, se ha de expresar el mayor contenido posible representativo, con el menor número de palabras, sin más que tallarlas o agruparlas bien. ¡Y cuán lejos de ello estamos en España! Nuestra poesía y nuestra literatura en general nada tienen de góticas en este sentido; son más bien platerescas, y aun barrocas, por el exceso de su ornamentación nada constructiva, y bajo la cual se pierde la línea. Pensamiento poético que, puesto en prosa, exija menos palabras que aquellas con que en verso lo expresó un poeta, podéis asegurar que éste lo expresó mal.» *(O. C.,* I, 671-672.)

Son varias las coincidencias que podemos hallar entre las citadas manifestaciones de Unamuno y algunos puntos fundamentales de la poética de Antonio Machado.

Sobre la rima no podríamos decir que tienen Unamuno y Machado la misma opinión: coinciden sólo en el rechazo del consonante[15].

Machado cree en la necesidad de la rima, pero de cierta rima. En el poema *De mi cartera* expresa su idea en las tres últimas partes:

---

[14] Por no tener relación directa con el tema concreto de este capítulo, paso por alto sobre una nota fundamental en la poética de Unamuno: la idea-poesía —que nada tiene que ver con poesía filosófica o filosofía poética—, que constituye el núcleo de su *Credo poético* (véase este poema en *O. C.,* XIII, 200-201).

[15] No olvidemos que Unamuno cambia de opinión después de la publicación de *Poesías* con respecto a la rima y a algunas formas poéticas de molde fijo, como el soneto.

V

Prefiero la rima pobre,
la asonancia indefinida.
Cuando nada cuenta el canto,
acaso huelga la rima.

VI

Verso libre, verso libre.
Líbrate mejor del verso
cuando te esclavice.

VII

La rima verbal y pobre
y temporal, es la rica.
El adjetivo y el nombre,
remansos del agua limpia,
son accidentes del verbo
en la gramática lírica
del Hoy que será Mañana,
del Ayer que es Todavía.

(O. P. P., 287)

Con una pequeña variante en el último verso [16], la última parte —desde el verso 3 en adelante— está recogida en el cuaderno de *Los complementarios*, incluida en una interesante nota sobre poética, fechada en 1914. Los versos van precedidos del siguiente comentario: «Bajo la abigarrada imaginería de los poetas novísimos se adivina un juego arbitrario de conceptos, no de intuiciones. Todo esto será muy nuevo (si lo es) y muy ingenioso, pero no es lírica. El más absurdo fetichismo en que puede incurrir un poeta es el culto a las metáforas.» Y seguidos de este otro: «Tal era mi estética en 1902. Nada tiene que ver con la poética de Verlaine. Se trataba sencillamente de poner la

---

[16] «... y el Ayer que es Todavía».

lírica dentro del tiempo y, en lo posible, fuera de lo espacial.» *(O. P. P., 713.)*

En El «*arte poética*» de *Juan de Mairena* hallamos en prosa, claramente pensadas y desarrolladas, las mismas ideas que en verso se apuntan, en las tres partes últimas de *De mi cartera*, acerca de la rima: «La rima —dice Mairena— es el encuentro más o menos reiterado de un sonido con el recuerdo de otro. Su monotonía es más aparente que real, porque son elementos distintos, acaso heterogéneos, sensación y recuerdo, los que en la rima se conjugan; con ellos estamos dentro y fuera de nosotros mismos. Es la rima un buen artificio, aunque no el único, para poner la palabra en el tiempo. Pero cuando la rima se complica con excesivos entrecruzamientos y se distancia, hasta tal punto que ya no se conjugan sensación y recuerdo, porque el recuerdo se ha extinguido cuando la sensación se repite, la rima es entonces un artificio superfluo. Y los que suprimen la rima —esa tardía invención de la métrica—, juzgándola innecesaria, suelen olvidar que lo esencial en ella es su función temporal, y que su ausencia los obliga a buscar algo que la sustituya; que la poesía lleva muchos siglos cabalgando sobre asonancias y consonancias, no por capricho de la incultura medieval, sino porque el sentimiento del tiempo, que algunos llaman impropiamente sensación de tiempo, no contiene otros elementos que los señalados en la rima: sensación y recuerdo. Mas en el verso barroco la rima tiene, en efecto, un carácter ornamental. Su primitiva misión de conjugar sensación y recuerdo, para crear así la emoción del tiempo, queda olvidada.» *(O. P. P., 319-320.)*

La preferencia por las formas sencillas está expresada en varios lugares de *Juan de Mairena*. En el capítulo en que hace referencia a Bécquer hallamos estas palabras, que son un eco de las escritas en los citados versos de 1924: «Recordemos hoy a Gustavo Adolfo, el de las rimas pobres, la asonancia indefinida y los cuatro verbos por cada adjetivo definidor.» *(O. P. P., 498.)*

La preferencia por la sencillez lleva a Machado, como a Unamuno, a condenar como absurda la preocupación de buscar lo difícil por la dificultad misma. Así, en *El «arte poética» de Juan de Mairena* condena al barroco «por su culto a lo difícil artificial y su ignorancia de las dificultades reales». «La dificultad no tiene por sí misma valor estético, ni de ninguna otra clase... Se aplaude con razón el acto de atacarla y vencerla; pero no es lícito crearla artificialmente para ufanarse de ella.» *(O. P. P., 320.)*

En un capítulo de *Juan de Mairena* se refiere de nuevo a las estrofas de artificio complicado, para compararlas con las sencillas, y pone de manifiesto la superioridad de éstas. Algunas de las frases e ideas aquí expresadas recuerdan los lejanos comentarios del Unamuno de principios de siglo. «La octavilla es composición de artificio complicado y trivial, con sus dos versos bobos —el primero y el quinto—, sus agudos obligados —en el cuarto y el octavo— y su consonancia cantarina y machacona. Es una estrofa de bazar de rimas hechas, que sólo en manos de un gran poeta puede trocarse en algo realmente lírico. Nosotros, meros aprendices de poetas, debemos elegir, para nuestros ejercicios de clases, formas sencillas y populares, que nos pongan de resalto cuanto hay de esencial en el arte métrica», decía Mairena a sus alumnos *(O. P. P., 374)*.

Una vez más habría que decir que preferencia por las rimas y las formas sencillas, rechazo de la idea de «crear dificultades para vencerlas», repudio del exceso de ornamentación, características típicas de la poesía de Machado y puntos sobre los que reflexiona en su poética, están ya en el Unamuno de principios de siglo. ¿Siguió Machado a Unamuno en esto? Una vez más es difícil dar una respuesta terminante.

Sin embargo, si tomamos en cuenta que hacia 1903, 1904, 1905... anda Machado en busca de una estética —no conforme con las ideas del modernismo rubendariano ni con las modas venidas de Francia, como él dice en más de una ocasión—, si consideramos que el tema de la poesía es uno de los favoritos en sus primeros diálogos epistolares con Unamuno, no sería difícil admitir que algunas ideas de la poética del maestro hayan dejado una huella en el joven poeta.

El poeta, representante del sentir común de un pueblo

Hay ciertas coincidencias en el concepto del poeta como representante del sentir común de un pueblo, y la idea de que el genio es, precisamente, el que mejor que ningún otro logra expresar ese común sentir, en opinión de Unamuno y Machado. No me atrevería, sin embargo, a señalar influencias.

Machado tuvo que haber aprendido desde niño lo que en el pueblo hay de poesía, y, desde que empezó a leer poesía, lo que de pueblo hay en ella. Recordemos —nos lo dice él mismo— que aprendió a leer en el Romancero general que compiló su buen tío don Agustín Durán, y que su padre era un profundo conocedor de los cantares del pueblo.

No es de extrañar, por tanto, que en sus últimos años, hablando de la relación entre poeta y pueblo, llegue a la siguiente conclusión: «Escribir para el pueblo —decía mi maestro—. ¡Qué más quisiera yo! Deseoso de escribir para el pueblo, aprendí de él cuanto pude, mucho menos, claro está, de lo que él sabe. Escribir para el pueblo es escribir para el hombre de nuestra raza, de nuestra tierra, de nuestra habla, tres cosas inagotables que no acabaremos nunca de conocer. Escribir para el pueblo es llamarse Cervantes, en España; Shakespeare, en Inglaterra; Tolstoy, en Rusia. Es el milagro de los genios de la palabra. Por eso yo no he pasado de folklorista, aprendiz, a mi modo, de saber popular. Siempre que advirtáis un tono seguro en mis palabras, pensad que os estoy enseñando algo que creo haber aprendido del pueblo.» *(O. P. P., 528.)*

Pero llega más lejos. En una variante del mismo tema afina aún más algunos conceptos, llegando a decir claramente que «día llegará en que escribir para el pueblo sea la más consciente y suprema aspiración del poeta» [17].

Estas páginas, nacidas durante los años de guerra, no son, desde luego, escritos de ocasión. Las ideas que aquí se expresan estaban ya dichas mucho antes. Bástenos revisar los puntos de vista de Machado sobre la «poesía pura», o sobre el poeta que se aísla de los demás seres para mejor contemplarse a sí mismo, para aceptar como auténticamente machadiana de siempre la citada afirmación de los últimos años.

En 1917, por citar sólo un ejemplo, en la nota preliminar a la sección *Campos de Castilla*, de *Obras completas*, declaraba ya su auténtica admiración por el pueblo y la ineludible necesidad que tiene el poeta de

---

[17] *Discurso sobre la difusión y defensa de la cultura* (Valencia, 1937). En *O. P. P.*, 659.

hacerse parte de él y cantar desde él; y hablando concretamente del poema *La tierra de Alvargonzález*, afirmaba: «Mis romances no emanan de las heroicas gestas, sino del pueblo que los compuso y de la tierra donde se cantaron.» *(O. P. P., 48.)*

Hay también en *Juan de Mairena* un buen número de párrafos cuyo contenido coincide con las anteriores afirmaciones.

No creo que la presencia de Unamuno se manifieste en este aspecto del pensamiento de Machado. La primera observación que cabría hacer es que entre lo que los dos escritores piensan sobre este punto hay notables diferencias. Diferencias que arrancan de distintas ideas sobre el que podríamos denominar, en términos generales, concepto de «pueblo»[18].

Pero concretándonos únicamente al tema de «el escritor y el pueblo» —y, más exactamente, «poeta y pueblo»—, hallamos muy pronto en la obra de Unamuno ciertas afirmaciones cercanas a las de Machado. Algunas merecen ser tomadas en cuenta.

Son interesantes estas frases de un artículo de 1905: «El genio es, en efecto, el que de puro personalidad se impersonaliza, el que llega a decir lo que piensan todos sin haber acertado a decir los que lo piensan. El genio es un pueblo individualizado. Y así como ha dicho un literato —me parece que fue Flaubert— que la perfección del estilo consiste en no tenerlo, y es indudable que el estilo, como el agua, es mejor cuanto a menos sepa, así la perfección del pensamiento y del sentimiento es no tenerlos, sino pensar y sentir lo que piensa y siente por dentro el pueblo que nos rodea y del que formamos parte»... *(O. C., III, 854.)*

Y éstas, de 1902: «El que consigue sentir y expresar como propios los grandes lugares comunes de la Humanidad, ése será el verdadero *poeta*, el verdadero creador, ya que entre los hombres crear se reduce a conservar o renovar. Cuando parecen languidecer y ajarse esos grandes y sencillísimos sentimientos comunes, viene el poeta y les infunde nuevo soplo al infundirles frescura de expresión.» *(O. C., VII, 187-188.)*

---

[18] ELÍAS DÍAZ, en *Op. cit.*, señala que la actitud de Unamuno hacia el pueblo tiene mucho de paternalismo y está cercana inclusive al tradicionalismo y al carlismo. Indudablemente, hay en ello mucha verdad, aunque don Miguel no lo admitiría jamás.

Hay, sin duda, en todo esto una concepción un tanto romántica del «espíritu del pueblo» y del poeta como intérprete de ese espíritu. La visión de Unamuno no aporta nada nuevo: es, a fin de cuentas, una idea muy siglo XIX. Don Miguel no va más allá en ese terreno, en el que, además de no avanzar, me parece que no profundiza.

En la obra de Machado, sin embargo, sentimos que se parte de ahí. Machado sabe y acepta estas ideas de Unamuno —y de toda una época—; ya señalé que no creo que las aprenda de don Miguel, pero es de suponer que las conociese. Mas va mucho más lejos don Antonio; va lejos al intentar penetrar —más aún por su poesía que con su teoría— en «lo elemental humano»; va lejos cuando se plantea y trata de responder al problema de la comunicación entre poeta y pueblo; va infinitamente lejos cuando, dándose cuenta de que «la lírica moderna... es acaso un lujo, un tanto abusivo, del hombre manchesteriano», inventa la curiosa «máquina de trovar» en espera de «nuevos poetas», que serán «los cantores de una nueva sentimentalidad»[19].

Veo en los aspectos analizados —aparte del último, como señalé— posibles influencias —o presencia, si se prefiere— de don Miguel de Unamuno en la poética de Machado; como dije también, no sólo en la poética, sino en la poesía misma. Y creo, como antes sugerí, que la poesía de Machado podría ser el logro de lo que Unamuno aspiraba a ser como poeta. Algunas ideas clave de la poética de Unamuno se hacen realidad en la poesía de don Antonio.

---

[19] Véase el curioso diálogo entre el apócrifo Mairena y el apócrifo del apócrifo, Jorge Meneses (*O. P. P.*, 324-328), en el que una vez más ataca Machado la posibilidad de una «lírica intelectual», en la que parece creer menos que en la «máquina de trovar» que inventa Meneses.

Tras las frases del «progresista» a ultranza que es Meneses se adivina una honda verdad que pone Antonio Machado, profundamente preocupado por el destino de la poesía lírica y consciente de la necesidad de hallar una expresión que lo sea a la vez de cada hombre y de todos los hombres.

Capítulo II

FORMULACIONES COMUNES

Incluyo bajo esta común denominación una serie de expresiones semejantes que hallamos a través de la obra de Unamuno y Machado; en la de aquél antes que en la de éste, en todos los casos que recuerdo.

Ello puede hacernos pensar, a primera vista, en términos de influencias. Como veremos, no es así. Se trata, a veces, de citas indirectas que, no por falta de indicar su procedencia, dejan de ser citas; otras veces, de pensamientos que Machado toma de Unamuno para meditarlos por su cuenta: la formulación expresiva coincide, en estos casos, con la de don Miguel; la conclusión puede ser radicalmente opuesta a la unamuniana.

Examinemos algunos ejemplos que considero muy representativos del punto que quiero exponer. No es mi intención, en este aspecto, agotar el tema.

Ver la cara de Dios

En 1923, Antonio Machado publicó en la revista madrileña *La Pluma* el poema *Iris de luna*, que ha de llamarse *Iris de la noche* al pasar, al año siguiente, a *Nuevas canciones*[1].

---

[1] *La Pluma*, año IV, núm. 32, enero 1923.
En las ediciones de *Poesías completas* constituye la parte última de la serie que figura bajo el título general de *Canciones de tierras altas* (núm. CLVIII). En *O. P. P.*, pág. 246.

Termina con estos versos:

> Y tú, Señor, por quien todos
> vemos, y que ves las almas,
> dinos si todos un día
> hemos de verte la cara [2].

Se trata, en este caso, de lo que he llamado cita indirecta, o, si se quiere, de una glosa a una frase que se repite insistentemente a través de toda la obra de Unamuno y que para éste —que la hace plenamente suya, aunque no la invente— está cargada de sentido, sentido que, como a continuación veremos, no es siempre el mismo: va evolucionando a través del tiempo.

Unamuno se refiere con frecuencia a la frase bíblica «quien ve a Dios se muere», frase que glosa y medita, transformándola. ¿Llegó directamente a través de la Biblia a preocuparse por esta terrible sentencia, o llegó a través de Kierkegaard?

En el ensayo *Ibsen y Kierkegaard*, de 1907, escribe don Miguel a propósito del ibseniano Brand: «Inés recuerda a Brand en el drama ibseniano aquellas terribles palabras bíblicas que Kierkegaard solía recordar, aquella sentencia de: quien ve a Dios se muere» (*O. C.*, IV, 427).

Un año antes, en *El pórtico del templo. Diálogo divagatorio entre Román y Sabino, dos amigos*, pone en boca del primero estas palabras, que se refieren a los intelectuales, eruditos y escritores ocupados por vivir ante los demás, y no por buscarse dentro de ellos mismos: «Su corazón está tan apegado a las chucherías de sus tiendas, está cada uno de ellos tan satisfecho de ser especialista en anillos o en pelotas, o en jabones de olor, o en pitos, o en libros de viejo, que no dejarán sus

---

[2] Como ya señaló R. Gullón, muchos años más tarde, en el último de los retratos que Juan Ramón Jiménez hizo de Antonio Machado, cita estos versos, acompañados de un impresionante comentario: «En la eternidad de esta mala guerra que tuvo comunicada a España de modo grande y terrible con la otra eternidad, Antonio Machado, con Miguel de Unamuno y Federico García Lorca, tan vivos en la muerte los tres, cada uno a su manera, se han ido, de diversa manera lamentable y hermosa también, a mirarle la cara a Dios» (*Relaciones entre Antonio Machado y Juan Ramón Jiménez*, pág. 21).

tiendas ni para entrar en el templo y ver la cara de Dios.» *(O. C., IV, 507-508.)*

Como se puede comprobar, para Unamuno, en este momento (1906), no tiene la frase el sentido «terrible de las palabras bíblicas» de la sentencia ibseniana, como dirá un año más tarde, refiriéndose a las que Inés repite a Brand.

De la reflexión de la sentencia bíblica, quizá leída primero, y repensada después a través de Ibsen, o de Kierkegaard, ha de llegar Unamuno a una bella reflexión propia: si quien ve a Dios se muere, morir es ver a Dios, es ver la cara de Dios. Y enlazando esta idea con otra muy suya, la muerte como desnacer, escribe en 1911: «Detrás nuestro va nuestro Dios empujándonos, y al morir, volviéndonos al pasado, hemos de verle la cara, que nos alumbra desde más allá de nuestro nacimiento.» *(O. C., I, 606.)*

En *Del sentimiento trágico de la vida* hallamos otra vez la frase, citada textualmente de la Biblia: «El que ve a Dios se muere, dice la Escritura», y, a continuación, la indicación exacta de su procedencia: *Jueces*, XIII, 22.

En 1922, en *La bienaventuranza de Don Quijote,* hallamos una variante. Se trata, por así decir, de una versión cristiana de la frase bíblica; es, al mismo tiempo, una concreción de lo que antes parecía don Miguel apuntar: Quien ve a Dios muere, pero el que muere puede mirar cara a cara a Dios, al Dios cristiano, a Cristo. Escribe: «Se le apareció Jesucristo (a don Quijote)... y el Caballero, que, como buen cristiano viejo y a la española, creía a pies juntillos que el Cristo era Dios y había oído aquello de que quien ve a Dios se muere, se dijo: "Pues que veo a mi Dios, verdaderamente me he muerto." Y al saberse ya muerto, del todo muerto, perdió todo el temor y miró cara a cara, ojos a ojos, a Jesús. Y apenas vio sino una sonrisa melancólica, una sonrisa que era como la de un cielo cuajado de estrellas, y unos ojos celestes, y una mirada como la del cielo. Y el Caballero se sentía llevar, como volando a ras del cielo, hacia el Redentor.» *(O. C., V, 779.)*

Unamuno repite la sentencia, con innumerables variantes, muchas veces. No es preciso seguir insistiendo sobre ello. Hay, sin embargo, una ocasión que no quiero dejar de señalar, porque es probable que se trate del punto de partida de la cita de Machado. Me refiero a

El Cristo de Velázquez, cuya fecha de publicación es bastante cercana al poema *Iris de luna.*

En el fragmento «Águila», de *El Cristo de Velázquez,* hallamos estos versos:

> ... Que las lechuzas
> de Minerva, que no ven más que a oscuras,
> pues las deslumbra el mediodía, busquen
> en la noche su presa. No lechuzas,
> águilas nuestras almas, que muriendo
> vivan por ver la cara a Dios. ¡Mirada
> damos de pura fe, que la mirada
> resista de los ojos deslumbrantes
> de la Verdad, del Sol que no se extingue,
> de la cara de Dios que nos da vida
> cuando con su mirar muerte nos da!
>
> *(O. C.,* XIII, 686)

Y el final de la «Oración final», que es el final del poema:

> ... ¡Dame,
> Señor, que cuando al fin vaya rendido
> a salir de esta noche tenebrosa
> en que, soñando, el corazón se acorcha,
> me entre en el claro día que no acaba,
> fijos mis ojos en tu blanco cuerpo,
> Hijo del Hombre, Humanidad completa,
> en la increada luz que nunca muere;
> ¡mis ojos fijos en tus ojos, Cristo,
> mi mirada anegada en ti, Señor!
>
> *(O. C.,* XIII, 800-801)

Señalé ya que, en lo que se refiere a la búsqueda de Dios, la influencia de Unamuno en Machado se limita a un corto período de tiempo y a unos pocos poemas. En 1923 ya no existe, desde luego. En los citados cuatro versos finales de *Iris de luna* no creo esté planteado el problema de Dios; mejor dicho: del Dios cristiano-unamuniano de los años de Baeza. Está, desde luego, la pregunta por la inmortalidad. Quizá en estos años, en que el poeta se está forjando la idea del Dios creador de la Nada, hay algún momento en que piensa en la posibilidad de ver —en alguna forma— la cara de Dios, es decir, de no morir del todo.

Pero, en mi opinión, se trata más bien de una añoranza que de una esperanza. Un deseo momentáneo de que tras la muerte veamos algo más, algo que llene los rostros vacíos de los que contemplan el iris de luna, un maravilloso iris de luna, a través de los cristales. Un «fenómeno natural» que parece un milagro de la Naturaleza, y que acaso por un momento le hace pensar en la posibilidad de ver lo que está más allá de lo que vemos todos los días[3].

Quedaría por aclarar si la frase unamuniana vino inconsciente o conscientemente. Mas no importa. Es indudable que, si no surgió como recuerdo consciente, don Antonio tuvo que darse cuenta muy pronto del parentesco; así quiso dejárnosla, acaso como otro homenaje más a don Miguel.

«NADA SE PIERDE»

La ley científica de la conservación de la materia y energía nos dice que «nada se pierde», lo que hay es cambio, transformación de la materia en energía, y viceversa.

Es curioso observar lo mucho que Unamuno reflexionó acerca de tal teoría, y las interpretaciones diversas que intenta darle en distintos momentos de su vida.

Aun sin detenernos en ello demasiado, notamos que, desde las obras de alrededor de 1900 —o anteriores— hasta el 1912, aproximadamente, con frecuencia hace reflexiones sobre la teoría, para rechazarla indignado unas veces, o para reinterpretarla y hacerla parte de su cosmovisión otras. El hecho de que los átomos que integran la materia de nuestro

---

[3] En una carta a Guiomar hace Machado alusión a este espectáculo: «En esa sierra he visto yo una noche un iris de luna, antes de conocerte, volviendo de Segovia. ¿Lo has visto tú alguna vez? Es mucho más delicado que el iris de sol. Y no es una invención romántica, sino un fenómeno natural que pocos observan. El de aquella noche, una noche de abril con luna llena, era magnífico. A él aludo en una composición de *Nuevas canciones*» *(O. P. P., 937)*.

cuerpo pasen a formar parte de un algo material distinto o se conviertan en energía no es un gran consuelo, a veces, para don Miguel. Por eso, en 1908, en *Escepticismo fanático,* escribe: «Tropieza usted con uno de esos formidables desilusionados y se encuentra con que ellos saben a ciencia cierta, y sin que quepa duda alguna, que al morirnos nos morimos del todo y que todo eso de que haya, en una u otra forma, otra vida no es más que invención de curas, mujerucas y espíritus apocados. Y luego, para consolarle, le salen a usted con aquello de que nada se pierde, sino que se conserva todo, transformándose; que los átomos —hablan de ellos como si los hubieran visto— de nuestro cuerpo van a formar otros cuerpos; que nuestras acciones repercuten y qué sé yo cuántas amenidades más que nos consuelan tanto como consoló a los tísicos el descubrimiento del bacilo de la tuberculosis.» *(O. C.,* IV, 534) [4].

Sin embargo, en algún ensayo —como «¡Adentro»!, de 1900— y en algún cuento de principios de siglo —pienso concretamente en *El maestro de Carrasqueda* (1903)— había él mismo afirmado que todas nuestras acciones quedan y repercuten en los demás.

En *Amor y pedagogía* habla, al menos en dos ocasiones, de la misma ley. Hay un momento en que entre Apolodoro y don Fulgencio se desarrolla el siguiente diálogo:

«—Tú sabes que nada se pierde... —dice don Fulgencio.

—Ley de conservación de la energía..., transformación de las fuerzas... —murmura Apolodoro.

—Nada se pierde: ni materia, ni energía, ni movimiento, ni forma. Cuantas impresiones hieren nuestro cerebro quedan en él registradas, y aunque las olvidemos, y aun cuando al recibirlas no nos hubiéramos de ellas dado cuenta, allí quedan, como en toda pared quedan las huellas que las sombras todas pasajeras sobre ella proyectaran una vez. Lo que falta es un reactivo bastante poderoso para provocarlas. Todo cuanto nos entra por los sentidos en nosotros queda. En el insondable mar de

---

[4] En uno de los artículos de *Contra esto y aquello,* las expresiones son aún más fuertes: «Lo que hay que hacer es sacar de la desesperación misma esperanza, y mandar a paseo a todos esos estúpidos cientificistas que os vienen con la cantilena de que nada se aniquila, sino que todo se transforma, de que hay un progreso para la especie, y otras necedades por el estilo» *(O. C.,* IV, 764).

lo subconsciente: allí vive el mundo todo, allí todo el pasado, allí están también nuestros padres, y los padres de nuestros padres, y los padres de éstos en inacabable serie...» *(O. C., II, 545.)*

Es un intento, me parece, de interpretar la teoría. Un intento que Unamuno, por medio de ese filósofo extraño que, según se va desarrollando ante nosotros, nos hace cambiar la opinión que de él nos habíamos hecho al principio, imagina en serio, a pesar del tono irónico de las primeras frases.

La idea, que ya desde principios de siglo le inquietó y a la que ya desde entonces pretendió hallarle un sentido que trascendiese al meramente físico, sigue, con su formulación definitiva —«nada se pierde»—, martillándole insistentemente.

En un escrito muy personal de 1912 leemos: «Y de todo esto —me decía luego— ¿qué me queda?, ¿qué les queda a los demás? ¡Oh, no, no, no! ¡Nada se pierde, ni el azar en el mar! ¡Algo queda de todo lo que pasa! ¡Doce años haciéndome un alma! ¡Y siempre el alma por hacer!» *(O. C., X, 239.)*

Es en *Del sentimiento trágico de la vida* donde más a fondo intenta penetrar en la raíz de la teoría y analizarla cuidadosamente. La conclusión —podríamos decir— a que llega es que hay que admitir la teoría física de la conservación de la materia y energía, pero entonces ¿por qué no creer también en la conservación de la forma? Y lo que don Fulgencio insinuaba algunos años atrás se postula ahora, no ya como hipótesis esbozada por el personaje creado, sino como importante punto de la filosofía de Unamuno: «Dicen los físicos que no se pierde un solo pedacito de materia ni un solo golpecito de fuerza, sino que uno y otro se transforman y transmiten persistiendo. ¿Y es que se pierde acaso forma alguna por huidera que sea? Hay que creer —¡creerlo y esperarlo!— que tampoco, que en alguna parte queda archivada y perpetuada, que hay un espejo de eternidad en que se suman, sin perderse unas en otras, las imágenes todas que desfilan por el tiempo. Toda impresión que me llega queda en mi cerebro almacenada, aunque sea tan hondo y con tan poca fuerza que se hunda en lo profundo de mi subsconsciencia; pero desde allí anima mi vida, y, si mi espíritu todo, si el contenido total de mi alma se me hiciera consciente, resurgirían todas las fugitivas impresiones olvidadas no bien percibidas, y aun las que me pasaron inadvertidas. Llevo dentro de mí todo cuanto ante mí desfiló, y conmigo lo perpetúo, y acaso va todo ello en mis gérmenes, y viven en mí mis antepasados todos por entero, y vivirán juntamente conmigo, en mis descendientes...» *(O. C.,* XVI, 328-329) [5].

Alguna vez Antonio Machado hace referencia a la teoría a través de su obra en prosa. En una ocasión, al menos, surge, comentada, en versos.

Podría ser casual la aparición de los poemitas a que pronto haré referencia en *Proverbios y cantares, Poesías completas,* 1917, pero el hecho de haber sido escritos en 1913 puede hacernos pensar que se trata de una glosa a la versión unamuniana de la teoría, más que a la teoría en sí:

> ¿Dices que nada se pierde?
> Si esta copa de cristal
> se me rompe, nunca en ella
> beberé, nunca jamás.

(O. P. P., 207)

Se trata de una «forma» —la copa— relacionada con un «acto único» e irrepetible. Un tiempo, un instante que, si no se eterniza, es irrecuperable, se pierde.

Profundizando más aún por las mismas vías, hallamos a continuación del anterior esta nueva variante sobre el tema:

> Dices que nada se pierde,
> y acaso dices verdad;
> pero todo lo perdemos
> y todo nos perderá.

(O. P. P., 207)

---

[5] Comentando este párrafo, dice Laín Entralgo: «Recoge Unamuno la doctrina de la subconciencia, tópica ya cuando él escribía, mas no sin radicalizarla metafísicamente, porque la amplía a toda posible experiencia y la refiere al «espejo de eternidad» que hay en el fondo de nuestro espíritu» *(La espera y la esperanza,* pág. 400).

Formulaciones comunes 341

Afirmación, acaso, de la teoría científica, pero nada más. Nada *se* pierde, con ese impersonal que queda un poco fuera. Porque, en relación a nosotros, *todo* —lo que es algo para nosotros— se pierde, y nosotros *nos perdemos* de ese todo dentro del que significamos algo.

Repito que me parece ver en estos cantares una glosa o comentario a Unamuno más que a la teoría de la conservación de la materia y energía en sí. Y es curioso notar el desengañado y dolorido pesimismo de Machado poniendo una nota de amargura en la versión, que pretende ser esperanzada, de Unamuno. Recordemos, sin embargo, que a pesar de su fe —fe en muchas cosas, y, sobre todo, en el hombre—, que mantiene vivo su espíritu hasta el final, don Antonio lleva dentro —sin gritarla nunca— toda la trágica angustia de su viejo pueblo, muy bien reflejada en los dos citados cantares.

«TODO PASA Y TODO QUEDA»

Tras los dos cantares de Machado que acabo de comentar, viene el siguiente, en *Poesías completas:*

> Todo pasa y todo queda;
> pero lo nuestro es pasar,
> pasar haciendo caminos,
> caminos sobre la mar.

(O. P. P., 207)

No me propongo hablar ahora de los dos símbolos, tan machadianos, del mar y del camino. Del primero ya dije algo en un capítulo anterior; sobre el camino volveremos, aunque no nos detengamos demasiado en él, ya que ello no constituye nuestro tema de estudio; además, ha sido analizado cuidadosamente en más de una ocasión [6].

Es el «todo pasa y todo queda», el primer verso, lo que aquí quiero destacar, porque creo que se trata de una de esas expresiones que pueden arrancar directamente de alguna frase unamuniana.

A lo largo de toda la obra de Unamuno, la oposición entre los contrarios es patente. Ya se habló de ello antes.

---

[6] Véase nota 23 del cap. II de la *Segunda parte* del presente estudio.

La oposición entre los contrarios «tiempo» y «eternidad», «cambio» y «permanencia», encuentra a veces plena expresión en los verbos «pasar» y «quedar». Lo que pasa y lo que queda, y la unión —y confusión— entre eso que pasa y queda, y entre el pasar y el quedar, es constante en la obra unamuniana.

Carlos Blanco Aguinaga, que ha estudiado bien ese punto, ve en el mar, y, acaso mejor expresado aún, en el río, dos símbolos mediante los cuales Unamuno logró explicarnos y, sobre todo, explicarse esta constante lucha de los contrarios y este pasar y quedar al mismo tiempo. Es, acaso, la lección de la naturaleza la que le enseña una de sus más originales e interesantes teorías: el concepto de intrahistoria —lo que queda— opuesto al de la historia —lo que pasa— [7].

Me interesa señalar en uno de los ensayos de *En torno al casticismo* estas palabras relacionadas con el concepto de tradición: «Pero *lo que pasa queda*, porque hay algo que sirve de sustento al perpetuo flujo de las cosas»... *(O. C.*, III, 184). He subrayado una frase, «Lo que pasa queda», porque, repetida —que yo sepa, desde ese momento, y puede ser que antes aún— en diversas ocasiones a través de toda la obra de don Miguel, puede ser el punto de partida —consciente o inconsciente: me inclino a pensar lo primero— del poemita de don Antonio.

En *El maestro de Carrasqueda* dice éste al morir, dirigiéndose a Ramonete, su discípulo predilecto: «Nada muere, todo baja del río del tiempo al mar de la eternidad y allí queda..., el universo es un vasto fonógrafo y una vasta placa en que queda todo sonido que murió y toda figura que pasó...» *(O. C.*, IX, 187.) Dentro de la cosmovisión unamuniana, esto, así expresado, guarda estrecha relación con el «nada se pierde», comentado en la parte anterior. La idea del algo que queda de todo lo que pasa, que acaso vislumbró al contemplar el pasar del río, o el pasar de las olas del mar, puede haber dado origen a la comprensión y adaptación *sui géneris* a que llega de la teoría de la conservación de la materia y energía.

En un párrafo que unas páginas más atrás destaqué, sin comentario, hallamos juntas las dos ideas otra vez, y muy enlazadas, confundidas casi: «Nada se pierde, ni el azar sobre el mar. ¡Algo queda de todo

---

[7] Véase *Op. cit.*, cap. VI especialmente.

lo que pasa!»[8]. En este párrafo de 1912, en el que deliberadamente no me detuve antes, hallamos las frases-tema, «nada se pierde» y «algo queda de todo lo que pasa», en el mismo orden en que van a aparecer en los tres cantares de Machado que cité en esta parte y en la precedente: XLII, XLIII y XLIV de *Proverbios y cantares* (núm. CXXXVI en *Poesías completas*)[9].

Dije antes que los dos primeros cantares podrían ser una respuesta negativa a la afirmación expresada por Unamuno en *Del sentimiento trágico de la vida*. Mas acaso sea en exceso arriesgado el pretender determinar con exactitud qué texto concreto de Unamuno promueve la respuesta de Machado, aceptando, para comenzar, que se trate de tal respuesta. Las frases de *Días de limpieza* citadas en el párrafo anterior podrían ser, igualmente, el punto de partida de los que considero comentarios muy conscientes a dos interesantes ideas unamunianas.

«SE HACE CAMINO AL ANDAR»

La idea de que cada hombre ha de seguir su propia ruta, haciéndosela con sus propios pies, de que no hay una órbita señalada, y sí una serie de posibilidades que se van cerrando a medida que vamos eligiendo —haciendo el camino—, surge muy pronto en la obra de Unamuno. En 1900 escribe: «Te repito que no hace el plan a la vida, sino que ésta se lo traza a sí misma, viviendo. ¿Fijarte un camino? El espacio que recorras será tu camino; no te hagas, como planeta en su órbita, siervo de una trayectoria.» *(O. C.,* III, 420.)

Podríamos hallar muchos ejemplos más, pero me parece innecesario. Me limitaré a transcribir unas líneas de 1911 que considero de interés definitivo para nuestro estudio: «Hay quienes creen que la Humanidad sigue una órbita fija, la del progreso... Pero hay también quienes no creemos en semejante progreso *ni en más caminos que el que uno hace con los pies al andar.» (O. C.,* XI, 179-180. El subrayado es mío.)

---

[8] Véase el párrafo completo en la pág. 339.

Pertenece al corto pero importante escrito titulado *Días de limpieza,* que se publicó en *La Nación,* de Buenos Aires, el 24 de enero de 1913.

[9] Se publicaron los tres, en el mismo orden, en *La Lectura,* en 1913.

En uno de los poemas incluidos en *Proverbios y cantares* (número CXXXVI de *Poesías completas*), Machado toma casi al pie de la letra las palabras unamunianas que subrayé, como base de un verso que será el eje central del poema:

> Caminante, son tus huellas
> el camino, y nada más;
> caminante, no hay camino,
> se hace camino al andar.
> Al andar se hace camino,
> y al volver la vista atrás
> se ve la senda que nunca
> se ha de volver a pisar.
> Caminante, no hay camino,
> sino estelas en la mar.
>
> *(O. P. P., 203)* [10]

La relación entre este poema y la idea unamuniana de hacer nuestro camino ya la vio Ricardo Gullón, que la compara con unas frases que en *Niebla* dirige Augusto Pérez a Orfeo, su perro y confidente: «Caminamos, Orfeo mío, por una selva enmarañada y bravía, sin senderos. El sendero nos lo hacemos con los pies, según caminamos a la ventura» [11].

El camino, como señalé, es uno de los elementos simbólicos más persistentes a través de toda la obra machadiana; y no le viene, ciertamente, a Machado de Unamuno. Hay en los citados versos una coincidencia —posiblemente intencionada— en una fórmula expresiva. Si tenemos en cuenta tanto las frases señaladas en el texto unamuniano de 1911 como las palabras de *Niebla*, podemos pensar que alguna de ellas es el punto de arranque del verso de Machado que sirve de eje central del poema.

La coincidencia expresiva responde, en este caso, a una coincidencia de pensamiento: tanto Unamuno como Machado creen que el hombre

---

[10] Es el núm. XXIX de *Proverbios y cantares*.
[11] *Autobiografías de Unamuno*, pág. 102.

se va abriendo su propio camino al vivir, y, por añadidura, que no hay forma de eludir la responsabilidad de abrirlo, de hacerlo [12].

Desde sus primeros versos, Machado había empleado expresiones muy similares al verso que ahora comento. Y aunque «el camino», «el caminar» o «el hacer camino» no tienen siempre en su lírica el mismo valor simbólico —o, por mejor decir, tienen diversas posibilidades simbólicas—, en algunas ocasiones podemos captar significaciones muy semejantes a las que hallamos en el citado verso. Por ejemplo:

> Yo iba haciendo mi camino
> absorto en el solitario crepúsculo vespertino...
>
> *(O. P. P., 66)*

> Amargo caminar, porque el camino
> pesa en el corazón.
>
> *(O. P. P., 113)*

Pesa, amargamente, ese camino que se hace al andar, sin que podamos dejar de hacerlo.

Y más tarde, en poemas de la época de «Caminante, son tus huellas...», aproximadamente, el caminar —o andar— con el doble simbolismo, el de andar materialmente y el de hacer camino, es decir, vivir, son frecuentes:

> Caminos de los campos...
> ¡Ay, ya no puedo caminar con ella!
>
> *(O. P. P., 176)*

---

[12] Sobre la obligación de abrirnos nuestro propio camino hallamos un texto de Unamuno que no quiero pasar por alto. Se trata de un escrito de 1917, *Recuerdo de don Francisco Giner:* «¡Oh, a cuántos no les enseñó que, echando a andar por el desierto, derecho, hacia la estrella que tomamos por Dulcinea celeste, se hace con los pies, y según se anda, el sendero del destino» *(O. C., V, 430).*

Y ahora podríamos preguntarnos: ¿aprenderían de Giner tanto Unamuno como Machado que al andar se hace el camino? ¿Emplearía el maestro esta expresión, o alguna parecida, de la cual podrían haber salido las palabras de Unamuno y de Machado? Es una posibilidad que no hay que descartar.

> ... voy caminando solo,
> triste, cansado, pensativo y viejo.
>
> *(O. P. P.,* 177) [13]

Creo que hay, por tanto, una coincidencia expresiva, ya lo dije, que responde a una coincidencia de pensamiento entre Unamuno y Machado cuando identifican «vivir» con «hacer camino» o «caminar». Mas en esta ocasión —en el poema que aquí he comentado— podríamos sacar la impresión de que Unamuno le replantea a Machado un problema —ya muy tratado por el poeta— al ponerlo en palabras que éste parece recoger y glosar.

Hay, sin embargo, algo que pone una nota diferenciadora en el poema de Machado, y que captamos de inmediato al compararlo con las frases de Unamuno recogidas antes: en todos los casos en que Unamuno señala que hacemos nuestro camino al andar, tenemos la sensación de caminar sobre la tierra, o por la selva, o por el desierto... En el poema de Machado —en este de que ahora hablo, no en otros—, el camino que al andar hicimos se reduce a «estelas en el mar». La idea es más compleja —más poéticamente compleja— que la de abrir caminos sobre la tierra. El símbolo de «hacer camino al andar» se enriquece con todas las posibilidades que hemos visto encerradas en los mares de la poesía de Antonio Machado.

La idea de caminar sobre el mar no aparece por vez primera en el poema que comento. En otro de estos *Proverbios y cantares* —el número II, que se publicó algunos años antes, en 1909— la hallamos ya:

> ¿Para qué llamar caminos
> a los surcos del azar?...
> Todo el que camina anda,
> como Jesús, sobre el mar.

---

[13] En los tres últimos ejemplos se emplea el verbo «caminar», no «andar». Mas me parece que así como en el caso de otros verbos que suelen emplearse como sinónimos —*ver* y *mirar*, por ejemplo— Machado establece una clara diferencia, no la establece entre *andar* y *caminar*, o al menos en varias ocasiones los emplea indistintamente.

No son caminos elegidos aquellos que, por así decir, surgieron, se presentaron ante quien no tiene capacidad, o voluntad, para elegir. El caminante —ese «caminante» tan machadiano, de siempre— es el ser consciente, el que sabe que tiene que hacerse su propio camino. Y hacerlo con la fe de Cristo, que dominó el inmenso, desconocido océano, pisando lo nunca pisado [14]. De esos pasos ¿qué queda? Estelas en el mar, dirá más tarde el poeta. Estelas que desaparecerán. Pero lo que importa es haber caminado con fe, dominando las aguas. ¿Qué más da si los caminos se cierran tras nosotros? Otros los abrirán de nuevo [15].

---

[14] A este cantar me referí ya en un capítulo anterior, y señalé una importante variante que aparecía en la versión de 1909.
Debió impresionar mucho a Unamuno este poemita, que comenta en su artículo sobre *Campos de Castilla*. En la frase «nada se pierde, ni el azar en el mar», perteneciente a un ensayo fechado en Salamanca, diciembre 1912, al cual me referí anteriormente —escrito, como se ve por la fecha, muy pocos meses después que el artículo sobre *Campos de Castilla,* en que menciona don Miguel el poema de Machado—, captamos como una resonancia de «surcos del azar» y «andar sobre el mar», o simplemente la resonancia de la rima azar-mar, como si quedase vibrando en su subconsciente y saliese a flote unos meses después, olvidado ya el cantar de Machado.

[15] Acaso cabría aquí el referirme a una frase que Machado, por boca de Mairena, calca, con pleno conocimiento de causa, de Unamuno.
En una de sus charlas con sus discípulos declara Mairena: «Perdonad que me cite y proponga como ejemplo: no encuentro otro más a mano» *(O. P. P.,* 551).
Sería labor innecesaria el reproducir aquí la frase que tantas y tantas veces repite Unamuno, quizá con alguna variante mínima; acaso podríamos, en algún lugar, hallar alguna formulación exactamente igual a la de Mairena. Tanto la idea como la forma de expresarla son tan unamunianas que muchos recuerdan alguna variante de la frase como parte del anecdotario del escritor.
¿Por qué Machado —o, mejor dicho, Mairena— repite la frase?
Si no se tratase de Unamuno, casi, casi podríamos pensar que el irónico profesor de «Retórica» ironiza un poco al repetir la frase unamuniana. Dada, sin embargo, la profunda admiración de don Antonio por don Miguel, parece improbable esta interpretación. Acaso podríamos verla como una aceptación, por parte de Mairena —que es y no es Machado—, de una aseveración con la que estaba en perfecto acuerdo.

PALABRAS FINALES

Cada uno de los temas que integran los capítulos del presente ensayo lleva al final su conclusión. Creo que sería una repetición innecesaria e inútil el volver a enumerar aquí, una tras otra, las numerosas conclusiones a que he llegado; creo, asimismo, que el lector puede haber visto muchas otras cosas no previstas por mí.

A continuación, sin embargo, y a manera de epílogo, doy un breve resumen de los puntos que considero de mayor interés en las páginas que preceden:

1.º Que una cierta influencia de Miguel de Unamuno en Antonio Machado —que yo, por las razones expuestas en la *Introducción*, prefiero llamar «presencia»— es innegable.

2.º Que esta presencia se manifiesta en formas muy diversas, como creo haber dejado demostrado con bastante claridad.

3.º Que la enorme admiración hacia el «Maestro» del que se llamaba a sí mismo «discípulo» puede, a simple vista, hacernos pensar en la existencia de una influencia de aquél en éste más fuerte de la que, en realidad, existió.

4.º Que si don Miguel influyó, en formas diversas, en Machado, éste —en interesantes y diversas formas también— influyó en don Miguel.

5.º Y principal: que Unamuno fue para Machado —como señalé en la *Introducción*— un «excitador», un espíritu que le plantea una serie de problemas que Machado, por su cuenta, intentará solucionar. Las soluciones, como dije ya, no siempre coinciden con las de Unamuno; por el contrario, es frecuente que no coincidan.

Espero haber expuesto con relativa claridad este último punto, que ha sido el eje, por así decir, en torno al cual ha girado mi investigación.

BIBLIOGRAFÍA

Para preparar la bibliografía de Unamuno me he guiado por la *Bibliografía unamuniana*, hecha por Federico de Onís *(La Torre,* núms. 35-36), y la *addenda* a la misma, hecha por David William Foster *(La Torre,* núm. 48, 1964); he consultado también la seleccionada por M. García Blanco en *Obras completas.*
La de Machado es una selección de la que figura en *La Torre,* números 45-46, y en *O. P. P.,* preparada por Aurora de Albornoz.
Cito aquí las obras publicadas en vida de los dos escritores y algunas selecciones y colecciones más recientes.
Los estudios en torno a los dos escritores se multiplican de día en día; en esta bibliografía mínima he querido dar principalmente los que en alguna forma tienen relación con los temas tratados en mi estudio.

I. OBRAS DE MIGUEL DE UNAMUNO

A) Obras publicadas en vida de Unamuno

En torno al casticismo. En *La España Moderna,* Madrid, 1895.
Paz en la guerra (novela). Madrid, Fernando Fe, 1897.
De la enseñanza superior en España. En *Revista Nueva,* Madrid, 1899.
Nicodemo el fariseo. En *Revista Nueva,* Madrid, 25 nov. 1899.
Tres ensayos (Adentro. La ideocracia. La fe). Madrid, B. Rodríguez Serra, 1900.
Paisajes. Salamanca, Est. Tip. Calón, 1902.
Amor y pedagogía (novela). Barcelona, Heinrich, 1902.
De mi país. Descripciones, relatos y artículos de costumbres. Madrid, Fernando Fe, 1903.

Vida de Don Quijote y Sancho, según Miguel de Cervantes Saavedra, explicada y comentada. Madrid, Fe, 1905.
Conferencias dadas en Málaga. Málaga, La Ibérica, 1906.
Poesías. Bilbao, Rojas, 1907.
Recuerdos de niñez y mocedad. Madrid, Fe-Suárez, 1908.
Mi religión y otros ensayos. Madrid, Renacimiento, 1910.
Por tierras de Portugal y de España. Madrid, Renacimiento, 1911.
Rosario de sonetos líricos. Madrid, Fernando Fe, 1911.
Soliloquios y conversaciones. Madrid, Renacimiento, 1911.
Contra esto y aquello. Madrid, Renacimiento, 1912.
El porvenir de España (Unamuno y Ángel Ganivet). Madrid, Renacimiento, 1912).
Del sentimiento trágico de la vida en los hombres y en los pueblos. Madrid, Renacimiento, 1913.
El espejo de la muerte (novelas cortas). Madrid, Renacimiento, 1913.
La venda. Doña Lambra (dramas). Madrid, 1913.
Niebla (Nivola). Madrid, Renacimiento, 1914.
Una visita a León (Impresiones de un viajero). León, 1916.
Bajo el sol y frente al mar (artículos). Madrid, Imp. García y Sáez, 1916.
Ensayos. Madrid, Residencia de Estudiantes, 1916-1918, 8 vols.
Abel Sánchez. Una historia de pasión (novela). Madrid, Renacimiento, 1917.
El Cristo de Velázquez (poema). Madrid, Espasa-Calpe, 1920.
Tres novelas ejemplares y un prólogo. Madrid, Espasa-Calpe, 1920.
La tía Tula. Madrid, Renacimiento, 1921.
Fedra (teatro). En *La Pluma*, Madrid, 1921.
Sensaciones de Bilbao. Bilbao, Editorial Vasca, 1922.
Andanzas y visiones españolas. Madrid, Pueyo, 1922.
Rimas de dentro. Valladolid, Tipografía Cuesta, 1923.
Teresa. Rimas de un poeta desconocido, presentadas y presentado por Miguel de Unamuno. Madrid, Renacimiento, 1924.
De Fuerteventura a París. Diario íntimo de confinamiento y destierro vertido en sonetos. París, Excelsior, 1925.
Todo un hombre (escenificación de la novela dramática de Miguel de Unamuno titulada *Nada menos que todo un hombre*, por Julio de Hoyos, en cinco jornadas). Madrid, Imprenta Gráfica, Sociedad de Autores Españoles, 1925.
L'agonie du christianisme (traducción del texto español inédito de Unamuno, por Jean Cassou). París, F. Rieder, Colección «Christianisme», 1925.
Comment on fait un roman (traducción del texto español inédito de Unamuno por Jean Cassou, precedida de un *Portrait d'Unamuno*, por el traductor). En *Mercure de France*, CLXXXVIII, 1926.
Cómo se hace una novela. Buenos Aires, Editorial Alba, 1927.
Romancero del destierro. Buenos Aires, Araujo Hnos., 1928.
Tulio Montalbán y Julio Macedo (drama en cuatro actos). San Sebastián, Imprenta y encuadernación de *La Voz de Guipúzcoa*, 1927; reeditada con el título de *Sombras de sueño*, Madrid, Col. «El Teatro Moderno», 1930.

Dos artículos y dos discursos. Madrid, Historia Nueva, 1930.
La agonía del cristianismo. Madrid, Renacimiento, 1931.
El otro (misterio en tres jornadas y un epílogo). Madrid, Espasa-Calpe, 1932.
San Manuel Bueno, mártir, y tres historias más. Madrid, Espasa-Calpe, 1933.
El hermano Juan o el mundo es teatro (Vieja comedia nueva. Tres actos, con un prólogo del autor). Madrid, Espasa-Calpe, 1934.

B) ALGUNAS EDICIONES Y SELECCIONES DE LA OBRA DE UNAMUNO PUBLICADAS DESPUÉS DE SU MUERTE

Soledad y otros cuentos. Santiago de Chile, Ercilla, 1937.
Prosa diversa. Sel. by J. L. Gili, New York, Oxford University Press, 1939.
La ciudad de Henoc. Comentario 1933. Pról. de José Bergamín. México, Séneca, 1941.
Poesías místicas. Sel. de Jesús Nieto Peña. Madrid, *Cuadernos de Poesía*, 1941.
Antología poética. Sel. y pról. de Luis Felipe Vivanco. Madrid, Ediciones Escorial, 1942.
Ensayos. Pról. y notas de Bernardo G. de Candamo. Madrid, Aguilar, 1942, 2 vols.
Cuenca ibérica. Lenguaje y paisaje. Pról. de José Bergamín. México, Séneca, 1943.
Temas argentinos (artículos). Buenos Aires, Institución Cultural Española, 1943.
Paisajes del alma. Nota de M. García Blanco. Madrid, Revista de Occidente, 1944.
Obras selectas. Pról. de Julián Marías. Madrid, Plenitud, 1946.
Cancionero. Diario poético. Ed. y pról. de Federico de Onís. Buenos Aires, Losada, 1953.
Por tierras de Portugal y España. Andanzas y visiones españolas. Madrid, Aguilar, 1953.
De esto y de aquello. Recopilación de Manuel García Blanco. Buenos Aires, Edit. Sudamericana, 1954, 4 vols.
Teatro. Ed., pról. y notas bibliográficas de M. García Blanco. Barcelona, Juventud, 1954.
El sencillo don Rafael y La tía Tula. Madrid, Diana, 1954.
España y los españoles. Ed., pról. y notas de M. García Blanco. Madrid, Afrodisio Aguado, 1955.
Inquietudes y meditaciones. Pról. y notas de M. García Blanco. Madrid, Afrodisio Aguado, 1956.
Solitaña y Amor y pedagogía. Madrid, Diana, 1956.
Niebla. Abel Sánchez. Madrid, Aguilar, 1957.
Cincuenta poesías inéditas. Introducción y notas de M. García Blanco. Madrid, Ediciones Papeles de Son Armadáns, 1958.
Autodiálogos. Madrid, Aguilar, 1959.

Mi vida y otros recuerdos personales. Recopilación y prólogo de M. García Blanco. Buenos Aires, Losada, 1959.
Teatro completo. Introducción y notas de M. García Blanco. Madrid, Aguilar, 1959.
Cuentos. Edición al cuidado de Eleanor Krane Paucker. Madrid, Minotauro, 1961. Colección «Biblioteca Vasca».
El Unamuno censurado (recopilación de importantes escritos no recogidos en libros). En *La Torre, Revista General de la Universidad de Puerto Rico,* núms. 35-36, julio-diciembre 1961.
Obras completas. Madrid, Vergara, por concesión de Afrodisio Aguado, 1959- 1964, tomos I-XVI.
Niebla. Introducción de H. Stevens y R. Gullón. Madrid, Taurus, 1965.
DÍAZ, ELÍAS: *El pensamiento político de Unamuno* (recoge un crecido número de artículos de Unamuno no incluidos en ninguna de las ediciones de sus obras). Madrid, Tecnos, 1965.

C) DEL EPISTOLARIO DE UNAMUNO

Epistolario a Clarín. Pról. y notas de Adolfo Alas. Madrid, 1941.
Fragmentos de cartas de Unamuno a Bernardo G. de Candamo. En *Santo y seña,* Madrid, 1941.
Cartas a Azorín. En *La Estafeta Literaria,* núm. 11. Madrid, 25 agosto 1944.
Carta a Juan Arzadún. En *Sur,* núms. 119-120. Buenos Aires, septiembre-octubre 1944.
Cartas a Rubén Darío. Presentadas por Alberto Ghiraldo. *El archivo de Rubén Darío.* Buenos Aires, 1945.
A. GALLEGO MORELL: *Tres cartas inéditas de Unamuno a Ganivet.* En *Insula,* núm. 35. Madrid, noviembre 1948.
Cartas inéditas de Miguel de Unamuno y de Pedro Jiménez Ilundain. Introducción y epílogo de H. Benítez. En *Revista de la Universidad de Buenos Aires,* núm. 8, 1948, y núms. 9 y 10, 1949.
Doce cartas a González Trilla. Notas de Hernán Benítez. En *Revista de la Universidad de Buenos Aires,* VII, 1950.
Unamuno y Maragall. Epistolario y escritos complementarios. Buenos Aires, Edimar, 1951.
Cartas a Manuel Machado. En *Correo Literario.* Madrid, 15 abril 1952.
Cartas de Unamuno y Pessoa. En *Índice de Artes y Letras,* núms. 65-66. Madrid, 1956.
Carta a Bodgan Raditza. En *Cuadernos,* núm. 34. París, 1959.
Epistolario (cartas de Miguel de Unamuno dirigidas a varios amigos, en las que se refiere a su *Cancionero).* Selección y comentarios de M. García Blanco. En *Obras completas,* tomo XV.
Miguel de Unamuno y Ortega y Gasset: Epistolario. En *Revista de Occidente,* núm. 1.964.

Cartas de Unamuno a Galdós. Introducción de Sebastián de la Nuez. En *Papeles de Son Armadáns*, núm. 110. Madrid-Palma de Mallorca, mayo 1965.

GARCÍA BLANCO, MANUEL: *Unas cartas de Unamuno y de Pérez de Ayala*. En *Papeles de Son Armadáns*, núm. 114. Madrid-Palma de Mallorca, septiembre 1965.

D) ESCRITOS DE UNAMUNO RELACIONADOS CON ANTONIO MACHADO

Vida y arte (carta abierta de Unamuno a Machado). En *Helios*, VIII. Madrid, agosto 1903.
Almas de jóvenes. En *Nuestro Tiempo*, núm. 40, abril 1904.
Correspondencias II (sobre *Campos de Castilla*). En *La Nación*. Buenos Aires, 25 junio 1912.
Carta a José María Palacio. En *El Porvenir Castellano*. Soria, 1 julio 1912.

E) CARTAS DE UNAMUNO A ANTONIO MACHADO

Fragmentos de una carta que, con el título de *Unamuno, íntimo*, se publicó en *Tierra soriana*, núm. 204, 21 julio 1908.

II. OBRAS DE ANTONIO MACHADO

A) OBRAS PUBLICADAS EN VIDA DE MACHADO

Soledades. Madrid, Impr. A. Álvarez, 1903 (Col. «Revista Ibérica»); Madrid, Impr. de Valero Díaz, 1904 (idéntica).
Soledades. Galerías. Otros poemas. Madrid, Pueyo, 1907 («Biblioteca Hispano-Americana»).
Campos de Castilla. Madrid, Renacimiento, 1912.
Páginas escogidas. Madrid, Calleja, 1917.
Poesías completas. Madrid, Fortanet, 1917 (Publicaciones de la Residencia de Estudiantes).
Soledades, galerías y otros poemas (2.ª ed.). Madrid, Calpe, 1919 (Col. «Universal»).
Nuevas canciones. Madrid, Mundo Latino, 1924.
Páginas escogidas. Madrid, Calleja, 1925.
Poesías completas (1899-1925), 2.ª ed. Madrid, Espasa-Calpe, 1928.
Poesías completas (1899-1930), 3.ª ed. Madrid, Espasa-Calpe, 1933.
Juan de Mairena. Sentencias, donaires, apuntes y recuerdos de un profesor apócrifo. Madrid, Espasa-Calpe, 1936.
Poesías completas (4.ª ed.). Madrid, Espasa-Calpe, 1936.
La guerra. (Dibujos de José Machado). Madrid, Espasa-Calpe, 1937.

La tierra de Alvargonzález y Canciones del alto Duero. (Ilustraciones de José Machado). Barcelona, Nuestro Pueblo, 1938.

B) Algunas ediciones y selecciones de la obra de Machado publicadas después de su muerte

La tierra de Alvargonzález. La Habana, El Ciervo Herido, 1939.
Obras. Pról. de José Bergamín. México, Séneca, 1940.
Poesías completas. Buenos Aires, Espasa-Calpe, 1940 (varias ediciones posteriores).
Poesías completas. Buenos Aires, Losada, 1943 (varias ediciones posteriores).
Poesías completas. Pról. de Dionisio Ridruejo (5.ª ed.). Madrid, Espasa-Calpe, 1941 (varias ediciones posteriores).
Juan de Mairena. Sentencias, donaires, apuntes y recuerdos de un profesor apócrifo. Buenos Aires, Losada, 1943 (varias ediciones posteriores).
Abel Martín. Cancionero de Juan de Mairena. Prosas varias. Buenos Aires, Losada, 1943 (varias ediciones posteriores).
Antología de guerra. La Habana, Ucar, García y Cía., 1944.
Obra poética. Epílogo de Rafael Alberti. Buenos Aires, Pleamar, 1944.
Poesías escogidas. Madrid, Aguilar, 1947.
Obras completas de Manuel y Antonio Machado. Madrid, Editorial Plenitud, 1947; 2.ª ed., 1951; 3.ª ed., 1955; 4.ª ed., 1957.
Campos de Castilla. Madrid, Afrodisio Aguado, 1949.
Canciones. Madrid, Afrodisio Aguado, 1949.
Obra inédita (Los complementarios. Papeles póstumos. Obra varia). En *Cuadernos Hispanoamericanos,* núms. 11-12, Madrid, 1949.
Alonso, Dámaso: *Poesías olvidadas de Antonio Machado.* En *Cuadernos Hispanoamericanos,* núms. 11-12, Madrid, 1949.
Espina, Concha: *De Antonio Machado a su grande y secreto amor.* Madrid, Gráficas Reunidas, 1950 (contiene cartas inéditas).
Cuaderno de literatura. Prólogo y edición de Enrique Casamayor. Bogotá, 1952.
Trend, J. B.: *Antonio Machado.* Oxford, Dolphin Book Co., 1953 (contiene varios poemas de Machado publicados en revistas y no recogidos en sus libros).
Los complementarios y otras prosas póstumas. Nota preliminar de Guillermo de Torre. Buenos Aires, Losada, 1957.
Antología (precedida de un estudio crítico-biográfico). México, Edit. Novaro, 1958 (Col. Parnaso).
Poesie di Antonio Machado (al cuidado de Oreste Macrí; edición bilingüe). Milano, Lerici, 1959; II edizione completa (studi introduttivi, testo criticamente riveduto, traduzione, note al testo, commento, bibliografia), 1961.
Antología. Edición de José Luis Cano. Salamanca, Biblioteca Anaya, 1961.
Albornoz, Aurora de: *Poesías de guerra de Antonio Machado.* San Juan, Puerto Rico, Ediciones Asomante, 1961.

ALBORNOZ, AURORA DE: *La prehistoria de Antonio Machado* (artículos publicados por Antonio Machado con el seudónimo de «Cabellera» y por Manuel y Antonio Machado con el seudónimo de «Tablante de Ricamonte»). Universidad de Puerto Rico, Ediciones «La Torre», 1961.

GULLÓN, RICARDO: *Mágicos lagos de Antonio Machado* (contiene varios poemas olvidados y varios inéditos). En *Papeles de Son Armadáns*, Madrid-Palma de Mallorca, enero 1962.

Campos de Castilla (edición y prólogo de José Luis Cano). Salamanca-Madrid-Barcelona, Biblioteca Anaya, 1964.

Prosas y poesías olvidadas. Recogidas y presentadas por Robert Marrast y Ramón Martínez López. Centre de Recherches de l'Institut d'Études Hispaniques, París, 1964.

Cartas y documentos de Antonio Machado (textos no recogidos en ninguna de las ediciones de sus obras y algunas cartas inéditas). En *La Torre, Revista General de la Universidad de Puerto Rico*, núms. 45-46, enero-junio 1964.

Obras. Poesía y prosa. Edición reunida por Aurora de Albornoz y Guillermo de Torre. Buenos Aires, Losada, 1964.

C) ESCRITOS DE ANTONIO MACHADO RELACIONADOS CON MIGUEL DE UNAMUNO

Luz (poema). En *Alma Española*, año II, núm. 16, Madrid, 21 febrero 1904.

Divagaciones (En torno al último libro de Unamuno). En *La República de las Letras*, núm. 14, Madrid, 9 agosto 1905.

A don Miguel de Unamuno (poema). En *Campos de Castilla*, 1912.

Don Miguel de Unamuno (nota sobre Unamuno atribuida a Antonio Machado). En *El Porvenir Castellano*, núm. 2, Soria, 4 julio 1912.

Algunas consideraciones sobre libros recientes: «Contra esto y aquello», de Miguel de Unamuno. En *La Lectura*, año XIII, núm. 151, Madrid, julio 1913.

Poema de un día. Meditaciones rurales. En *Poesías completas*, 1917.

Leyendo a Unamuno. En *La Voz de Soria*, 1 septiembre 1922.

Parergon. En *Nuevas canciones*, 1924.

Unamuno, político. En *La Gaceta Literaria*, Madrid, 1 abril 1930.

Mairena y el 98.—Un premio Nobel. En *Sol*, Madrid, 17 noviembre 1935 (incorporado después a *Juan de Mairena*).

Los cuatro Migueles. En *Hora de España*, núm. 3, Valencia, 1937.

Miscelánea apócrifa: Notas sobre Juan de Mairena (ensayo sobre Heidegger, en el que habla Unamuno). En *Hora de España*, núm. 13, Valencia, 1937.

«A la muerte de don Miguel de Unamuno...» (nota). En *Madrid. Cuadernos de la Casa de la Cultura*, núm. 1.

Unamuno. En *Revista de las Españas*, 1938.

D) Cartas de Antonio Machado a Miguel de Unamuno

De la correspondencia de Miguel de Unamuno. I. Cartas de Antonio Machado. Textos preparados y comentados por Manuel García Blanco. Separata de la *Revista Hispánica Moderna*, Hispanic Institute, New York, 1957; reproducidas en *En torno a Unamuno*, págs. 215-276.

III. ESTUDIOS SOBRE MIGUEL DE UNAMUNO Y ANTONIO MACHADO

A) Estudios y notas en torno a la relación Unamuno-Machado

Albornoz, Aurora de: *Miguel de Unamuno y Antonio Machado.* En *La Torre, Revista General de la Universidad de Puerto Rico*, núms. 35-36, 1961.

Chaves, Julio César: *La admiración de Antonio Machado por Unamuno.* En *Cuadernos Hispanoamericanos*, núm. 155, Madrid, 1962.

Cossío, Francisco de: *Los encuentros.* En *Norte de Castilla*, Valladolid, 7 marzo 1922.

Rejano, Juan: *Darío, Unamuno y Machado.* En *Las Españas*, México, 1946.

Ribbans, Geoffrey: *Unamuno and Antonio Machado.* En *Bulletin of Hispanic Studies*, Liverpool, XXXIV, 1957.

Ribbans, Geoffrey: *Unamuno and the Younger Writers in 1904.* En *Bulletin of Hispanic Studies*, Liverpool, XXXV, 1958.

B) Algunos estudios sobre Unamuno

Abellán, José Luis: *Miguel de Unamuno a la luz de la psicología.* Madrid, Tecnos, 1964.

Alberes, R. M.: *Miguel de Unamuno.* París, Presses Universitaires, 1952; Buenos Aires, La Mandrágora, 1955.

Aranguren, José Luis: *Sobre el talante religioso de Miguel de Unamuno.* En *Arbor*, núm. 11, Madrid, 1948.

Aranguren, José Luis: *Personalidad y religiosidad de Unamuno.* En *La Torre, Revista General de La Universidad de Puerto Rico*, núms. 35-36, 1961.

Barea, Arturo: *Unamuno.* Cambridge, Bowes and Bowes, 1952; New Haven, Yale University Press, 1952; Buenos Aires, Sur, 1959 (trad. de Emir Rodríguez Monegal).

Benítez, Hernán: *El drama religioso de Unamuno.* Buenos Aires, Universidad, Instituto de Publicaciones, 1949.

Bergamín, José: *El Cristo lunar de Unamuno.* En *Luminar*, IV, núm. 1, México, 1940; incluido en el libro *La voz apagada. Dante dantesco y otros ensayos*, México, Edit. Central, 1945.

BLANCO AGUINAGA, CARLOS: *El Unamuno contemplativo*. México, El Colegio de México, 1959.

BLANCO AGUINAGA, CARLOS: *El socialismo de Unamuno: 1894-1897*. En *Revista de Occidente*, núm. 41, Madrid, agosto 1966.

CALVETTI, CARLA: *La fenomenologia della credenza in Miguel de Unamuno*. Milano, Carlo Marzoratti, 1955.

CALZADA, JERÓNIMO DE: *Unamuno, paisajista*. En *Cuadernos de la Cátedra Miguel de Unamuno*, Salamanca, 1952.

CANNON, CALVIN: *The Mystic Cosmology of Unamuno's El Cristo de Velázquez*. En *Hispanic Review*, XXVIII, Philadelphia, 1959.

CARDIS, MARIANNE: *El paisaje en la vida y en la obra de Unamuno*. En *Cuadernos de la Cátedra Miguel de Unamuno*, Salamanca, 1953.

CASSOU, JEAN: *Miguel de Unamuno, Miguel de Cervantes et «Don Quijote»*. En *Hispania*, IV, París, 1921.

CHAVES, JULIO CÉSAR: *Unamuno y América*. Madrid, Edit. Cultura Hispánica, 1964.

CIRARDA Y LACHIONDO, JOSÉ MARÍA: *El modernismo en el pensamiento religioso de Miguel de Unamuno*. Vitoria, Edit. del Seminario, 1948.

CLAVERÍA, CARLOS: *Temas de Unamuno*. Madrid, Gredos, 1953.

COLLADO, JESÚS ANTONIO: *Kierkegaard y Unamuno*. Madrid, Gredos, 1962.

COROMINAS, PEDRO: *La tragica fi de Miguel de Unamuno*. En *Revista de Catalunya*, núm. 83, 1938.

CURTIUS, E. R.: *Miguel de Unamuno, «Excitator Hispaniae»*. En *Cuadernos Hispanoamericanos*, núm. 60, Madrid, 1954.

DARÍO, RUBÉN: *Unamuno, poeta*. En *La Nación*, Buenos Aires, 1909.

DÍAZ, ELÍAS: *El pensamiento político de Unamuno*. Madrid, Tecnos, 1965.

DIEGO, GERARDO: *Presencia de Unamuno, poeta*. En *Cisneros*, núm. 7, Madrid, 1943.

EMMANUEL, PIERRE: *La théologie quichottesque d'Unamuno*. En *Esprit*, número 9, París, septiembre 1956 (número dedicado a España).

ENGUÍDANOS, MIGUEL: *Unamuno frente a la historia*. En *La Torre, Revista General de la Universidad de Puerto Rico*, núms. 35-36, 1961.

ENJUTO, JORGE: *Sobre la idea de la nada en Unamuno*. En *La Torre, Revista General de la Universidad de Puerto Rico*, núms. 35-36, 1961.

ENJUTO, JORGE: *Unamuno ante la muerte: dos actitudes*. En *Ínsula*, núms. 216-217, Madrid, 1964.

ESCLASANS, A.: *Miguel de Unamuno*. Buenos Aires, Edit. Juventud, 1947.

FERRATER MORA, JOSÉ: *Unamuno. Bosquejo de una filosofía*. Buenos Aires, Edit. Sudamericana, 1944; 2.ª ed., 1957.

GARCÍA BLANCO, MANUEL: *Don Miguel de Unamuno y sus poesías*. Salamanca, *Acta Salmanticensia*, t. VIII, 1954.

GARCÍA BLANCO, MANUEL: *América y Unamuno*. Madrid, Gredos, 1964.

GARCÍA BLANCO, MANUEL: *En torno a Unamuno*. Madrid, Taurus, 1965.

GARCÍA MOREJÓN, JULIO: *Unamuno y Portugal*. Madrid, Ed. Cultura Hispánica, 1964.

GÓMEZ DE LA SERNA, RAMÓN: *La vida como sueño en Calderón y Unamuno.* En *Cultura Universitaria*, núm. 40, Caracas, 1953.

GONZÁLEZ CAMINERO, NEMESIO: *Unamuno. Trayectoria de su ideología y de su crisis religiosa.* Comillas, Universidad Pontificia, 1948.

GONZÁLEZ DELIZ, ANTONIO: *¿Unamuno en la hoguera?* En *Asomante*, XVII, núm. 4, San Juan, Puerto Rico, 1961.

GONZÁLEZ DELIZ, ANTONIO: *Fe y descreimiento.* En *La Torre, Revista General de la Universidad de Puerto Rico*, núm. 42, abril-junio 1963.

GONZÁLEZ, JOSÉ EMILIO: *Joaquín Monegro, Unamuno y Abel Sánchez.* En *La Torre, Revista General de la Universidad de Puerto Rico*, 1962.

GONZÁLEZ RUANO, CÉSAR: *Vida, pensamiento y aventura de Miguel de Unamuno.* Madrid, Aguilar, 1930; 2.ª ed., 1954.

GONZÁLEZ SEARA, LUIS: *La relación sociedad-individuo en Miguel de Unamuno.* En *Revista de la Universidad de Madrid*, vol. XIII, núms. 49-50, Madrid, 1964.

GONZÁLEZ VICÉN, F.: *La figura de Don Quijote y el donquijotismo en el pensamiento de Unamuno.* En *Romanische Forschungen*, LVII, 1943.

GRANGEL, LUIS: *Retrato de Unamuno.* Madrid, Guadarrama, 1957.

GRAU, JACINTO: *Unamuno. Su tiempo y su España.* Buenos Aires, Edit. Alda, 1946.

GULLÓN, RICARDO: *Autobiografías de Unamuno.* Madrid, Gredos, 1964.

GULLÓN, RICARDO: *Unamuno y su «Cancionero».* En *La Torre, Revista General de la Universidad de Puerto Rico*, núm. 53, mayo-agosto 1966.

GUY, ALAIN: *Miguel de Unamuno, pèlerin de l'absolu.* En *Cuadernos de la Cátedra Miguel de Unamuno*, I, 1948.

ILIE, PAUL: *Unamuno, Gorky and the Cain Myth: Toward a Theory of Personality.* En *Hispanic Review*, XXIX, 1961.

LAÍN ENTRALGO, PEDRO: *Teoría y realidad del otro.* Madrid, Revista de Occidente, 1961, 2 vols. (sobre Unamuno, véase vol. I, págs. 146-156).

LANDSBERG, P. L.: *Reflexiones sobre Unamuno. Renuevos de Cruz y Raya*, Santiago de Chile-Madrid, Edit. Cruz del Sur, 1963.

LÁZARO, FERNANDO: *El teatro de Unamuno.* En *Cuadernos de la Cátedra Miguel de Unamuno*, I, Salamanca, 1948.

LEGENDRE, MAURICE: *La religión de Miguel de Unamuno.* En *Revista Quincenal*, V, Barcelona, 1918.

LEGENDRE, MAURICE: *Miguel de Unamuno, hombre de carne y hueso.* En *Cuadernos de la Cátedra Miguel de Unamuno*, I, Salamanca, 1948.

MANYÁ, JOAN: *La teología de Unamuno.* Barcelona, Vergara, 1961.

MARÍAS, JULIÁN: *Miguel de Unamuno.* Madrid, Espasa-Calpe, 1943; 2.ª ed., 1951; 3.ª ed., Buenos Aires, Emecé, 1953.

MARÍAS, JULIÁN: *España, tema de Unamuno.* En *La Estafeta Literaria*, números 300-301, Madrid, septiembre 1964.

MARRERO SUÁREZ, VICENTE: *El Cristo de Unamuno.* Madrid, Rialp, 1960.

MENÉNDEZ PIDAL, RAMÓN: *Recuerdos referentes a Unamuno.* En *Cuadernos de la Cátedra Miguel de Unamuno*, II, Salamanca, 1951.

MEREGALLI, FRANCO: *Clarín e Unamuno*. Milano, La Goliardica, 1956.
MEYER, FRANÇOIS: *L'ontologie de Miguel de Unamuno*. París, Presses Universitaires de France, 1955.
MEYER, FRANÇOIS: *Unamuno et les philosophes*. En *Revista de la Universidad de Madrid*, vol. XIII, núms. 49-50, Madrid, 1964.
MEYER, FRANCISCO (FRANÇOIS): *Unamuno y el pensamiento francés*. En *La Estafeta Literaria*, núms. 300-301, Madrid, septiembre 1964.
MOELLER, CHARLES: *Miguel de Unamuno et l'espoir désespéré*. En *Littérature du XXème siècle et Christianisme*. Tournai, Casterman, 1960.
MONCY, AGNES: *La creación del personaje en las novelas de Unamuno*. Santander, La Isla de los Ratones, 1963.
MUÑOZ ALONSO, ADOLFO: *Miguel de Unamuno*. Milán, Carlo Marzoratti, 1956.
NIEDERMAYER, FRANZ: *Unamuno hier und heute*. Nürnberg, Glock und Lutz Verlag, 1956.
NUEZ, SEBASTIÁN DE LA: *Unamuno en Canarias. Las islas, el mar y el destierro*. Universidad de La Laguna, 1964.
OLASO, EZEQUIEL DE: *Los nombres de Unamuno*. Buenos Aires, Editorial Sudamericana, 1963.
ONÍS, FEDERICO DE: *Unamuno íntimo. Cursos y Conferencias*, Buenos Aires, 1949, XXXV.
ONÍS, FEDERICO DE: *Miguel de Unamuno (1864-1936): Introducción*. En *La Torre, Revista General de la Universidad de Puerto Rico*, núms. 35-36, 1961.
OROMÍ, MIGUEL: *El pensamiento filosófico de Miguel de Unamuno*. Madrid, Espasa-Calpe, 1943.
PANERO, LEOPOLDO: *El paisaje salmantino en la poesía de Unamuno*. En *Español*, 26 diciembre 1942.
PÉREZ, DIONISIO: *Don Miguel de Unamuno. Ensayo acerca de su iconografía y relación con las bellas artes*. Santander, 1964, 58 págs., 75 láminas.
PILDAIN Y ZAPIAIN, ANTONIO (Obispo de Canarias): *D. Miguel de Unamuno, hereje máximo y maestro de herejías*. Carta pastoral. Las Palmas, Gran Canaria, 1953.
PUCCINI, MARIO: *Miguel de Unamuno*. Roma, Formiggini, 1924.
PUTNAM, SAMUEL: *Unamuno y el problema de la personalidad*. En *Revista Hispánica Moderna*, I, New York, 1935.
RÍO, ÁNGEL DEL: *Quijotismo y cervantismo. El devenir de un símbolo*. En *Revista de Estudios Hispánicos*, Río Piedras, Puerto Rico, julio-septiembre 1928.
RÍO, ÁNGEL DEL: *Miguel de Unamuno, vida y obra*. En *Revista Hispánica Moderna*, I, New York, 1934.
ROMERA NAVARRO, M.: *Miguel de Unamuno, novelista-poeta-ensayista*. Madrid, Imp. Clásica Española, 1928.
RUDD, MARGARET T.: *The Lone Heretic, a Biography of Miguel de Unamuno*. Austin, University of Texas Press, 1963.

RUFFINI, MARIO: *La creazione poetica secondo Unamuno*. En *Nuova Rivista di Varia Umanità*, I, Verona, abril 1956.

RUIZ CONTRERAS, LUIS: *Memorias de un desmemoriado*. Madrid, Aguilar, 1946.

SALCEDO, EMILIO: *El primer asedio de Unamuno al Quijote (1889-1895)*. En *Anales Cervantinos*, VI, Madrid, 1957.

SALCEDO, EMILIO: *Vida de don Miguel*. Salamanca, Anaya, 1964.

SERRANO PONCELA, S.: *El pensamiento de Unamuno*. México, Fondo de Cultura Económica, 1953.

STEVENS, HARRIET S.: *Unamuno múltiple*. En *Papeles de Son Armadáns*, número 102, Madrid-Palma de Mallorca, septiembre 1964.

TREND, J. B.: *Unamuno*. Cambridge, R. I. Severs, 1951.

TUÑÓN DE LARA, MANUEL: *L'Espagne d'Unamuno*. En *Esprit*, núm. 332, París, 1964.

VALVERDE, JOSÉ MARÍA: *Notas sobre la poesía de Unamuno*. Salamanca, *Acta Salmanticensia*, t. X, núm. 2, 1956.

VIVANCO, LUIS FELIPE: *El mundo hecho hombre en el Cancionero de Unamuno*. En *La Torre, Revista General de la Universidad de Puerto Rico*, números 35-36, 1961.

VIVANCO, LUIS FELIPE: *Releyendo «El sentimiento trágico de la vida»*. En *Cuadernos para el Diálogo*, núm. 12, Madrid, septiembre 1964.

WILLS, ARTHUR: *España y Unamuno. Un ensayo de apreciación*. New York, Instituto de las Españas, 1938.

YRACHE, LUIS: *Una nota al estilo poético de Unamuno*. En *Papeles de Son Armadáns*, núm. 107, Madrid-Palma de Mallorca, 1965.

ZAMBRANO, MARÍA: *Antonio Machado y Unamuno, precursores de Heidegger*. En *Sur*, VIII, núm. 42, Buenos Aires, 1938.

ZAMBRANO, MARÍA: *La religión poética de Unamuno*. En *La Torre, Revista General de la Universidad de Puerto Rico*, núms. 35-36, 1961.

ZAVALA, IRIS: *Unamuno y su teatro de conciencia*. Salamanca, *Acta Salmanticensia*, 1963.

ZUBIZARRETA, ARMANDO: *Tras las huellas de Unamuno*. Madrid, Taurus, 1960.

ZUBIZARRETA, ARMANDO: *Unamuno en su nivola*. Madrid, Taurus, 1960.

C) ALGUNOS ESTUDIOS SOBRE MACHADO

ABELLÁN, JOSÉ LUIS: *Antonio Machado, filósofo cristiano*. En *La Torre, Revista General de la Universidad de Puerto Rico*, núms. 45-46, 1964.

ALBORNOZ, AURORA DE: *Paisajes imaginarios en la poesía de Antonio Machado*. En *Ínsula*, núm. 158, Madrid, 1960.

ALBORNOZ, AURORA DE: *La presencia de Segovia en Antonio Machado*. En *Ínsula*, núms. 212-213, Madrid, 1964.

ALONSO, DÁMASO: *Poetas españoles contemporáneos*. Madrid, Gredos, 1952, págs. 103-159.

ALONSO, DÁMASO: *Cuatro poetas españoles*. Madrid, Gredos, 1961.

ARANGUREN, J. L.: *Esperanza y desesperanza en Dios en la experiencia de Antonio Machado*. En *Cuadernos Hispanoamericanos*, núms. 11-12, Madrid, 1949.

AYALA, FRANCISCO: *Antonio Machado, el poeta y la patria*. En *Histrionismo y representación*. Buenos Aires, Edit. Sudamericana, 1944, págs. 163-176.

BALBONTÍN, JOSÉ ANTONIO: *Tres poetas de España* (Rosalía de Castro, García Lorca y Antonio Machado). México, 1957.

BALBONTÍN, JOSÉ ANTONIO: *La filosofía de Antonio Machado*. En *Índice*, número 196, Madrid, abril 1965.

BARNSTONE, WILLIS: *Antonio Machado, the Lyrical Speaker in the Poems and the Forces that Create his Character*. A Yale University Doctoral Dissertation, 1960.

BARNSTONE, WILLIS: *Sueño y paisaje en la poesía de Antonio Machado*. En *La Torre, Revista General de la Universidad de Puerto Rico*, núms. 45-46, 1964.

BECEIRO, CARLOS: *Antonio Machado y su visión paradójica de Castilla*. En *Celtiberia*, VIII, núm. 15, Soria, 1958.

BECEIRO, CARLOS: *Notas para la poética machadiana*. En *Ínsula*, núms. 212-213, Madrid, 1964.

BERGAMÍN, JOSÉ: *Jardín en flor, y en sombra, y en silencio*. En *Hora de España*, núm. 21, Valencia, 1938.

BERGAMÍN, JOSÉ: *Antonio Machado*. Pról. a *Obras*. México, Séneca, 1940, páginas 9-21.

BERGAMÍN, JOSÉ: *La máscara y el rostro. Antonio Machado y su sombra. In memoriam (1939-1949)*. En *Escritura*, núm. 7, Montevideo, 1949.

BERGAMÍN, JOSÉ: *Antonio Machado, el bueno*. En *La Torre, Revista General de la Universidad de Puerto Rico*, núms. 45-46, 1961.

BLANCO AGUINAGA, CARLOS: *Sobre la «autenticidad» de la poesía de Machado*. En *La Torre, Revista General de la Universidad de Puerto Rico*, núms. 45-46, 1964.

BOUSOÑO, CARLOS: *El símbolo bisémico en la poesía de Antonio Machado*. En *Teoría de la expresión poética*, Madrid, Gredos, 1952.

BULA PIRIZ, ROBERTO: *Antonio Machado (1875-1939)*. Montevideo, La Casa del Estudiante, 1954.

CAMPOS, JORGE: *Antonio Machado y Giner de los Ríos (Comentario a un texto olvidado)*. En *La Torre, Revista General de la Universidad de Puerto Rico*, núms. 45-46, 1961.

CANO, JOSÉ LUIS: *Antonio Machado, hombre y poeta en sueños*. En *Cuadernos Hispanoamericanos*, núms. 11-12, Madrid, 1949.

CANO, JOSÉ LUIS: *Quimera y poesía (Una nota sobre Bécquer y Machado)*. En *Asomante*, VII, núm. 4, San Juan, Puerto Rico, 1951.

CARDENAL IRACHETA, MANUEL: *Crónica de don Antonio y sus amigos en Segovia*. En *Cuadernos Hispanoamericanos*, núms. 11-12, Madrid, 1949.

CARPINTERO, HELIODORO: *Soria en la vida y en la obra de Antonio Machado*. En *Escorial*, VII, núm. 33, Madrid, 1943.

CARPINTERO, HELIODORO: *Historia y poesía de Antonio Machado*. En *Celtiberia*, núm. 2, Soria, 1951.

CARPINTERO, HELIODORO: *Antonio Machado y sus complementarios*. En *A B C*, Madrid, 26 agosto 1964.

CASALDUERO, JOAQUÍN: *Machado, poeta institucionista y masón*. En *La Torre, Revista General de la Universidad de Puerto Rico*, núms. 45-46, 1964.

CASSOU, JEAN: *Trois poètes: Rike, Milosz, Machado*. París, Plon, 1954.

CHAMORRO, JOSÉ: *Antonio Machado en la provincia de Jaén*. En *Boletín del Instituto de Estudios Giennenses*, núm. 10, Jaén, 1958.

CLAVERÍA, CARLOS: *Notas sobre la poética de Antonio Machado*. En *Cinco estudios de literatura española moderna*, Salamanca, Colegio Trilingüe de la Universidad, 1945.

COBOS, PABLO DE A.: *Humor y pensamiento de Antonio Machado en la metafísica poética*. Madrid, Ínsula, 1963.

DARMANGEAT, PIERRE: *Machado: Poet of Solitude*. En *Cronos*, II, núm. 4, Columbus, Ohio, 1948.

DARMANGEAT, PIERRE: *L'homme et le réel dans Antonio Machado*. París, Librairie des Éditions Espagnoles, 1956.

DIEGO, GERARDO: *Soria en la poesía de Antonio Machado*. En *Cuadernos de la Cátedra Antonio Machado*, I, Soria, 1960.

DURÁN, MANUEL: *Antonio Machado, el desconfiado prodigioso*. En *Ínsula*, números 212-213, Madrid, 1964.

ECHEVERRÍA, JOSÉ: *Con Juan de Mairena, años después*. En *La Torre, Revista General de la Universidad de Puerto Rico*, núms. 45-46, 1964.

ENJUTO, JORGE: *Apuntes sobre la metafísica de Antonio Machado*. En *La Torre, Revista General de la Universidad de Puerto Rico*, núms. 45-46, 1964.

ENJUTO, JORGE: *Comentarios en torno al poema «Siesta», de Antonio Machado*. En *Ínsula*, núms. 212-213, Madrid, 1964.

ESCOLANO, F.: *Antonio Machado en Baeza*. En *El Español*, Madrid, 14 noviembre 1942.

GICOVATE, BERNARDO: *La evolución poética de Antonio Machado*. En *La Torre, Revista General de la Universidad de Puerto Rico*, núms. 45-46, 1964.

GLENDINNING, NIGEL: *The Philosophy of Henri Bergson in the Poetry of Antonio Machado*. En *Revue de Littérature Comparée*, año 36, París, 1962.

GÓMEZ DE BAQUERO (ANDRENIO): *Aspectos. En torno a tres poetas: Antonio Machado, Abel Martín y Juan de Mairena*. En *La Voz*, Madrid, 17 mayo 1928.

GONZÁLEZ, RAFAEL ANTONIO: *La prosa de Antonio Machado* (Tesis inédita). Universidad de Puerto Rico, 1955.

GRANADOS, MARIANO: *Evocación sentimental de Antonio Machado*. En *Las Españas*, México, abril 1948.

GRANT, HELEN: *Apostillas a una edición de 1917 de las poesías completas de Antonio Machado*. En *Ínsula*, núm. 158, Madrid, 1960.

GRANT, HELEN: *Ángulos de enfoque en la poesía de Antonio Machado.* En *La Torre, Revista General de la Universidad de Puerto Rico,* núms. 45-46, 1964.

GRAU, MARIANO: *Antonio Machado en Segovia.* En *Estudios Segovianos,* IV, Segovia, 1952.

GUILLÉN, CLAUDIO: *Estilística del silencio (En torno a un poema de Antonio Machado).* En *Revista Hispánica Moderna,* XXIII, New York, 1957.

GUILLÉN, JORGE: *Jardines españoles: Antonio Machado, Pedro Salinas, Dámaso Alonso y García Lorca.* En *Universidad Nacional de Colombia,* número 6, Bogotá, 1946.

GUILLÉN, NICOLÁS: *Permanencia de Antonio Machado.* En *Hoy,* La Habana, 27 febrero 1949.

GULLÓN, RICARDO: *Unidad en la obra de Antonio Machado.* En *Ínsula,* número 40, Madrid, 1949.

GULLÓN, RICARDO: *Lenguaje, humanismo y tiempo en Antonio Machado.* En *Cuadernos Hispanoamericanos,* núms. 11-12, Madrid, 1949.

GULLÓN, RICARDO: *Las galerías secretas de Antonio Machado.* Madrid, Cuadernos Taurus, 1958.

GULLÓN, RICARDO: *Direcciones del modernismo* (contiene cuatro ensayos sobre Antonio Machado). Madrid, Gredos, 1963.

GULLÓN, RICARDO: *Sombras de Antonio Machado.* En *Ínsula,* núms. 212-213, Madrid, 1964.

GULLÓN, RICARDO: *Relaciones entre Antonio Machado y Juan Ramón Jiménez.* Istituto di Letteratura Spagnola e Ispano-Americana. Università di Pisa, 1964.

JIMÉNEZ, JUAN RAMÓN: *Tres poetas en Antonio Machado.* En *Revista de la Asociación Patriótica Española,* XVIII, núm. 207, Buenos Aires, 1945.

LAPESA, RAFAEL: *Bécquer, Rosalía y Machado.* En *Ínsula,* núms. 100-101, Madrid, 1954.

LÁZARO, FERNANDO: *Glosa a un poema de Antonio Machado.* En *Ínsula,* número 119, Madrid, 1955.

LÓPEZ MORILLAS, JUAN: *Antonio Machado's Temporal Interpretation of Poetry.* En *The Journal of Aesthetics and Art Criticism,* VI, Cleveland, Ohio, 1947.

MACHADO, JOSÉ: *Últimas soledades del poeta Antonio Machado.* Santiago de Chile, 1958 (multicopiado).

MACRÍ, ORESTE: *Poetica e poesia di Antonio Machado.* En *Poesie di Antonio Machado,* Milano, Casa Editrice Il Balcone, 1947, págs. 11-31.

MACRÍ, ORESTE: *Studio introduttivi.* En *Poesie di Antonio Machado,* Lerici, 1961, págs. 19-207.

MARRAST, ROBERT: *Antonio Machado, poète du peuple.* En *Les Lettres Françaises,* núm. 762, 1959.

MC VAN, ALICE JANE: *Antonio Machado.* New York, The Hispanic Society of America, 1959.

MOLINA, RODRIGO: *Anoche, cuando dormía...* En *Ínsula*, núm. 158, Madrid, 1960.

MOLINA, RODRIGO: *Antonio Machado y el paisaje soriano.* En *La Torre, Revista General de la Universidad de Puerto Rico*, núms. 45-46, 1964.

MONTSERRAT, SANTIAGO: *Antonio Machado, poeta y filósofo.* Buenos Aires, Losada, 1943.

NAVARRO TOMÁS, T.: *La versificación de Antonio Machado.* En *La Torre, Revista General de la Universidad de Puerto Rico*, núms. 45-46, 1964.

OLIVER, ANTONIO: *Antonio Machado (Ensayo crítico sobre el tiempo en su poesía).* Bilbao, 1950 (Ediciones Conferencias y Ensayos, 51).

OROZCO DÍAZ, EMILIO: *Antonio Machado en el camino.* Granada, Universidad de Granada, 1962.

ORTEGA Y GASSET, JOSÉ: *Los versos de Antonio Machado.* En *Personas, obras, cosas*, Madrid, Renacimiento, 1916.

PEERS, ALLISON: *Antonio Machado.* Oxford, Clarendon Press, 1940.

PÉREZ FERRERO, MIGUEL: *Vida de Antonio Machado y Manuel.* Prólogo de G. Marañón. Madrid, Estades, Artes Gráficas, 1947; Madrid, Rialp, 1947; Buenos Aires, Espasa-Calpe, 1952.

PÉREZ ZALABARDO, MARÍA DE LA CONCEPCIÓN: *Antonio Machado, poeta de Soria.* Publicaciones de la Excma. Diputación Provincial de Soria, 1960.

PRADAL RODRÍGUEZ, GABRIEL: *Antonio Machado: Vida y obra.* New York, Hispanic Institute, 1951.

PREDMORE, RICHARD: *La visión de Castilla en la obra de Antonio Machado.* En *Hispania*, XXIX, Washington, 1946.

RODRÍGUEZ FORTEZA, ADELA: *La Naturaleza y Antonio Machado.* San Juan de Puerto Rico, Editorial Cordillera, 1965.

RUIZ DE CONDE, JUSTINA: *Antonio Machado y Guiomar.* Madrid, Ínsula, 1964.

RUIZ, RAMÓN: *El tema del camino en la poesía de Antonio Machado.* En *Cuadernos Hispanoamericanos*, núm. 51, Madrid, 1962.

SALCEDO, EMILIO: *Huella salmantina de Antonio Machado.* En *Literatura salmantina del siglo XX*, Salamanca, Centro de Estudios Salmantinos, 1960.

SCHWARTZ, KESSEL: *The Sea and Machado.* En *Hispania*, XLVIII, 1965.

SERRANO PONCELA, S.: *Antonio Machado, su mundo y su obra.* Buenos Aires, Losada, 1954.

SESÉ BERNARD: *La fable de l'eau dans la poésie d'Antonio Machado.* Mélanges offerts à Marcel Bataillon. *Bulletin Hispanique*, LXIV bis, 1965.

TORRE, GUILLERMO DE: *Antonio Machado y sus poetas apócrifos.* En *La Nación*, Buenos Aires, 4 agosto 1957.

TORRE, GUILLERMO DE: *Teorías literarias de Antonio Machado.* En *La Torre, Revista General de la Universidad de Puerto Rico*, núms. 45-46, 1964.

TUÑÓN DE LARA, MANUEL: *Antonio Machado.* París, Seghers (Col. «Poètes d'aujourd'hui»), 1960.

VALVERDE, JOSÉ MARÍA: *Notas sobre el misterio de la poesía de Antonio Machado.* En *La Estafeta Literaria*, Madrid, 25 junio 1945.

VALVERDE, JOSÉ MARÍA: *Evolución del sentido espiritual de la obra de Antonio Machado.* En *Cuadernos Hispanoamericanos,* núms. 11-12, Madrid, 1949.

VALVERDE, JOSÉ MARÍA: *Hacia una poética del poema* (Homenaje a Antonio Machado). En *Cuadernos Hispanoamericanos,* XXVIII, Madrid, 1956.

VIVANCO, LUIS FELIPE: *Comentario a unos pocos poemas de Antonio Machado.* En *Cuadernos Hispanoamericanos,* núms. 11-12, Madrid, 1949.

VIVANCO, LUIS FELIPE: *Retrato en el tiempo, un poema inédito de Antonio Machado.* En *Papeles de Son Armadáns,* II, Madrid-Palma de Mallorca, 1956.

ZAMBRANO, MARÍA: *Antonio Machado y Unamuno, precursores de Heidegger.* En *Sur,* VIII, núm. 42, Buenos Aires, 1938.

ZARDOYA, CONCHA: *Los caminos de Antonio Machado.* En *La Torre, Revista General de la Universidad de Puerto Rico,* núms. 45-46, 1964.

ZUBIRÍA, RAMÓN DE: *La poesía de Antonio Machado.* Madrid, Gredos, 1955; 2.ª ed., 1959.

D) ALGUNOS LIBROS QUE CONTIENEN TRABAJOS SOBRE LOS DOS ESCRITORES

ALBERTI, RAFAEL: *Imagen primera de...* Buenos Aires, Losada, 1945.

ALEIXANDRE, VICENTE: *Los encuentros.* Madrid, Guadarrama, 1958.

CIPLIJAUSKAITE, BIRUTE: *La soledad y la poesía española contemporánea.* Madrid, Ínsula, 1962.

GAOS, VICENTE: *Temas y problemas de literatura española.* Madrid, Guadarrama, 1959.

JIMÉNEZ, JUAN RAMÓN: *Españoles de tres mundos (1914-1940).* Buenos Aires, Losada, 1942.

LAÍN ENTRALGO, PEDRO: *La espera y la esperanza.* Madrid, Revista de Occidente, 1957.

LÓPEZ MORILLAS, JUAN: *Intelectuales y espirituales.* Madrid, Revista de Occidente, 1961.

SÁNCHEZ-BARBUDO, ANTONIO: *Estudios sobre Unamuno y Machado.* Madrid, Guadarrama, 1959.

TORRE, GUILLERMO DE: *La difícil universalidad española.* Madrid, Gredos, 1965.

IV. OTRAS OBRAS CONSULTADAS

AZORÍN: *Clásicos y modernos.* En *Obras Completas,* tomo II, Madrid, Aguilar, 1945.

AZORÍN: *Castilla.* En *Obras Completas,* tomo II.

AZORÍN: *El paisaje de España visto por los españoles.* En *Obras Completas,* tomo III.

BAROJA, PÍO: *Camino de perfección.* Madrid, Caro Reggio, 1920.

Bécquer, Gustavo Adolfo: *Rimas y leyendas*. Buenos Aires, Espasa-Calpe, 1947.

Cansinos Asséns, R.: *La nueva literatura*. Madrid, V. H. de Sanz Calleja y Ed. Páez, 1927.

Castro, Rosalía de: *Obras Completas*. Madrid, Aguilar, 1944.

Cernuda, Luis: *Estudios sobre poesía española contemporánea*. Madrid-Bogotá, Guadarrama, 1957.

Díaz Plaja, Guillermo: *Modernismo frente a 98*. Madrid, Espasa-Calpe, 1951.

Diego, Gerardo: *Poesía española (Antología)*. Madrid, Signo, 1932.

Diego, Gerardo: *Los poetas de la generación del 98*. En *Arbor*, XI, Madrid, 1950.

Gullón, Ricardo: *Conversaciones con Juan Ramón*. Madrid, Taurus, 1958.

Jescheke, Hans: *La generación de 1898*. Madrid, Edit. Nacional, 1954.

Laín Entralgo, Pedro: *La generación del 98*. Buenos Aires, Espasa-Calpe, 1947.

Machado, Manuel: *La guerra literaria (1894-1914)*. Madrid, Imprenta Hispano-alemana, 1914.

Onís, Federico de: *Antología de la poesía española e hispanoamericana*. Madrid, Centro de Estudios Históricos, 1934.

Proust, Marcel: *À la recherche du temps perdu*. Paris, Gallimard, Bibliothèque de la Pléiade, 1954.

Río, Ángel del: *Historia de la literatura española*. New York, The Dryden Press, 1948.

Romero, Marina: *Paisaje y literatura de España* (Antología de los escritores del 98). Madrid, Tecnos, 1958.

Romero-Navarro, M.: *Historia de la literatura española*. 2.ª ed., Boston, Heath, 1949.

Salinas, Pedro: *Literatura española, siglo XX*. México, 1941.

Torrente Ballester, Gonzalo: *Literatura española contemporánea (1898-1936)*. Madrid, Afrodisio Aguado, 1949.

Valbuena Prat, Ángel: *Historia de la literatura española*. 2.ª ed., Barcelona, Gustavo Gili, 1946.

Vivanco, Luis Felipe: *Introducción a la poesía española contemporánea*. Madrid, Guadarrama, 1957.

ADDENDA

Después de terminada esta bibliografía han visto la luz otros estudios sobre Unamuno y sobre Machado. Quiero aquí destacar sólo los más importantes entre los que conozco.

SOBRE UNAMUNO

PÉREZ DE LA DEHESA, RAFAEL: *Política y Sociedad en el primer Unamuno.* Madrid, Ed. Ciencia Nueva, 1966.

SOBRE MACHADO

GIL NOVALES, ALBERTO: *Antonio Machado.* Barcelona, Ed. Fontanella (Colección Testigos del Siglo XX), 1966.
TUÑÓN DE LARA, MANUEL: *Antonio Machado, poeta del pueblo.* Barcelona, Ed. Nova Terra, 1967.

ÍNDICE GENERAL

Págs.

NOTA PRELIMINAR 7
INTRODUCCIÓN 8

PRIMERA PARTE: RELACIONES PERSONALES Y LITERARIAS

CAPÍTULO I.—*Relaciones amistosas entre los dos escritores. La admiración de Antonio Machado por el «gran don Miguel»* 21

Unamuno en la juventud de Antonio Machado 21
Antonio Machado en Soria 29
Antonio Machado en Baeza 34
Antonio Machado en Segovia 39
La última entrevista 46

CAPÍTULO II.—*Poesías de Machado dedicadas a Unamuno* 53

Luz, un poema de 1904 53
Un poema de 1905 57
Parergon, 1923 60

CAPÍTULO III.—*Dos artículos de Antonio Machado sobre libros de Unamuno* 62

Divagaciones (*En torno al último libro de Unamuno*) 62
Algunas consideraciones sobre libros recientes: «Contra esto y aquello», de Miguel de Unamuno 65

	Págs.

CAPÍTULO IV.—*Juicios y comentarios de Antonio Machado sobre la obra y la persona de don Miguel* ... 72

Poema de un día ... 72
Leyendo a Unamuno ... 78
Unamuno y París. Un corto texto que Machado no publicó ... 80
Unamuno, político ... 81
Unamuno visto por Mairena ... 83
A la muerte de don Miguel de Unamuno ... 84
Una nota sobre Unamuno atribuida a Machado ... 88

CAPÍTULO V.—*De Unamuno sobre Antonio Machado* ... 92

«El hermano de Manuel» ... 94
Un artículo de *La Nación* ... 96
«Nuestro poeta preferido» ... 102

SEGUNDA PARTE: HUELLA UNAMUNIANA EN LA VISIÓN DE ESPAÑA DE ANTONIO MACHADO

Introducción ... 113

CAPÍTULO I.—*La España intrahistórica frente a la España histórica.* 117

CAPÍTULO II.—*La tierra de España* ... 134

Descubrimiento y sentido de un paisaje ... 134
El paisaje contemplado ... 144

CAPÍTULO III.—*Pueblos y ciudades de España* ... 166

Pueblos y ciudades de provincia ... 166
Madrid ... 177

CAPÍTULO IV.—*El hombre de España* ... 181

El hombre de la tierra ... 181
El señorito ... 196
La mujer española ... 204
Una característica nacional: la envidia ... 208
Una característica de la España del momento: la ramplonería ... 217
El símbolo de «Don Quijote» ... 220

TERCERA PARTE: OTROS TEMAS FUNDAMENTALES

CAPÍTULO I.—*El Dios de Antonio Machado. Influencia parcial de Unamuno en la búsqueda de Dios* ... 229

Dios entre la niebla ... 234
La búsqueda de Dios desde la soledad de Baeza ... 242
El Dios de «Martín» y «Mairena» ... 252

CAPÍTULO II.—*Cristo y el cristianismo de Antonio Machado* ... 259

El Cristo que anduvo en el mar ... 261
Cristo, símbolo de la hermandad humana ... 263
Cristo, hombre divino ... 270
Cristo, hombre como los otros hombres ... 275

CAPÍTULO III.—*El problema de la identidad personal* ... 277

Los «yos» que fuimos y ya no somos ... 279
Los «yos» ex-futuros ... 288
La multiplicidad del yo y la creación de personajes apócrifos ... 292

CUARTA PARTE: OTRAS APROXIMACIONES

CAPÍTULO I.—*Aproximaciones en la poética* ... 313

Poesía, «palabra en el tiempo» ... 316
La vida sobre el arte ... 320
El sentimiento sobre la razón ... 322
Preferencia por la expresión directa ... 324
El poeta, representante del sentir común de un pueblo ... 329

CAPÍTULO II.—*Formulaciones comunes* ... 333

Ver la cara de Dios ... 333
«Nada se pierde» ... 337
«Todo pasa y todo queda» ... 341
«Se hace camino al andar» ... 343

Palabras finales ... 348
Bibliografía ... 351
Índice general ... 371

BIBLIOTECA ROMÁNICA HISPÁNICA

Director: DÁMASO ALONSO

I. TRATADOS Y MONOGRAFÍAS

Walther von Wartburg: *La fragmentación lingüística de la Romania.*
René Wellek y Austin Warren: *Teoría literaria.*
Wolfgang Kayser: *Interpretación y análisis de la obra literaria.*
E. Allison Peers: *Historia del movimiento romántico español.*
Amado Alonso: *De la pronunciación medieval a la moderna en español.*
Helmut Hatzfeld: *Bibliografía crítica de la nueva estilística aplicada a las literaturas románicas.*
Fredrick H. Jungemann: *La teoría del sustrato y los dialectos hispano-romances y gascones.*
Stanley T. Williams: *La huella española en la literatura norteamericana.*
René Wellek: *Historia de la crítica moderna (1750-1950).*
Kurt Baldinger: *La formación de los dominios lingüísticos en la Península Ibérica.*

II. ESTUDIOS Y ENSAYOS

Dámaso Alonso: *Poesía española (Ensayo de métodos y límites estilísticos).*
Amado Alonso: *Estudios lingüísticos (Temas españoles).*
Dámaso Alonso y Carlos Bousoño: *Seis calas en la expresión literaria española (Prosa-poesía-teatro).*
Vicente García de Diego: *Lecciones de lingüística española (Conferencias pronunciadas en el Ateneo de Madrid).*
Joaquín Casalduero: *Vida y obra de Galdós (1843-1920).*
Dámaso Alonso: *Poetas españoles contemporáneos.*

Carlos Bousoño: *Teoría de la expresión poética.*
Martín de Riquer: *Los cantares de gesta franceses (Sus problemas, su relación con España).*
Ramón Menéndez Pidal: *Toponimia prerrománica hispana.*
Carlos Clavería: *Temas de Unamuno.*
Luis Alberto Sánchez: *Proceso y contenido de la novela hispanoamericana.*
Amado Alonso: *Estudios lingüísticos (Temas hispanoamericanos).*
Diego Catalán: *Poema de Alfonso XI. Fuentes, dialecto, estilo.*
Erich von Richthofen: *Estudios épicos medievales.*
José María Valverde: *Guillermo de Humboldt y la filosofía del lenguaje.*
Helmut Hatzfeld: *Estudios literarios sobre mística española.*
Amado Alonso: *Materia y forma en poesía.*
Dámaso Alonso: *Estudios y ensayos gongorinos.*
Leo Spitzer: *Lingüística e historia literaria.*
Alonso Zamora Vicente: *Las sonatas de Valle Inclán.*
Ramón de Zubiría: *La poesía de Antonio Machado.*
Diego Catalán: *La escuela lingüística española y su concepción del lenguaje.*
Jaroslaw M. Flys: *El lenguaje poético de Federico García Lorca.*
Vicente Gaos: *Poética de Campoamor.*
Ricardo Carballo Calero: *Aportaciones a la literatura gallega contemporánea.*
José Ares Montes: *Góngora y la poesía portuguesa del siglo XVII.*
Carlos Bousoño: *La poesía de Vicente Aleixandre.*
Gonzalo Sobejano: *El epíteto en la lírica española.*
Dámaso Alonso: *Menéndez Pelayo, crítico literario. Las palinodias de Don Marcelino.*
Raúl Silva Castro: *Rubén Darío a los veinte años.*
Graciela Palau de Nemes: *Vida y obra de Juan Ramón Jiménez.*
José F. Montesinos: *Valera o la ficción libre (Ensayo de interpretación de una anomalía literaria).*
Eugenio Asensio: *Poética y realidad en el cancionero peninsular de la Edad Media.*

Daniel Poyán Díaz: *Enrique Gaspar (Medio siglo de teatro español).*

José Luis Varela: *Poesía y restauración cultural de Galicia en el siglo XIX.*

José Pedro Díaz: *Gustavo Adolfo Bécquer (Vida y poesía).*

Emilio Carilla: *El Romanticismo en la América hispánica.*

Eugenio G. de Nora: *La novela española contemporánea (1898-1960).*

Christoph Eich: *Federico García Lorca, poeta de la intensidad.*

Oreste Macrí: *Fernando de Herrera.*

Marcial José Bayo: *Virgilio y la pastoral española del Renacimiento.*

Dámaso Alonso: *Dos españoles del Siglo de Oro (Un poeta madrileñista, latinista y francesista en la mitad del siglo XVI. El Fabio de la "Epístola moral": su cara y cruz en Méjico y en España).*

Manuel Criado de Val: *Teoría de Castilla la Nueva (La dualidad castellana en los orígenes del español).*

Ivan A. Schulman: *Símbolo y color en la obra de José Martí.*

José Sánchez: *Academias literarias del Siglo de Oro español.*

Joaquín Casalduero: *Espronceda.*

Stephen Gilman: *Tiempo y formas temporales en el "Poema del Cid".*

Frank Pierce: *La poesía épica del Siglo de Oro.*

E. Correa Calderón: *Baltasar Gracián. Su vida y su obra.*

Sofía Martín-Gamero: *La enseñanza del inglés en España (desde la Edad Media hasta el siglo XIX).*

Joaquín Casalduero: *Estudios sobre el teatro español (Lope de Vega - Guillén de Castro - Cervantes - Tirso de Molina - Ruiz de Alarcón - Calderón - Moratín - Duque de Rivas).*

Nigel Glendinning: *Vida y obra de Cadalso.*

Álvaro Galmés de Fuentes: *Las sibilantes en la Romania.*

Joaquín Casalduero: *Sentido y forma de las novelas ejemplares.*

Sanford Shepard: *El Pinciano y las teorías literarias del Siglo de Oro.*

Luis Jenaro MacLennan: *El problema del aspecto verbal (Estudio crítico de sus presupuestos).*

Joaquín Casalduero: *Estudios de literatura española ("Poema de Mio Cid", Arcipreste de Hita, Cervantes, Duque de Rivas, Espronceda, Bécquer, Galdós, Baroja, Ganivet, Valle-Inclán, Antonio Machado, Gabriel Miró, Jorge Guillén).*

Eugenio Coseriu: *Teoría del lenguaje y lingüística general (Cinco estudios).*

Aurelio Miró Quesada S.: *El primer virrey-poeta en América (Don Juan de Mendoza y Luna, marqués de Montesclaros).*

Gustavo Correa: *El simbolismo religioso en las novelas de Pérez Galdós.*

Rafael de Balbín: *Sistema de rítmica castellana.*

Paul Ilie: *La novelística de Camilo José Cela.*

Víctor B. Vari: *Carducci y España.*

Juan Cano Ballesta: *La poesía de Miguel Hernández.*

Erna Ruth Berndt: *Amor, muerte y fortuna en "La Celestina".*

Gloria Videla: *El ultraísmo (Estudios sobre movimientos poéticos de vanguardia en España).*

Hans Hinterhäuser: *Los "Episodios Nacionales" de Benito Pérez Galdós.*

Javier Herrero: *Fernán Caballero: un nuevo planteamiento.*

Werner Beinhauer: *El español coloquial.*

Helmut Hatzfeld: *Estudios sobre el barroco.*

Vicente Ramos: *El mundo de Gabriel Miró.*

Manuel García Blanco: *América y Unamuno.*

Ricardo Gullón: *Autobiografías de Unamuno.*

Marcel Bataillon: *Varia lección de clásicos españoles.*

Robert Ricard: *Estudios de literatura religiosa española.*

Keith Ellis: *El arte narrativo de Francisco Ayala.*

José Antonio Maravall: *El mundo social de "La Celestina".*

Joaquín Artiles: *Los recursos literarios de Berceo.*

Eugenio Asensio: *Itinerario del entremés. Desde Lope de Rueda a Quiñones de Benavente (Con cinco entremeses inéditos de Don Francisco de Quevedo).*

Carlos Feal Deibe: *La poesía de Pedro Salinas.*

Carmelo Gariano: *Análisis estilístico de los "Milagros de Nuestra Señora" de Berceo.*

Guillermo Díaz-Plaja: *Las estéticas de Valle-Inclán.*
Walter T. Pattison: *El naturalismo español. Historia externa de un movimiento literario.*
Miguel Herrero García: *Ideas de los españoles del siglo XVII.*
Javier Herrero: *Ángel Ganivet: un iluminado.*
Emilio Lorenzo: *El español de hoy, lengua en ebullición.*
Emilia de Zuleta: *Historia de la crítica española contemporánea.*
Michael P. Predmore: *La obra en prosa de Juan Ramón Jiménez.*
Bruno Snell: *La estructura del lenguaje.*
Antonio Serrano de Haro: *Personalidad y destino de Jorge Manrique.*
Ricardo Gullón: *Galdós, novelista moderno.*
Joaquín Casalduero: *Sentido y forma del teatro de Cervantes.*
Antonio Risco: *La estética de Valle-Inclán en los esperpentos y en el "Ruedo Ibérico".*
Joseph Szertics: *Tiempo y verbo en el romancero viejo.*
Miguel Batllori, S. I.: *La cultura hispano-italiana de los jesuitas expulsos (Españoles - Hispanoamericanos - Filipinos. 1767-1814).*
Emilio Carilla: *Una etapa decisiva de Darío (Rubén Darío en la Argentina).*
Edmund de Chasca: *El arte juglaresco en el "Cantar de Mio Cid".*
Gonzalo Sobejano: *Nietzsche en España.*
J. A. Balseiro: *Seis estudios sobre Rubén Darío.*
Rafael Lapesa: *De la Edad Media a nuestros días. Estudios de historia literaria.*
Giuseppe Carlo Rossi: *Estudios sobre las letras en el siglo XVIII (Temas españoles. Temas Hispano-Portugueses. Temas Hispano-Italianos).*
Aurora de Albornoz: *La presencia de Miguel de Unamuno en Antonio Machado.*

III. MANUALES

Emilio Alarcos Llorach: *Fonología española.*
Samuel Gili Gaya: *Elementos de fonética general.*
Emilio Alarcos Llorach: *Gramática estructural.*
Francisco López Estrada: *Introducción a la literatura medieval española.*
Francisco de B. Moll: *Gramática histórica catalana.*

Fernando Lázaro Carreter: *Diccionario de términos filológicos.*
Manuel Alvar: *El dialecto aragonés.*
Alonso Zamora Vicente: *Dialectología española.*
Pilar Vázquez Cuesta y Maria Albertina Mendes da Luz: *Gramática portuguesa.*
Antonio M. Badia Margarit: *Gramática catalana.*
Walter Porzig: *El mundo maravilloso del lenguaje (Problemas, métodos y resultados de la lingüística moderna).*
Heinrich Lausberg: *Lingüística románica.*
André Martinet: *Elementos de lingüística general.*
Walther von Wartburg: *Evolución y estructura de la lengua francesa.*
Heinrich Lausberg: *Manual de retórica literaria (Fundamentos de una ciencia de la literatura).*

IV. TEXTOS

Manuel C. Díaz y Díaz: *Antología del latín vulgar.*
María Josefa Canellada: *Antología de textos fonéticos.*
F. Sánchez Escribano y A. Porqueras Mayo: *Preceptiva dramática española del renacimiento y el barroco.*
Juan Ruis: *Libro de buen amor.*

V. DICCIONARIOS

Joan Corominas: *Diccionario crítico etimológico de la lengua castellana.*
Joan Corominas: *Breve diccionario etimológico de la lengua castellana.*
Diccionario de autoridades.
Ricardo J. Alfaro: *Diccionario de anglicismos.*
María Moliner: *Diccionario de uso del español.*

VI. ANTOLOGÍA HISPÁNICA

Carmen Laforet: *Mis páginas mejores.*
Julio Camba: *Mis páginas mejores.*

Dámaso Alonso y José M. Blecua: *Antología de la poesía española. Lírica de tipo tradicional.*

Camilo José Cela: *Mis páginas preferidas.*

Wenceslao Fernández Flórez: *Mis páginas mejores.*

Vicente Aleixandre: *Mis poemas mejores.*

Ramón Menéndez Pidal: *Mis páginas preferidas (Temas literarios).*

Ramón Menéndez Pidal: *Mis páginas preferidas (Temas lingüísticos e históricos).*

José M. Blecua: *Floresta de lírica española.*

Ramón Gómez de la Serna: *Mis mejores páginas literarias.*

Pedro Laín Entralgo: *Mis páginas preferidas.*

José Luis Cano: *Antología de la nueva poesía española.*

Juan Ramón Jiménez: *Pájinas escojidas (Prosa).*

Juan Ramón Jiménez: *Pájinas escojidas (Verso).*

Juan Antonio de Zunzunegui: *Mis páginas preferidas.*

Francisco García Pavón: *Antología de cuentistas españoles contemporáneos.*

Dámaso Alonso: *Góngora y el "Polifemo".*

Antología de poetas ingleses modernos.

José Ramón Medina: *Antología venezolana (Verso).*

José Ramón Medina: *Antología venezolana (Prosa).*

Juan Bautista Avalle-Arce: *El inca Garcilaso en sus "Comentarios" (Antología vivida).*

Francisco Ayala: *Mis páginas mejores.*

Jorge Guillén: *Selección de poemas.*

Max Aub: *Mis páginas mejores.*

VII. CAMPO ABIERTO

Alonso Zamora Vicente: *Lope de Vega (Su vida y su obra).*

E. Moreno Báez: *Nosotros y nuestros clásicos.*

Dámaso Alonso: *Cuatro poetas españoles (Garcilaso - Góngora - Maragall - Antonio Machado).*

Antonio Sánchez-Barbudo: *La segunda época de Juan Ramón Jiménez (1916-1953).*

Alonso Zamora Vicente: *Camilo José Cela (Acercamiento a un escritor).*

Dámaso Alonso: *Del Siglo de Oro a este siglo de siglas (Notas y artículos a través de 350 años de letras españolas).*

Antonio Sánchez-Barbudo: *La segunda época de Juan Ramón Jiménez (Cincuenta poemas comentados).*

Segundo Serrano Poncela: *Formas de vida hispánica (Garcilaso - Quevedo - Godoy y los ilustrados).*

Francisco Ayala: *Realidad y ensueño.*

Mariano Baquero Goyanes: *Perspectivismo y contraste (De Cadalso a Pérez de Ayala).*

Luis Alberto Sánchez: *Escritores representativos de América. Primera serie.*

Ricardo Gullón: *Direcciones del modernismo.*

Luis Alberto Sánchez: *Escritores representativos de América. Segunda serie.*

Dámaso Alonso: *De los siglos oscuros al de Oro (Notas y artículos a través de 700 años de letras españolas).*

Basilio de Pablos: *El tiempo en la poesía de Juan Ramón Jiménez.*

Ramón J. Sender: *Valle-Inclán y la dificultad de la tragedia.*

Guillermo de Torre: *La difícil universalidad española.*

Ángel del Río: *Estudios sobre literatura contemporánea española.*

Gonzalo Sobejano: *Forma literaria y sensibilidad social.*

A. Serrano Plaja: *Realismo "mágico" en Cervantes.*

VIII. DOCUMENTOS

Dámaso Alonso y Eulalia Galvarriato de Alonso: *Para la biografía de Góngora: documentos desconocidos.*